王朔
——
著

看上去很美

北京出版集团公司
北京十月文艺出版社

目录

自序

——现在就开始回忆

1

1991年我写了一百多万字的小说、电影和电视剧本，第二年遭了报应，陷入写作危机。老实讲，那也是一次精神危机，我对自己的写作生活包括所写的东西产生了很大怀疑。我记得很清楚这一动摇发生的时间、地点，那是一天上午11点多钟，在东三环边儿上西坝河副食商场门口，我经过那里去吃一个饭。那天，是初夏，阳光很好，眼前有氤氲的光雾，我走在这之中一下腿就软了，用小资产阶级女性夸张的腔调形容，我认为我崩溃了。当然我没倒下，躺在当街，还在走，但脑子里轰然而至的都是些飞快的短问句：我这儿干吗呢？我这就算——活出来了？我想要的就是这——眼前的一切？

忽然对已经得心应手，已经写得很熟练的那路小说失去了兴趣，觉得在得心应手间失去了原初的本意，于很熟练之下错过了要紧的东西。那是一个明白无误的虚点，像袜子上的一个洞，别人看不到，我自己心知肚明：我标榜的那一路小说其实是在简化生活。

这是往好说。严厉讲：是歪曲生活。什么生活也是百感交集莫衷一是，为什么反映在小说中却成了那么一副简单的面孔，譬如说：喜剧式的。这其中当然有文学这一表达工具的本身的局限：故事往往有自我圆满的要求，字数限制使人只能屈从于主要事态的发展，很多真实顾不上。也因趣味导致。北京话说起来有一种趋于热闹的特点，行文时很容易话赶话，那种口腔快感很容易让说者沉醉，以为自己聪明，因而越发卖弄。若仅仅要寻个卖点，换几声喝彩，应个景，那也没什么。但，不瞒各位，我还是有一个文学初衷的，那就是：还原生活。——我说的是找到人物行动时所受的真实驱使，那个不以人的意志为转移，隐于表情之下的，原始支配力。

因为我不能相信我自己的第一反应。因为行动往往是暧昧的。因为思想机器过于复杂，一点点剥离，你也未必料得到你何以会那么反应。这牵涉到动机。未必你都能了解,参得透你笔下的人物。未必它不会当喜却悲，遇爱生恨，——哪怕那人的原型就是你自己。动机失察，行为不轨，净剩下预设好的戏剧性，跟着现抓的喜怒哀乐跑，到哪儿算哪儿……光好看了，结果是事后总排解不开一个自问：原来是这样吗？

难受的还不光是这个。就因为没掏出根儿，揪着自己头发飘在半空，就有人把你往沟里带，替你总结出一套活法儿，说你就是这个，还得到普遍认可。我说的还不是骂我那些人，我跟他们的关系很简单，就是立场不同，思想感情格格不入，他们骂我那些话倒大致不差，偶尔差到姥姥家去，也无关痛痒。我说的是喜欢我的，待见我的，拿我那东西当宝的。在说下面那些话前，我要先声明一下：我这是对事不对人，只是想把一些误会已久的事澄清一下，把不相干的东西择一择，可能不公平，但没有借此贬低他人成心恶心谁的用意，请读者明鉴，当事人见谅。

我说的是趋时而作，根据我的小说改编和我直接编剧的一些影视剧中的典型化了的人物形象。演员很成功，深为广大人民所喜闻乐见，我也喜欢，像喜欢别的凡能使我发笑的喜剧角色一样。若说这一类形象是我小说所提供，所独创，却不敢当。这是无功受禄，掠了别人之美，那不过是另一些聪明人在借腹怀胎。

他们那是另一路北京人，怎么说呢？可能是真善良吧，有一点小小的狡猾，极善趋利避害，最大的本钱是将“善解人意”挂在嘴边，猫着腰做人，什么也不耽误，肚子里的算盘打得别人都能听见，小有激动便以为那是深情了。

好人哪，这种性质的人在生活中有益无害，进入公共领域大都可做大众宠儿，但出现在我的作品中就是误会。就是表错情。就是影视艺术再创造的结果。影视不同于小说大概也就在于那体现的是一个集体意志，很多人参加劳动，最终都参与了意见，在角色身上倾注了自己喜爱的品质，最终还你一个陌生人。当然，影视于今首要在于牟利，受欢迎便是成功，你要问我原作的想法，我没这意思，写那么多废话就为了给大家树一个好人。正如批评者所言，我写的都是痞子。那些貌似热情的话都是开涮。这种涮人的恶癖基于一种根深蒂固的优越感。是的，自以为了不起，有折腾劲儿少立身之才，沦入社会底层而不自知，肉烂嘴不烂，于话语中维持自大，像活在梦里，依旧卓尔不群，睥睨众生。是爱装大个儿的，是流氓假仗义，也有点不甘寂寞，然而，还就不是什么乱七八糟笑容可掬的所谓小人物。

我小时一直是个坏孩子，习惯领受周围人的指责和白眼，那才觉得我像我。忽一日，掌声响起来，还有人攀附，我感到迷失，进退失据。那感觉很生猛，既舒服又不自在，舒服的同时常常不自在，这就叫堕落吧？

还记得当年看到第一篇批评我的文章（这之前也有，我指的是当时最新一轮我注意到的），是一闲人写的，登在《北京日报》周末版上。批评的内容不记得了，也不重要，总而言之是说我不好，一无是处，那无所谓，关键是这文章使我的心情为之一变，可形容为“一颗心落回肚子里”。与身后的恭维、怂恿比，迎面拦住去路的针砭、叫骂更使我清楚自己待的地方是哪儿，自己是个什么东西，因而也就更容易保持住本性——我的意思是说：狼性。变成狼我所不欲，变为狗亦我所不欲，两害相权，取不得已。——这就是敌人的好处和必要。我想我是需要敌人甚过朋辈的那种人。当然我不是指批评我的人是拿枪的敌人，这是修辞，如果这么说不妥，我很乐意称他们为明眼人，拿鞭子指方向的人。

这是实话，我感谢对我进行批评的人们。正是这些刺耳的批评，使我看到了这一切阴差阳错和指鹿为马。我想我对这一切还是不该太消极，或说太拒绝，——或者就坡下驴。被误会是表达者的宿命，却也不必因此就把别人都当无可救药的傻瓜或一概斥为别有用心。其中有部分原因肯定在我，我表达得自有歧义，授人以柄。我想可能还是有一种小说写法可以把我知道的生活——那个本来面目，如实展示出来。说来有趣，面对批评和戏仿我竟感到自己的生活资源还完好无损，还保留着它不被人知的那种新鲜、蛮荒和处子味道。这对写作十年仍有创作欲的人而言，真是再好没有了。这就意味着我还有机会别开生面上一个台阶或叫再入一个洞天。

也许，这倒是我矫情呢，太拿自己当事儿，不潇洒，坏了我们这种人号称的做派。那又怎么了？就算我看不开吧。

2

我这本书仅仅是对往日生活的追念。一个开头。

北京复兴路，那沿线狭长一带方圆十数公里被我视为自己的生身故乡（尽管我并不是真生在那儿）。这一带过去叫“新北京”，孤悬于北京旧城之西，那是四九年以后建立的新城，居民来自五湖四海，无一本地人氏，尽操国语，日常饮食，起居习惯，待人处事，思维方式乃至房屋建筑风格都自成一体。与老北平号称文华鼎盛一时之绝的七百年传统毫无瓜葛。我叫这一带“大院文化割据地区”。我认为自己是从那儿出身的，一身习气莫不源于此。到今天我仍能感到那个地方的旧风气在我性格中打下的烙印，一遇到事，那些东西就从骨子里往外冒。这些年我也越活越不知道自己是谁了，用《红楼梦》里的话“反认他乡是故乡”。写此书也是认祖归宗的意思，是什么鸟变的就是什么鸟。

好像是陈村在一篇短文里说，他最好的小说在他脑子里，只是不晓得，还是不想，还是没时间把它写出来。史铁生也在一篇小文里说过，每个人脑子里都曾经很精彩，如果大家都把自己脑子里想到过的东西都写出来，那就有很多亿，篇篇出色的文学作品（大意，都是大意啊）。看的当下不由一怔：真是英雄所见略同！——我也这样考虑。

这本小说一直在我脑子里酝酿。或者干脆说一直用大脑细胞在写。具体写作起始日期可追溯到二十年前，我刚动了心想在文学这条路上闯一闯。当我构思第一个短篇小说时就同时构思这本小说了。这期间，发表了很多小说，但这本书一直在脑子里丰富、发展、完善，总也不想拿出来。有时似乎觉得眼下的一切写作都是为了这本书练笔、摸索技巧、积聚、寻找最佳结构和出发点。有时有些绝妙之念舍不得使在别处，就替这书存了起来。有时黔驴技穷一狠心用了这书的片段去支撑另一个已发表的小说，用过之后之懊悔，痛不欲生，有如旧时代妇女失去贞操。

这是关于我自己的，彻底的，毫不保留的，凡看过、经过、想过、听说过，尽可能穷尽我之感受的，一本书。

游泳游得快，来到这世上，不能白活，来无影去无踪，像个孑孓随生随灭。用某人文诌诌的话说：如何理解自己的偶在。大白话就是：我为什么这德行。

一想就是很长的一本书。有那个精神准备，若写，一个字也不省，把既有的写作习惯写作风格都破一下。不再理会篇幅、故事、情节、叙述节奏，彻底自由，随心所欲，严儿可严儿地真实一把。哪怕时时中断，哪怕处处矛盾，乃至自相残杀，都不管了。只设一个主人公，那就是我自己，其他人招之即来挥之即去，不给他们任何超出生活真实的机会。不使这整部小说越看越像个故事。不管涉及谁，说真话，只说真话，爱高兴不高兴。读者，也不考虑，货卖识家，有一万个会意的这书印出来就不赔，没有，我自己留着当日记。总之，是个放开手脚，赤膊上阵，毕其功于一役的意思。

我是从头写起的。人之初，刚落草，什么是真实？真实就是一笔糊涂账。周围的人倏忽倥偬，形态莫辨，周围的事也大都没头没脑，断简残篇，偶尔飘过一缕思绪，无根无由，哪里晓得是在图什么。这中间还隔着大段大段的空白，写出来想找到起承转合的字句都难，再混蛋的评论家也指不出具体意义——根本没意义。每写至此，洋洋几万字不着四六，我也乐了，真成给自己看的东西了。——若执意给自己看，我又何必见诸文字？

真正具有摧毁性，禁不起我自己追问的是：你现在想起来都是真的吗？谁都知道人的记忆力有多不可靠，这就是一般司法公正不采信孤证的道理。事件也许是当时的事件，情绪、反应难免不带今天情感烙印——那它还是原来的它吗？如是一想，十分绝望。穷我一心，也无非是一片虚拟的真实，所为何来？看来“还原生活”也不过是句大话，又岂是下天大决心，拿一腔真诚换得来的？信念愈执著，扑空的几率也就愈大，这也是一反比关系。实际上这是走投无路了。也别吹了，也别发狠了，想不想把这小说写出来？想！好，老老实实按照小说的规律去办。何谓小说？虚构。第一是虚构，第二是虚构，第三还是虚构。

至此，大哭而回，认命。停止对真实的纠缠，回到我们称之为“小说”的那种读物的基本要求上。那是个什么东西呢？不是自我宣泄，自我成圣，而是驾驭文字，营造情调，修正趣味，提纯思想，给读者一个惊喜。

也还允许回忆，但这回忆须服从虚构的安排，当引申处则引申，当扭转时则扭转，不吝赋予新意义，不惜强加新诠释。讲通顺，讲跌宕，讲面面俱到，讲柳暗花明。草蛇灰线，因果循循。于是，没听说过的人出现了，没干过的事发生了。平淡如水的日常生活铺垫为步步玄机，漫无边际的人生百态勾连成完整戏剧。世上本无事，作家自扰之。原本散沙一盘的人群被拴了对儿，小抵牾辄大起冲突，见缝下蛆，见包袱就抖，唯恐不热闹，唯恐不机巧，什么花招也使了，什么套路也用了，素不以为然的，常笑他人低级的，都顾不上了，语不惊人死不休，都只为提高读者的阅读兴趣。卖，卖一千万本才好。

全好，都不错，就一个小出入：不是我脑子里原来那东西了。这也怨不到别人，谁让我没本事呢，只会写小说。

所以，在这儿我先给读者提个醒：我这本书别当回忆录看，没几件事是真的，至多只是看上去像，谁当真谁傻。这就是一常规小说，第一人称和第三人称混用，爹不是爹，娘不是娘，朋友不是朋友，我不是我，谁要跟我三头六案对证，我是不认账的。

3

这小说写的是复兴路29号院的一帮孩子，时间是六一年到六六年“文化大革命”开始，主要地点是幼儿园、翠微小学和那个院的操场、食堂、宿舍楼之间和楼上的一个家。主要人物有父母、阿姨、老师、一群小朋友和解放军官兵若干。没坏人。有一个幼儿园阿姨有一点可笑，仅此而已。男主人公叫方枪枪，是我原先一些小说中叫方言的那个人的小名，后面等到上中学，我会让他改回来。他周围的小朋友，男生，都是我原先小说中的人物，一个院的，一个学校的，都还小。女生，有老人儿，大部分是新人。我准备让他们中的某几位连贯下去，在后面成年后仍在方枪枪的生活中扮演重要角色，这是出于小说的需要，保持情节的连续性，并非实情。我们那个院还是有一些禁忌的，或叫难以逾越的纯洁，本院的男女小孩之间很少乱来，都挺淡的，给予敬重。不像海军，他们院同院结婚的很多，由纯洁的友谊最后走到一起去了。

这里必须解释一下，不想让人家以为我从小就惦记着谁，没敢说，最后写进小说过瘾去了。不好。

男孩尽管一些事迹昭著，一提，29号的旧人都知道谁干的，也不尽然。还是合并了一些同类项，使之性格迥异，各秉资质。其实当时大家都挺像的，文武之道都有一些类似的长处，都有相同的惊人之举，有的地方将张三的壮举安给李四，也是归范儿，令知情者贻笑大方了。有的事是成心多给了方枪枪一些，显得他多关键似的，这是我利用职权营私了，不好意思。

有一些过场人物，流言蜚语之中用了真人名，还罗列不少真外号，并非有意唐突，实为增添亲历感，越是假活儿越要煞有介事，各位海涵，别跟我一般计较。这里我要特别向真张明请个安。这是我一不周全。在“一半火焰”那小说里我用了这名字，在这里也只好继续用了，因为有互文关系，割舍不下。郑重声明：此张明不是那29号真张明。这张明有作风问题，那张明绝对好人。

为了把假做真，我在这小说中把背景尽可能坐实，路名门牌楼号校名什么的都使真的。社会上沸沸扬扬的大事也大致涉及，只是这些事都是从方枪枪这个糊涂小孩眼中反映，不可能在时间上太精确，有些事反映到他这儿来和资料上的历史发生时刻有出入，差个一两年也是有的，那就活该了，我也不是给别人编年，只是意在渲染氛围。

一些当时的称谓，也不一定精确，因为小孩不一定完全搞得懂那些官称，会有很多口误，这个我就从孩子了。还有个别谁也说不清的叫法，像里面提到的“三军冲派”，我也是刚弄明白那是三派：老三军，新三军，再加上个冲派。当时小孩也就一块儿叫了。这个也就不改了。

对那时的一些独特简语，开头一般随行有几句说明，后来觉得也啰嗦，多事儿，也影响叙事，就不再解释了。相信中国人都还看得懂，谁不认识几个四十岁以上的人，问问也就了然了，都不难。

文字中还有一些口语，有音无字，或者其字不雅，我就用象声词或同音字来拼。像表示乱动，一般和“蹬”联用的“哧呜啊”；形容难看和糟心的“哧诶”；还有“拨依”，这个字在口语中也往往折音节避脏，不算生造。偶有英文我也全拿汉字拼。我是特意不用字母的。在这点上我守老派，我以为汉字文章，加进一两节字母，如馒头旁摆了根香肠，外道，隔路，还有点劲儿劲儿的。

另有一些无规范的或其规范不足以穷其义，我也擅加更动，只选我自己认为贴的。譬如矫情，用做形容时我用这俩字，同时伴有动作正“矫情”着呢,我用口字边的嚼——嚼情。譬如:较劲。相持不下我用这个，有时是单方面不服，带有叫板的意思，我也用这口字边的叫——叫劲。总的原则是从音。我以为人在看小说时会默读，意思再对音差了，有时也会摸不着头脑。特别是关碍口语，容易蒙。大家也不是真都那么有学问，不会念没准就不认得了，或者给看拧了。

有的多音字，譬如“剌”“落”，都有个“拉”音，可一般习惯看到这两个字还是读主音，用作动词时常觉词不达意，读起来不畅。这我也自作主张改写为“拉”。不是写错了，看官读到那里知道就行了。语言嘛，约定俗成，有习惯用法这一说，都别太轴了。像“大腕”“顽主”都换为原字“大万”“玩主”也不见得就好，读时嘴里也要换一下频道。

4

最后，这个问题容我专门饶一下舌。过去不慎，在这个问题上吃过亏，所以这次，天没下雨先打伞。

我既往文风失之油滑，每每招致外人不快。这次是做抒情文章，叠床架屋，繁缛生涩是有的。制造个气氛，给自己寻个小快乐也是有的。含沙射影血口喷人，决无。调侃，那也是文意兜转空留余响罢了。我是提着手刹一路开的这车。也是势在必行，文中小孩终篇不满八岁，能说得出口的昏话不过尔尔。若说有意图之，那是欲图一点童心，欲图一派天真。小孩子当然是有些糊涂想法，生于大时代，也不可能不在时尚中，胡乱关心一下政治，轻率赞同一些时事，那在当时是很自然的，也很正经，没人会发噱，搁在今天，这些忠厚便显得狡猾，有几分不怀好意，有点调了侃，为了不引致误解，这些，在成书前，经与编辑细细会商，均一一删去了。

我们是反复检查过的，可删可不删的地方——删！删得肉疼，也自觉用心良苦。可百密一疏，未准仍有一句半句尚嫌造次，但请各位眼中容情，跳过去不看也罢。

再说点什么呢？咱们都别想歪了。很乐意受到猛烈的文学批评，人身攻击也可以。就是别寻章摘句，望文生义，那就不是与人为善的态度了。

1999 年 2 月 12 日

| 第一章 |

陈南燕很早就进入了我的生活，早到记不清年代。当时我和她妹妹陈北燕床挨床一起睡在新北京一所军队大院的保育院里。那间寝室一望无尽，睡着近百名昏昏沉沉的婴儿，床上吃床上拉，啼哭声不绝于耳。很多人经过我的床边，对我做出种种举动，都被我忘了，只认识并记住了陈南燕的脸。

先是一双眼睛，像刚被弹进洞的黑芯玻璃球滴溜溜转个不停，一旦立定眸子中央顷刻出现针尖大小的亮点，仔细看发现那是两只活灵活现微缩的日光灯管。这两只灯管经常自上而下地向我逼近，直至眼前消失，与此同时我的脸蛋有时是嘴唇就会感到湿润的一触。这两只灯管的倏忽出没使我十分困惑，每次都要抬头去找它们的踪影。我会看到天花板上真有一只一模一样的灯管，只是巨大而且光芒四射，稍一注视便照花了眼睛。很长时间我才明白那两只针尖大小的灯管是这只大灯管在她眼睛里的一分为二。

阳光明媚的早晨，这双眼睛就会变得毛茸茸的，半遮半掩。直射的晨光会把里面照得一片透明，黑眼珠变成琥珀色，眼白则变得蔚蓝，两种颜色互相融合，再也看不清那里面的想法。

这双眼睛是这张脸上最清晰的部分，其余眉毛、鼻子、嘴都像用最硬的5H铅笔在白纸上飞快画出的淡淡线条，一定要在深色的背景下才能托出来。光线稍一强，肌肤就被打透了，连头发也仿佛褪了色。

保育院对生活不能自理的幼儿采取的是比较文明的战俘营的办法：自我管理。换句话说：大的管小的。书里记载那是连绵不断的战争结束后的十年间，人们还没从心理上摆脱人口锐减的阴影。国家鼓励生育。每个家庭都有很多孩子，少的两三个，多至一打，只生一个的被认为有病。我们这批孩子都有哥哥姐姐，也在这间保育院里。他们人小志大，分担了父母任性的后果。

每天早晚，这些孩子就从保育院其他班出来，汇聚到我们小班，各司其责，帮助自己的弟弟妹妹完成一天当中最艰巨的任务：穿衣服和脱衣服。不知道他们最初进保育院是怎么过的这一关。也许他们也有哥哥姐姐，这是一项伟大传统；也许头胎孩子就是聪明，父母也更在意。据说伟人里老大比较多。

据说我是个大头孩子。大到什么程度呢？有照片为证，头和身子的比例：腿三分之一；身体三分之一；头三分之一。脑袋大不见得脑容量大，医生说这是缺钙造成的方颅症。证据是脑袋顶上用手摸能摸到两个尖儿，所谓头上长角。书里说那几年有全国性灾荒，饿死一些人。官方也有记录，上头都不吃肉了。我赶上了，也就别说什么了。脑袋大点就大点吧。还有一个脑袋大的原因是睡眠习惯。一年到头仰面朝上望着天睡，呼吸很通畅后脑勺压扁了，该往前后长的都平摊到脸上。这大脑袋给我带来很多不便。

本来想着省去一些系扣子的麻烦，我爹妈给我备的行头都是套头装，毛衣、内衣，穿脱都要经过头颅。经常卡在耳朵上。尤其是脱，十有八九要被下巴钩住，颈椎都拉长了毛衣还在头上，搞得我蒙在鼓里伸手不见五指不知什么时候才能重见光明。

每天前来罚我的是二楼中班的一个马马虎虎的胖男孩。由于我父母是一口气生的我们哥儿俩，这胖孩子也就比我大一岁，阅历不多，智力体力发展也不平衡，遇到这种情况百思不得其解，想到的对策就是请我吃耳光。先打哭了我自己再退到一旁搓着手干着急。每到这时，就会有一个人跳上我的床，双腿夹住我，拎起毛衣袖子凭空那么一拔，我便两耳生风眼泪汪汪地大白于天下。

这救星就是陈南燕。她弄完自己妹妹就来帮着我哥弄我。同样一份工作，态度很不一样。我哥都快烦死了，有时烦得自己直哭。她却饶有兴趣，一边玩一边什么事都干了。她比较爱干的还有捏别人脸蛋。看见躺在床上的胖孩子，伸手过去就掐住人家两边脸蛋往下扯，好好一个人给她扯成大阿福，自己笑个不停，从中得到很大乐趣。我们班营养好的男孩都叫她掐遍了。阿姨看见她干这种事就会骂她，说一班孩子都让她掐得流口水不止。

我倒不觉得她这种举动失礼。我的脸喜欢这些柔软的手指。她一用劲就能感到肉下骨节的硬度。这手指接触我的皮肤时使用了一种委婉的语言，译成书面文字就是：温存。

假若没有家里相簿中的那些照片，我不会相信我的童年是在母亲身边度过的。我的记忆中没有她。使劲想，她的身影也不真实，黑白的，一语不出，恍若隔世之人。她是个医生，很忙，一星期要值好几次夜班的那种住院医。从记事起我们就不住在一起。很多年我不知她的下落，后来才发现她只在夜间出现，天一亮又消失了。她不是我生活中重要的人。我甚至从不知道她的名字。直到上学后，经常要填各种履历表，每次问，才慢慢记住。记住了名字，也觉得这是个陌生人。至于“妈妈”一词，知道是生自己的人，但感受上觉得是个人人都有的远房亲戚。“母亲”一词就更不知所指了。看了太多回忆母亲的文章，以为凡是母亲都是死了很多年的老保姆。至今，我听到有人高唱歌颂母亲的小调都会上半身一阵阵起鸡皮疙瘩。生拉硬拽拍马屁的还好一点，谁也不会太当真。特别受不了的是唱的人声情并茂自以为很投入恨不得当着大伙哭出来那种。查其行状总觉得迹近叫卖。因为我们身心枯竭，所以迷信自娱，拿血缘关系说事儿。人际关系中真的有天然存在，任什么也改变不了的情感吗？

从照片上看，母亲是个时髦、漂亮、笑起来门牙闪闪发亮的年轻女人。凡跟我的合影也一副很有爱心的样子，总在抢着抱我。说“抢”是因为没一次我是乐意的。每张照片上我都在挣扎，扭着身子不和她贴在一起，还用手推她，次次拥抱都没完成，在充沛的动感中按下快门，好几张都虚掉了。这和我一个来自童年，萦绕已久的不快印象倒是吻合：我不懂为什么每次照相总有一个不知打哪儿冒出来的女人缠着我非要跟我合影，还动手动脚的，怎么拒绝都不行。我不习惯成年女人热乎乎的身体和散发出的香气。我认识的成年女人都是至少站在三步开外的阿姨，离她们近了，我会感到很不安全。

父亲是个军人，就在这所大院内服役。我常能意外地遇到他，所以他这个人还比较真实。我曾经以为他是我唯一的亲人，但照片上的他和我记忆中的他仍然有很大年龄差距。照片上的他很结实，记忆中的他已经发胖，这说明这之间有一些年我们不常见面。

我不了解他的工作性质，只知道他常出差，晒得很黑。院里很多军人平日一副悠闲的样子，我曾幻想就他一人到处打打杀杀。在这个问题上他也不说实话，只是自己去忙。那个年代所有大人都显得很忙，不知道他们都在忙些什么，既没有给我们积累出物质财富也没留下多少文化遗产。

我们保育院是座美观的两层楼房。院里小孩都叫它“飞机楼”。据说从空中鸟瞰整幢楼像一架飞机的形状。我家离保育院很近，隔着两排平房，从我家的四层阳台上看过去可以说一览无余。我看了它多年不得要领，不知翅膀在哪儿。也许是这楼涂着白色水砂石的外墙和大面积使用的玻璃使它看上去十分轻巧，很像飞机那种一使劲就能飞起来的东西。

保育院的房间高大，门窗紧闭也能感到空气在自由流通，苍蝇飞起来就像滑翔。寝室活动室向阳的一面整体都是落地窗。一年四季，白天黑夜不拉窗帘。人在里面吃饭、睡觉、谈笑、走动如同置身舞台。视野相当开放，内心却紧张，明白意识随时受到外来目光的观看，一举一动都含了演戏成分，生活场面不知不觉沾染了戏剧性，成就感挫折感分外强烈，很多事情都像是特意为不在场的第三者发生的。

保育院的孩子每天都住在那儿，两个星期接一次，有时两星期也不接。孩子们刚进去时哭，慢慢也就不哭了，好像自己一出生就在那个环境。长期见不着父母的，见到父母倒会哭，不跟他们走。有些孩子甚至以为自己是烈士子弟，要么就胡说自己爸爸是毛主席、周总理什么的，净拣官大的说。保育院有一千条理由让一个孩子哭，但没一条是想爸爸妈妈。

与保育院相比我更喜欢幼儿园这个词。保育院——听上去有点像关坏孩子、病孩子和无家可归的野孩子的地方。有一则关于列宁的小故事：十月革命后，莫斯科有很多流浪儿，其中两个给列宁碰到了，伟大领袖很关爱他们，一声令下把他们送进了保育院。

我很习惯在公共场合生活，每件事都和很多人一起干，在集体中吃喝拉撒睡是我熟悉的唯一生活方式。一天的多数时间里我都是和大家一起躺在床上，睡了又睡。有时几觉醒来，还是白天，太阳仍在窗外。寝室里所有人在沉睡，阿姨也在自己床上睡着了。我就瞪着天花板试图寻找一个可以停留视线的地方。巨大的天花板除了垂下几盏灯别无装饰，素白的平面向四周极大延伸，连同素白的墙体也成了它的组成部分，一眼存不住，目光会像子弹一样抛落到地。这时它就会轻轻拱起，像有生命一样弯曲了那个平面，呈现出穹形。那上面常有人走动传来轻微脚步声和挪动椅子的摩擦声。我不能分辨声音出自二楼其他孩子，以为是天花板的窃窃私语。久而久之，天花板在我眼中出现一些表情，像是一个伪装成石头的怪兽活了过来。这使我顿时感到渺小。我怕那样一个沉重的意志高悬在我的头顶。无遮无拦的空间使我格外体会出它的分量。我想它待在那么高的位置，只有一个目的：有朝一日坍塌下来。

它一般是在夜里悄悄下来。夜晚的到来首先是从一些黑色的暗影在天花板上聚集起来开始的。我童年一直以为：夜晚不是光线的消失，而是大量有质量的黑颜色的入侵，如同墨汁灌进瓶子。这些黑颜色有穿墙本领，尤其能够轻易穿透薄薄的玻璃。当它们成群结队，越进越多，白天就失守了。满屋阳光被打碎了，随着室外的光线一起逃得很远很远，但还能看到它们。它们都在天上，最大的一块残片有时镜子大小，有时只剩下一牙西瓜那么丁点儿。

从我睡的床上可以看到灿烂星河和皎洁月亮。这些发光的星球使黑夜显得不平静。像在用力暗示我夜晚并不意味着一切都安息了，有一些东西反倒更活跃了。趁着夜色这些形状不明的东西正悄悄接近我，攀着天花板一步步下降。结满黑物质的天花板不堪重负，像失事的轮船沉向海底，我都能听到它挤压墙壁，划过玻璃的咔嚓声响。这一过程不可抗拒，也从不自动中止，它会一直落到我的鼻尖处，逼我举手去撑它。它是不会让我碰到它的。这时它会显示出一定弹性。要是我没表示，它就继续欺负我，只给我留出平躺身体的一线缝隙。

完整平均的黑暗使我瘫软，连翻身的力气也没有。明知同室还睡着那么多人也不能给我丝毫安慰，四周此伏彼起的鼾声、磨牙声、梦话声更突出了我的孤立。本该大家一起害怕的东西全要我一个人面对，充满全室的压力也像漏斗一样向我汇聚流来。集体入睡后一个人醒着的感觉真可怕。我想逃离这个现实，回到我来的那个安全的地方。我想象自己一睡过去就从这个世界消失，只要能不再见眼前的景象，什么都愿意。

那好像是一列火车，穿过纷乱的念头，总是在傍晚的时候到达。周围的景色十分昏暗，视线像捆住翅膀的鸽子飞不出几步就掉了下来，什么也看不清。使劲睁眼睁得眼眶都疼了。走出不远能看到一个城市，有街道和一些低矮的建筑。看到保育院的两层楼才恍然大悟：原来保育院是在这条街上。保育院和白天所见大相径庭，像大火之后的废墟。又像初次走入的废弃庄园，多出许多交叉小径和隐秘角落。阿姨和熟悉的小朋友都在，只是神色大异，鬼鬼祟祟，各行其是，对我也爱答不理，视而不见。他们说的话我一句听不懂，好像他们全都会外语，只是平时不说。我逛了一会儿，尿意盎然，沿着老路穿过活动室，拉开厕所门。白天常用的厕所不翼而飞，整个不见了。外面是一大片开阔地，种着大白菜。我家的红砖楼方方正正立在白菜地的另一端。白菜地有条小路通向那儿。我想我走错了方向，拉开了一扇平时没人走的门。我又在活动室里找，再没有别的门了。这使我很郁闷，怀疑自己的记性。肚子憋得更难受了，我想找一个僻静处。藏到树下，阿姨在树下说话；躲到花丛中，那里已经有了几个孩子蹲着。顾不了那么多了，急急回到寝室，想干脆趁黑尿在屋里。没想到大家都起床了，坐在床上穿衣服，走到哪里都有人扭头看我。我在一处墙角还特意站了半天，寻找空当，想趁人不注意不动声色行了方便，都没人看我了，唯独陈北燕还盯着我。眼睛一闪一闪，似乎猜出我的企图。我钻进床下，跪在地上，头顶床屉，用一种极其难拿的姿势掏出小鸡鸡。心想这次成功了，正要痛快，陈北燕头朝下，从她那侧床探出脸，抓鬏耷拉到地，一声不响看着我。再次奔走，尿都滴到裤衩上。终于我在二楼楼梯拐角处发现了一个小厕所。我还生气，厕所搬到这儿，也不告诉人家一声。反复侦察一遍，确是厕所无疑，才解除警惕，站到尿池边，一边掏一边欣慰地批评自己：平时马虎，居然没发现这儿有个厕所。这次要记住了，下次就不用这么着急了。想着想着就尿了出来。

尿一出口儿，就回到自己被窝。心知坏事，人被快感支配，也无意挽回。静静享受片刻，咧嘴哭起来。

我在保育院多年享有“尿床大王”的名声。这称号人人皆知，搞得我很没面子，始终树立不起威信。每天晚上例牌是床上一泡尿，有时性起还要多尿几次。浑身湿透，衣服、褥子都拿走，赤身睡在钢丝网上。早晨起来，屁股、背后、半张脸都印上小方格，像是早市刚割的肉，被谁装进网兜拎了一路。有次我把枕头都尿了，也不知是怎么干的，可见水平之高。更令我悲愤的是，这些成果还要展览。尿湿的被褥白天都要晾在外面院子的铁丝上，在太阳底下一字排开。孩子们管这叫“画地图”。那些暗黄的尿渍印在白布面上也确实像极古代航海家凭印象绘制的错误百出的地图。每日清晨，就有一些无聊的人，起床第一件事是跑出去参观，然后赶回来宣布名单，形容新图案。被褥上都绣着作者的名字，想赖也赖不掉。我夜里睡不好，早晨总比别人迟醒片刻，经常还没睁眼耳边便听到自己的大名在满室传诵。等我糊里糊涂坐起来，看到的是小朋友们一张张祝贺的笑脸。别人是三天打鱼两天晒网，有收工的时候。我是夜夜出海，天天上榜，没一次落空儿的。好在我脸皮也厚了，只当在逆境中锻炼自己，听到一些讽刺不吃心，讲出妙语，我也跟着大家一起笑。

为了至少一次不当绘图员，我白天几乎不喝水，吃饭时的菜汤倘不是鸡汤也一口不沾。就这么克扣自己，还是比别人多尿。也不知道那些水分从何而来。尿量之多，之清澈，换骆驼也脱水了。真让我猜到自己是一块冰制造的，晒太阳就淌水。为此我还有段时间迁怒于自己的生殖器。我不了解内分泌，以为尿这些事都是小鸡鸡一个人干的。假如它不是那么委琐，内存大些，或者干脆像女孩子一样没这东西，何至于此？

大概是要培养小孩定时排便的良好习惯，保育院的厕所像藏有珍品的博物馆定点儿开放，倘屎尿不能如约而至，对不起只能自己保管在直肠或裤裆里。尿裤子于我是家常便饭，并不以为耻。况且同好甚多。有时两个好朋友想单独聚聚，就同时尿裤子，一起到寝室聊天边等着裤子干。比较令我痛心的是有两次忍无可忍把大便活活拉在棉裤里。尽管是开裆裤，也弄得臭不可闻，一塌糊涂。一个多少有点自尊心的人，干出这等事，你早浑身上下洗干净了，好几天过去了，谁见你第一个的反应还是捂鼻子，心里实在不是滋味。

每到这时候，我就在心里缩成一个零，对自己说：变。希望地上裂开一道缝；周围的人被风刮走；当一棵树、一块砖头也比当人强。

我对自己是这个被人叫做方枪枪的男孩十分不满，对他总是不能自我控制当众出丑极其不耐烦。这就像带着一个傻子出门，他不懂事惹了麻烦，别人骂你。

为什么我不能是别人？我看到周围很多人不错，于是羡慕，从羡慕到神往：要是我一生下来就六岁就好了；要是我当阿姨就好了；要是我不当方枪枪就好了。我每天都挑一个出色的人想当。越是现了眼捅了娄子，打了碗尿了床摔了跤，越是想象力发达。常常烂摊子还没收拾，人尚在险中就站在或趴在那儿痴痴想起来。无知的人不知道我在思考，说我低智商，还张罗着带我去检查。那大夫也是庸医，给我开了很多鱼肝油。

每天上下午各有一个小时孩子们会被阿姨带到保育院楼前的院子里散步。小朋友们男一行，女一行，互相拉着手，沿着围墙没头没脑地兜圈儿走圆。犯罪分子也许会把这种活动称为“放风”。保育院都在统一时间“放风”。各班的队伍一队接一队首尾相连，远远看去就像保育院出了事，全体人员在游行。遇到拐弯折返，所有小朋友都会扭头去找自家亲人。我也跟着去找常见的那个叫方超的胖男孩，看见了，心里就温暖一点，像是看见了一起被捕的上级。我哥人很矜持，在班里很注意维护群众关系，一队人里就见他东拉西扯，跟前后左右谁都聊得挺欢。看见我只是一个眼神，神秘一笑。我不懂他这眼神一笑的含义，以后一路就瞎琢磨。走上五六里路，各班就地解散，阿姨们凑到一起聊天，孩子们一律爱谁谁。大孩子们往往会来找小孩子认祖归宗。我哥也会带一帮同学趾高气扬来到我身边，指着我给大家看：这是我弟。我想他这是认了我了，于是他跑到哪里也自动跟在后面，好像一伙儿的。这方超是个小头目，手下一群男兵女兵，组织一场小规模枪战敌我双方都有司令军长。仗一打起来他也顾不上我。除非他那方战败，全当了俘虏，被对方押着走，我才有机会参加，跟在队尾瘟头瘟脑地走，不时受些押解者的打骂。就这，我也满足，似乎离什么更近了。

有时我在俘虏队里走着，注意力和视线会突然被陈南燕抓过去。她不是方超这一伙的。她们有四五个妞儿，清一色长得干净，又瘦又高的。她们很安静地在一边玩，手里有娃娃和听诊器。她们的妹妹也和她们一起玩，很受优待，处处被让在前头。她们用很多时间小声商量事，非常认真，像大人在讨论问题。然后看到她们有条不紊地换了一种新玩法。

那几个女孩都好看，我还是更喜欢看陈南燕。看不腻。像光洁花纹精致的瓷盘子，透明闪动光芒的水晶杯，刚喷过水透着新鲜的瓜果篮，怎么看怎么喜悦，看得越久越舒服。我从没把她和她身边的女孩子做过比较，压根没这么想过，似乎没把她划在人里，光当做养目的风景、美丽的器皿那类的眼中物。

我想象我是陈南燕的弟弟——妹妹也可以。每天由她而不是由方枪枪那个胖哥哥来帮我脱衣服，拍我入睡。星期六我们手拉手一起回家，星期一再手拉手一起回来。我哭了，尿裤子了，她就急急忙忙跑来哄我，给我换裤子，一不怕脏二不怕骚。做早操、散步时，不管何时，只要她看见我，我们俩的视线一相遇，她就会朝我一笑。这一笑只对我才这样，是属于我们俩之间的，就像暗号、秘密。也只有我们俩才会意。具体内容以后再想。有了这一笑，我觉得我在保育院的日子也就不那么难挨了。我不是特别排斥陈北燕。她也挺可怜的，说是自己会穿衣服了，经常把两条腿穿到一条裤腿里，下床就摔跤。鞋带五分钟准散一次。就会哭。说话声音小得像蚊子。吃饭比谁都慢，还爱掉饭粒。她要特别想加入到我们家来，就必须当我二姐，也能多少照顾我一点。不许尿裤子！不许爱哭！睡觉时必须和我说话。手绢必须借我擦鼻涕。那样我就许她星期六和我们一起手拉手回家，星期一手拉手回来；我就许陈南燕朝她也那么笑。我考虑很久允不允许方超加入我们这个三人组，最后决定不批准。

我想象我就是陈南燕。我对方枪枪特别好。因为他非常不错，又会自己穿衣服，又不爱尿床，身上总散发着新鲜香甜的奶味。我喜欢抱他，亲他干净瓷绷的脸蛋，方枪枪不乐意，很傲，我还非上赶着往前凑。我们把保育院变成家，阿姨都是保姆。方超领着他的军团挤在门口哭着想进来……

这时我一脸撞在树上。俘虏队拐弯了我光顾看陈南燕没拐。我哥他们站在一边笑弯了腰。我脸贴在粗粝的树干上一动不动，眼泪使树皮的颜色变深，我用手去抠那块湿了的硬木。

那天夜里，小朋友和阿姨入睡后，我轻轻下了床，光脚跑进厕所，打开灯，踮脚去照洗手池上方的镜子。我想看到自己的形象。我在镜子前照了很长时间，看到的只是愚昧的方枪枪。他的眼睛太黑，无论我怎样使劲凑近去看，睫毛折弯，脸蛋冰凉，那里面仍是一片漆黑。镜面反映出周遭的现实却毫无穿透眼前区区黑幕的力量。

第二章

李阿姨的个头在男人里也算高的。假如女子排球运动早几十年兴起，她也许凭这身高就能为国争了光。她有一对儿蒙古人种罕见的大双眼皮，可那美目中少见笑容更不存一脉温柔。她是军官的妻子，小时没裹脚，总穿两只她丈夫的男式军用皮鞋。这钉着铁掌走起路像马蹄子铿锵作响的沉重皮鞋，再配上一身外科大夫的白大褂和几乎能画出箭头的锐利目光，使她活像个具有无上权威的生物学家。

保育院的孩子中最近流传“闹鬼”的谣言。大孩子小孩子人人谈虎色变，绘影绘形。起因是二楼中班一个平日从不尿床的女孩子突然夜夜尿床。这本是平常事，很多孩子都会在成长过程出现反复，本已掌握的生活本领突然又一窍不通。可这叫陈南燕的女孩子坚持说每天晚上这泡尿不是她尿的，总有一个鬼夜里上她的床，挨着她睡，尿完尿就走了。开始阿姨们以为这是女孩子害羞，可中班很多孩子附会她的说法，言之凿凿亲眼见过那个鬼经过自己床边，严刑拷问也不改口。据孩子们众口一词反映，这鬼个不高，头很大，走路轻快。老院长召集各班阿姨开会，请她们夜里睡觉睁着一只眼，留意一下自己班有无梦游的孩子。李阿姨在会上提出把这件事当“流氓事件”警惕，她注意到很多孩子已经对异性的撒尿方式产生浓厚兴趣“有男孩也有女孩”。这一完全出自责任心的提议，遭到老院长轻慢否决。尤令李阿姨愤怒的是，其他阿姨看她的神气似乎她很色情。

李阿姨背对阳光站在窗前，一眼东一眼西便将整个房间的活动人群尽收眼底。活泼充沛的光线打亮了每一处角落，人人沐浴在光明中，只在她那里豁牙般留出一条黑影。她的脸和头发像乌黑的皮革不吃光，更衬出牙和睫膜的雪白。明知道那是中国的李阿姨，但每次看总以为是刚果来的外宾。

李阿姨对方枪枪的目光总是和她相遇十分不快。这孩子在打量她。尽管她有科学家的外表和高级特工的素质，可她实际工作最多只能算马戏团的驯兽师。不知真正的驯兽师能否对团里的动物一视同仁，反正她是个爱憎分明的人，也不打算改，无法不把个人好恶用于孩子。方枪枪是她不喜欢的一个。别的孩子都逐步学会了穿衣服和定时排便，这孩子仍游手好闲随地大小便一身味儿像个骚烘烘的小猩猩。一个班有这么一位，你就别想睡个踏实觉。李阿姨不认为这孩子先天笨，吃饭他就能一个饭粒不掉，把自己的碗舔得干干净净。看这小坏蛋的眼神，你会发现那里不全是懵懂无知，那里有思想活动，有非常清晰的念头一闪而过。李阿姨平生最恨的就是有人成心跟她作对。虽然常识阻止她那么想，她仍忍不住去怀疑：小阉的是故意使坏，早就能独立生活偏不那么做。

李阿姨的目光足以击落一只正飞得起劲的苍蝇。方枪枪把积木一块块摞成歪塔，看着塔倒下，欣慰地笑起来。他的兴趣是装的，李阿姨心里一声冷笑，这孩子一点不像他看上去那么简单。

三岁前的方枪枪像个牵线木偶任人摆布，对人对己全无心肝，用人朝前，不用人朝后，给一巴掌就哭，给块糖就喊大爷，情感稍纵即逝，记吃不记打，忙忙碌碌，蹉跎岁月。他是个好孩子。安静地在保育院成长像菜种在土壤里默默发育。直到有一个冬天午觉醒来，他发现体内还有个孩子和他一起睁开眼。那一刻是顺顺当当到来的，没有一点唐突和陌生感，像早闻其名的表兄弟相见。再想一想，发现那孩子早就存在，很多日子都是两个人一起度过的。似乎还有一个更久远的年代，那时他住在家里，房间很小，总是没人。窗户上飞舞着无数绿树枝。牛奶开了，雪白的泡沫从小锅的锅盖噗噗冒出，被火苗燎得焦黄。那孩子看见了这些。还有个中午，那孩子独自待在一大片白菜地里，被阳光晒得昏昏欲睡，不知自己是谁，身在何处。另一个中午，那孩子隔着一扇纱窗门看到阳台上一群没有母鸡看护的黄茸茸小鸡崽儿在唧唧我我地啄食。通过那孩子的来历，方枪枪朦胧记起了自己的史前时期。还有一些重要的事情他忘记了。更多暧昧、有情节的场面他无法分辨意义，只留下支离破碎的印象。也许那孩子替他记住了。那孩子在很多方面比他脆弱，易动感情，一点委屈受不得。这使方枪枪有些为他担心，不禁喃喃自语：这儿可没人惯你，太娇气了怎么能在保育院过得好。

那个冬天的下午，方枪枪跨下活动室门外的台阶，那孩子也跟他来到院子里。从暖和的室内一步进入寒风中，他们都感到生殖器一阵紧缩。方枪枪那班的孩子无论男女都是开裆裤打扮，这是有“尿不湿”前我国儿童的传统服饰，公认这是一种可爱的衣着。半裸的孩子们在苍白的冬日阳光下乱哄哄站好队，一对对认准伴儿拉起手。当他们一开步走，冷风立刻像只老流氓的凉手伸进开放的裤裆，贴着腿一寸寸往下摸，一直猥亵到袜子那儿。走到那排树林前，一个女孩冻尿了裤子。方枪枪也很紧张，尽其所能夹着两股，估计自己还能坚持三圈儿。这时陈北燕指着高处嚷：方枪他爸。

全班孩子纷纷抬头，四面八方找，接着一迭声喊：看见了。还他哥。

方枪枪也抬起头，只见自家那幢四层红砖楼赫然矗立在一枪射程内，顶层一间阳台上有一大一小两个人在凭栏远眺。从他现在所站的位置到那高处恰似体育馆台下到三十几排座位，人有手指般大，眉眼模糊但体态身段活生生。方枪枪先认出自家阳台那几盆花儿，接着认出只露一个脑袋的方超，旁边那个挺出半截儿身子的军人与其是认不如说猜出是自己爸爸。这两个人有说有笑，指点江山，看上去好不高兴。阳光在那上面也显得浓烈，照得红砖墙、红油漆门窗和阳台栏杆处处颜色饱和，人脸也像画了油彩。

第二圈回来，两个人还在阳台上。他们一点没有发现方枪枪就在眼皮底下随队行进，视线高高越过一排排屋顶、一行行树冠投向围墙另一边的海军大院。有一次方爸爸举起手，方枪枪以为他就要向自己招手了，可那手臂一下伸直，指向远方。

半个班的小朋友一路的话题就是问方枪枪：你爸怎么没接你回家？怎么光接你哥？

尤其是几个女孩子简直是包围住方枪枪，歪着头，倒着走，七嘴八舌鸟一样叫个不停，得不到回答誓不罢休。

方枪枪绷了半天，还给自己做思想工作：我懂事，我好孩子不哭。今天小礼拜规定不能接孩子的。我哥在家是因为他出麻疹了。我出麻疹也能在家。他们其实看见我了，怕老师说才装没看见。家有什么好呀，谁没家呀。保育院有果酱包家有吗？

又走了几步，我还是哭了。

女孩们立刻争相报告：方枪他哭了。

李阿姨回头看了一眼，一看就还没从自己的梦里醒呢。

她低头继续走路，孩子们也跟着继续茫然前行。

我边走边哭，两只手都被热心的女孩子紧紧攥着，拉扯着，一脸鼻涕眼泪没手擦，结了嘎巴，整只脸蛋紧绷绷的。方枪枪他知道我十分生气。他管不了自己的情绪，很怕我一时冲动干出什么，用很大毅力拖着双腿跟着队伍。我可怜这孩子这么小还要自我约束，要不是怕他受罚，我定会拔腿往家跑。

天色暗下来，保育院每个房间都开了灯，像一艘停在岸边的巨型客轮。散步回来的孩子挤在几个水池子前洗手，然后举着一双双湿淋淋的小手让李阿姨检查像一队投降的小人国士兵经过打败他们的巨无霸。他们在小桌拼凑的长餐桌两边就座，等着自己的晚餐。李阿姨再三呵斥、禁止，他们仍把钢勺儿搪瓷碗敲得叮当作响。有些缺乏自制力的孩子下巴挂着闪亮的口水连胸前的围嘴也湿了一大片。

方枪枪在雪亮的灯光下吃完了他的晚饭。那是掺有碎苹果丁、胡萝卜丁和很少一点鸡蛋的炒米饭，周末特餐。他很重视吃饭，再不愉快的时候吃的东西一端上来立刻全身心投入，浑然忘我。这是他那代孩子的优长。

睡前全体解手，方枪枪没尿。李阿姨还是命令他在小便池台儿上站了半天，眼看着滴下几滴才作罢。

进了寝室，最后一项睡前准备是洗屁股。李阿姨先端来一盆凉水泡着一块毛巾，然后把一暖瓶开水倒进去，不时用手搅和试着水温。她觉得合适了，搓几把毛巾，接着招呼坐在各人床上的孩子逐一过去受洗。那只盆灌了很多开水热气袅袅，李阿姨大蹲在盆后像个卖金鱼的。一个个提着裤子的孩子男女老少走到盆前，大叉腿一蹲，把屁股撅给她，由她从后面连汤带水囫囵一擦。人多水少，经常洗到一半水就凉了也少了若许，李阿姨就往里添开水。这情形怎么说也有些淫秽。尚不知人间有羞耻二字的孩子，虽说日夜混居，共用厕所，两性之间互无保留，但在众目睽睽之下步向洗屁股盆时仍一个个面有羞色。说是去讲卫生，感觉上是去给人糟蹋。我想方枪枪每在李阿姨面前，总有莫名恐惧，自惭形秽，怕是与这每晚的浣臀仪式有关。那差不多和哺乳动物表示臣服的雌伏姿势一模一样。

方枪枪洗时正赶上新添了热水，李阿姨也没测温度，肛门被烫了一下，回到床上蒙在被窝里哭了一会儿，再探出脑袋寝室灯已经全熄了。月光把室内照得如同罩下一顶大蚊帐。冬天的星空像冰块一样明朗，躺在床上形同露营。孩子们都被这月光和星空撩拨得难以入睡，满室钢丝床的吱呀声、伸展关节的噼啪声和孩子嘴巴发出的唉乃声。有孩子甚至爬起来看月亮，黑暗里传来李阿姨的低沉断喝。虽看不见她人，但这声音仍挟带着她全部权力和威风。方枪枪伸出一个指头捅陈北燕脸，陈北燕闭眼用仅有的小牙咬住方枪枪的指头，方枪枪疼得一缩，陈北燕张口咬，他就躲，逗得陈北燕口水流在枕头上。两个孩子玩了一会儿，陈北燕睡着了，方枪枪怎么捅也没反应。方枪枪打了一个哈欠，翻身合掌垫着脸蛋静静地看月亮。他还不想睡，想出去玩。他一个哈欠接一个哈欠打，极力睁着眼睛。他看见自己从床上下来，鞋也不穿就往外走。他觉得自己真胆大，也不怕李阿姨骂。他经过一个个熟睡的小朋友床边，看见巨蟒般躺在自己床上的李阿姨眼睛还闪着光。他在李阿姨床前蹲了一会儿，确信她睡着了，才又站起身走。边走边想：明天一定告诉其他小朋友，李阿姨睡觉睁着眼。

方枪枪拉开活动室通往院子的门，来到外面。一点都不冷。他想，冬天只要有月亮不穿衣服也冻不着。他以为自己发现了一条真理。院子里如同银砖砌地，树梢楼顶也像金属制品反射着光辉。整个院子照得很亮，像灯光溜冰场。方枪枪试着滑了一下。果然光滑。看来光是滑的，照在地上人就可以踩上去像踩西瓜皮一步三尺地出溜。方枪枪一步溜出很远，出了光区。他看见自家的楼黑乎乎的一扇窗户也不亮，一楼人都睡了。他转身想滑回去，又看见那片白菜地，一棵棵栽在地里的大白菜在隆冬仍只只饱满边式，浓重的夜色也遮不住抹不黑翠青滋润的帮叶。为什么在白天老忘了找这片白菜地呢？方枪枪念头一闪而过。

何时院子里成了河？那水波光粼影，浅浅覆盖在地表一层，踏进去就像浮尘一样散开，停住不动又流到一起没到脚脖子，凉爽的感觉真像是水。方枪枪一步一个脚印踩着水走。应该回屋多叫几个小朋友出来玩。我这么违反纪律一个人夜里在外面玩是不是太自由散漫了？他想测测自己一步能迈多远，跨出有史以来最大一步，停在弓步中，低头看脚下。这时，他看到自己的影子——被两脚扯开横在地当间大出真人几倍的黢黢黑影。

我在寝室里怀着锥心的惊悸醒来。天花板已降到危险的高度，与周围的黑颜色融和成无边的黑暗。这黑暗无比巨大，却仍在膨胀，飞快地扩充，加重质量。它已沉甸甸压在我身上。我身体四肢无不感到这重量的密实和弹力。它渗透进我的皮肤、骨肉、血管，使我皮肤粥化，骨松肉酥，血液干涸。我想这就是老母鸡在锅里被文火一点点炖的滋味了。我完全软化了，像一摊被践踏的泥行将稀烂。我命令自己起来，却像植物人只有激烈的脑活动四肢麻痹哪怕一个脚指头也动弹不得。我用念头逐个按摩、刺激身体的每处末端，想在绝望中寻找到一寸属于自己的皮肤。几次在想象中动了，都成泡影。有两次人都站了起来，只是在走动时感到身负重物，倏尔之间人还在床上一动不动。我感到呼吸也困难了，空气变得稀薄，这时也不怕死了，只求尽快失去知觉。就在这再也挺不过去的时刻，马上就要被捺死在床上，再次猛醒。人一骨碌爬起来，几乎是手舞足蹈地跳下床便跑，边跑边对再获新生无比欣慰深感侥幸。

黑魇并没有消退。它只是像黑熊一样抬了抬屁股。现在就跟在我身后追赶。它有气体和固体两种形态，在运动中是气体形态，静止时就像细菌一样繁殖。我只有不停地跑，才是安全的，能够把这庞然大物扯开一道口子。我赤脚在寝室的每张床上潜行，尽量不被它发现。我想活动室它们的数量会少点，就弯腰往那儿飞跑。我在活动室一张张竖起来的小桌子后面东躲西藏，像躲避群众捉拿的小偷。每当我以为安全了，想歇下来喘口气，它就像乌云在我眼前迅速聚集起来。我怕得哭了，再也没劲跑了，走着唠叨：你干吗呀，你老跟着我干吗呀。想同它讲和。它永远不声不响，一步不拉跟着我。我边走边回头，想看清它的模样，到底是谁。可它的脸太大了，走一路也看不全。我不敢叫阿姨。它太巨大了，一口能吞下百十号李阿姨那么大的人。我不想连累她。全保育院只有一个人能和它抗衡，那张床是安全的。

我沿楼梯一级级上了二楼，推开中班的门，径直走到陈南燕的床边，熟练地爬上她的床，掀开被子钻进去。一碰到那具温润的身体，闻到熟悉的被窝味儿，我就感到放心，有了仰仗，就那么傍着她一头睡了。

很多年后方枪枪都相信那天夜里李阿姨的眼睛像狼一样放出绿光。这两只绿莹莹的亮点儿他上二楼时在楼梯拐角就看见了，只是让他更害怕，怎么也想不到那是李阿姨。他的头也就刚沾枕头，人正要迷糊，就像动画猫汤姆被一双大手攥在半空中，面对着老李一对儿炯炯巨眼。这一刻是如此突兀，迅雷不及掩耳，方枪枪还以为是立刻又做的一个噩梦。从跟踪、隐蔽、伺机到扑上去、掀被子、抓人，这一连串动作都做得老练、干净、一气呵成。丝毫没惊动周围睡觉的群众，连陈南燕也没察觉。也只有专门从事密捕、解救人质的特警人员才有这身手。李阿姨有一个动作令方枪枪大为不解。她制服方枪枪将他交给紧随其后的中班阿姨之后，自己俯下身迅速检查了一遍仍在熟睡的陈南燕裤衩和两腿之间。

接下来的事情方枪枪一直以为忘掉了，那只是他的一个愿望。他被抱到院长办公室，安坐在值班床上。所有值夜班的阿姨都披着衣裳赶来看这个被擒住的小鬼儿。办公室里挤满头发蓬松，衣冠不整的青年妇女。她们情绪高涨，大声说笑，好像这儿是公安局，侦查员们又破了一个大案。妇女中唯一的男人就是孩子们叫他老院长的瘦高老头。这老头儿论资历可以做将军，授的低起码也是大校。院里那些真的将军对他都很尊敬。有谣传老头儿是儿童文学爱好者，整理改编过很多民间儿歌童谣，还有人说他写过一本真正的童话，出版过，还译成过藏文。老院长上班主要内容就是到各班串门找小孩玩，还像圣诞老人一样分发糖果。保育院本来严禁儿童吃零食，家里带的也要没收，只有他可以无法无天，任意施为。阿姨们对他这条颇有意见，但此举深得童心，也没见哪个孩子吃了老院长的小小不严的东西从此刁了嘴坏了肠胃。

老院长也和妇女们一起笑，同时对犯人笑。老人的眼睛注视孩子总是显得柔和。他对我很好，好像还开玩笑，逗了我几句，使我觉得自己像个英雄，立了什么大功，不由得也快乐起来。一五一十说些不着边际的话。

第二天早晨，方枪枪被自己的尿憋醒，发现全班小朋友都起了床，穿好衣服在地下玩。阿姨没像往常急着把他们哄出去做操，站着聊天。看到他醒了，新接班的——孩子们都叫她“糖包”的——年轻阿姨唐姑娘殷勤地赶来给他穿衣服。这唐姑娘平日也是软硬不吃油盐不进的主儿，方枪枪不知道她今天怎么心情这么好，瞅着自己一个劲儿抿嘴笑。检查被褥发现方枪枪没尿床，还夸他：真能干，真了不起，真看不出你。方枪枪被夸得也有些飘飘然，主动自己系扣子，连献媚带点丑表功：以后我还能不尿裤子。唐姑娘大笑，捂着氟化牙断句残章地说：……好，出息……

方枪枪跳下地，专宠一般牵着“糖包”的手蹦蹦跳跳往外走。出了门才发现今天全班出操都晚了，大班中班的孩子已经排着队在院里做了半截儿操。太阳升到海军的黄楼庙顶，一批光线扫过来，齐齐打在方枪枪这么高孩子的眼睛上。他在阳光下卖力地晃头踢腿，扭动腰肢，他要让欣赏他的阿姨看看，他什么都有一手，保育院这套雕虫小技没他拿不起来的。转体运动时，他还不忘顺便回头看看陈南燕。陈南燕边做操边和旁边的男生说话，举手投足偷工减料，都只完成一半。在方枪枪眼里陈南燕这种懒洋洋的操式分外流畅。跳跃运动时，她的抓鬏突然活了蹿上蹿下，飞得比她人都高。方枪枪看得羡慕，只觉得自己头脑简单，少了很多优越性。

各班阿姨分站在院中四处，都把目光投向方枪枪和陈南燕之间。看到方枪枪如此充分表演，不堪入目，不免互相交换眼神，嘴里啧啧生叹。

散了操，各班回房。小班的孩子在门口挤成一疙瘩，争先恐后往里拥。方枪枪两手搭在陈北燕肩上，屁颠颠推着她往前走，嘴里还啊啊喊着无字歌。陈北燕边走边甩肩膀，一步一个白眼一声讨厌。活动室里已经摆上早餐，小桌小椅拉开虚席以待，一笸箩豆包个个娇小软软地挤在一起冒着蒸汽。方枪枪兴高采烈进了屋，刚迈进门槛儿便像被施了定身法傻在原地：李阿姨在桌后弯腰侧脸，一只左眼乜视着他。只这一眼，就把人群中的他单摘出来。方枪枪如同白日见鬼想往后缩，却被身后涌进的孩子又推前了几步，仍在头排，眼睛粘在李阿姨身上怎么也摘不下钩儿。

李阿姨拎着一只盛满玉米粥的抗旱浇地使的大号铁皮桶，一手执长柄铁勺，正往桌上的小碗里分粥。她沿着长桌，走一步，舀起一勺黄澄澄颤巍巍凝成冻儿的玉米面粥，凭空一舞水流星一般摔进空碗，左眼闪一下光芒。走一步，舀一勺，左一眼。她动作刚劲豪迈，眼光不卑不亢。她走到小桌尽头，折了回来，发这一边的粥。手势不增不减，脚步不疾不徐，只是方便沟通换了右眼。她走过方枪枪身边，方枪枪自动跟上，小尾巴一样她转身转身她停步停步。

你老跟着我干吗。李阿姨发完粥，勺“当”一声扔进空桶，走到一边窗前站着。

方枪枪面对她低头，不言不语，两个嘴角使劲往下拉，撇成个八字像猫咪的两撇胡须一耸一耸。

李阿姨目不转睛地盯着他看。看了两分钟，方枪枪终于被看哭了。他闭着嘴，一声不出，两眼哀哀地看着李阿姨，眼泪一串串滚过脸蛋。

哭啦。唐姑娘在一边笑。

这孩子心里明白着哪，什么都懂。李阿姨摸着脚下这孩子的脑袋对小唐说。

走吧走吧，喝你的粥去。唐姑娘过来把方枪枪往小桌那儿推。

方枪枪不走，含着泪眼仍旧死看李阿姨。

去吧。李阿姨叹口气说，批准你了。

方枪枪歪歪扭扭走到自己座位坐下，捧起碗挡住自己的脸很响地吞了粥，露出一只眼还往这边瞅。小朋友们都用饭碗遮住每人的脸，专心吃粥，似乎此情此景惨不忍睹。

李阿姨笼中兽王一般在窗前走了几个来回，抬后腿鞋底子蹬着暖气片，伸手进白大褂兜内摸出一支烟叼在嘴上，并不点火儿，过了会儿干瘾又装回口袋。“糖包”向她丢去嫣然一笑，她也支应一笑。

窗外，尘土在坚硬的地面打着旋儿，像是两个淘气的孩子互相扯着衣角追来追去。光秃多杈的杨树枝生硬地摇摆如同巨人张开的手指在空中戳戳点点。李阿姨背倚窗台双臂抱肘独自待在室外，一缕缕青烟从她脑前冒出飞快地扯散飘走，孩子们挤挤挨挨，脸、手贴在室内玻璃上，左看右看猜不出李阿姨是怎么变魔术变出的烟来。

老院长戴着口罩棉帽裹着围巾经过窗前，低头走得很急。李阿姨和他打招呼才抬脸，站住交头接耳说话。孩子们在屋里认出他来，欢呼雀跃，隔着玻璃齐声问好。老院长只见孩子们张嘴，不闻其声，还是摘下口罩露出一张陈永贵式的皱纹密布的笑脸。李阿姨见老院长突然笑了，随之回首。一屋孩子惊见李阿姨也笑容可掬，一哄而散。

李阿姨带着一身寒气和烟味回到房间。沏了一缸子热茶，端着那个印有“最可爱的人”字样的志愿军水缸子慢慢踱过室内。踱步时她把屋里的情况观察了一遍：孩子们在做一些她不屑一顾的游戏，为一些无聊的事情激动，该哭的哭，该笑的笑，东倒西歪，叫苦连天。一路上都有孩子来向她喊冤告状，她一概置之不理，不打算卷入孩子们的小是小非当中。又走了几步，她警觉起来，觉得哪儿有点不对，站下细琢磨，一时也摸不着头脑，像刚被贼光顾过的事主儿，进门觉得家里被人动过，面儿上看又一下看不出变在哪里。总之是不对。李阿姨下意识地开始数孩子人头儿，正要恍然大悟，老院长进来分散了她的注意力。

孩子们欢呼着奔向天安门一样奔向老院长，跃水海豚似的一头接一头扎进老院长怀中。老院长踉踉跄跄，差点一屁蹲儿坐地上，李阿姨一手牢牢撑住了他。

顷刻间，老院长已经像尊广场上落满鸽子的名人雕像，小半班孩子都猴在他身上双脚离地嗷嗷怪叫，一百多只爪子掏进中山装所有的四只口袋。雕像蹒跚地孔雀开屏一般转动扇面。此人参加革命前一定是码头扛大包的。李阿姨想。老院长给孩子们讲了个号称安徒生的大鱼吃小鱼的故事。李阿姨闻所未闻，认为纯粹是胡扯。

老院长又去二楼破坏那里的正常教学秩序。头顶楼板一通犹如案板剁馅的杂沓脚步响，可知那里一片大乱。但愿我老了也能像他那样保持一颗童心。老李乐呵呵地坐在一张孩子的小椅子上，吹开漂在水面的茶叶末儿，痛饮一口。这口热茶还没落肚，只见李阿姨脸一下沉下去，屁股硌了图钉似的猛一家伙站了个立正，马不停蹄冲进寝室。从寝室出来又飞进厕所，好像不是用自己的腿走而是投出手的一支标枪，看得小朋友们眼花缭乱。李阿姨在厕所待了很长时间，出来时像刚在里面挨了黑棍，人不是很清醒，但还竭力保持着仪容。

她慢吞吞，边说边想问满堂小朋友：方枪枪——

后半句她失去控制，发自肺腑喊了一嗓子：在哪疙瘩？

| 第三章 |

外面的风像浩浩荡荡的马队疾驰而来，席卷而去，所到之处片甲不留。方枪枪很惊奇，厕所门外是一片方砖地，种着一行小松树，并没有他见过多次的白菜地。家里的楼不在原地，隔着几排房子十分触目。他像头顶一堵大墙往前走，攥着小拳头，天灵盖、双肩吃着很大劲儿。身上的棉花一点点薄下去，体温散发得很快。走到他家楼口，那风突然发出啸声，像一步迈进海里眼前洪水滔天一个浪头打来，方枪枪立刻全身贯透，脸刷地红了，呛得连声咳嗽，肺管子冻成一根冰棍直杵到心里。

拐过楼角，风登时小了，太阳光也有了热力。那景象是熟悉的：干干净净的大操场空无一人；一座座楼房门窗紧闭，风刮去了一切人类活动的痕迹；只有四周环绕的老柳树大祸临头般地狂舞不止，使这安静的画面充满动荡。

方枪枪的棉衣蹭上一些红砖的颜色。他几乎是被疯狂开合的单元门一膀子扇进楼道。

方枪枪每迈上一级楼梯都要把腿抬到眼那么高，他差不多是盯着自己的两个膝盖用手扶着，帮助它们一弯一伸爬上四层楼的。

他经过的每层楼都有三座单扇漆成庙门颜色的房门。这一单元楼道内有十二扇同样的门。方枪枪完全是凭直觉扑到一扇门上使劲敲。这扇门有多年不见老熟人那样的表情，透过门缝、钥匙孔丝丝缕缕逸出的气味都是触动记忆的一种老香气。

门开了，一个梳辫子的年轻姑娘看着方枪枪带笑惊叫起来。方枪枪埋头往里屋走，他看到盘腿端坐在大床上和方超玩的陌生的老太太向他转过同样惊讶的脸。方超也像见了生人一下扑到老太太怀里，不认识似的看着自己弟弟。方枪枪爬上床，老太太软绵绵的手一碰到方枪枪冻的硬邦邦的脸蛋被冰得微微一颤。

这就是红阳台后面的那个大房间。阳光充斥房间直上天花板，漫空飞舞的尘埃使这房间像在下雪，人的笑容影影绰绰每一根汗毛活灵活现猴脸一样镶着毛边儿。房间内暖气烧得很热，人只穿件薄毛衣。方枪枪这只挂着霜的冻柿子开始融化，滴滴答答不停流鼻涕。老太太和姑娘用手绢捏住他的鼻子使劲擦那鼻涕仍左一道右一道像画猫脸的胡须。

方枪枪很活跃，一刻不停动来动去。他闻出枕巾上自己的头油味和被窝里自己的脚丫味；认出五斗橱上叠得整整齐齐的一套罩衣罩裤是自己的另一身换洗衣服；三屉桌上摆着他的照片；那盒彩色蜡笔是他的私有财产；那本黄皮图画本里每张乱七八糟的涂鸦之作都是他的心血。他不用翻抽屉就说得出那里有他什么宝贝；桌子底下掉了漆的刀、打不响的枪、丢了轱辘的汽车印满他的指纹，都是他挥舞过、冲锋过、驰骋过的才弄坏变旧的。年轻姑娘美滋滋抱来的那只金鸡牌饼干筒也是他熟悉的，总被藏起来怎么找也找不到，每次出现都像奇迹。这饼干筒从来没让他失望过，只要伸手进去准能掏出焦黄的鸡蛋糕和五花八门的动物饼干。最妙不可言的是饼干筒底的那些点心渣，他和哥哥无数次伸直脖子扣举着饼干筒轮流往嘴里倒像两个小填鸭自己喂自己。他还会开那架圆面包形状的收音机，转动指针在弧形刻度盘上找唱歌的人。他知道靠墙那张单人床底下有两只大藤箱，身下这张大床下有三只皮箱。这些箱子落满结成絮的灰尘，每次爬进去都要蹭一身。这是他的老窝。每一只小兔小狐狸都该有的巢穴。他像一只回到森林里的小熊那么快乐。他要待在这儿而不是保育院那间总有穿堂风，总有那么多人仰卧起坐川流不息，足够给一个小城市的火车站当候车室的动物园大厅。

方枪枪巴结着管老太太叫姥姥。他知道这是一种很近的亲属关系。那个年轻姑娘他叫老姨，是他妈妈最小的妹妹。他理解妹妹这个称谓的意思。他和这两位女士相洽甚欢。他有点要赖，又有点撒欢儿，眼睛盯着方超和哥哥争夺每一样东西。方超拿枪他也要枪，方超动刀他就抢刀，甚至哥哥吃药他也闹着要吃，少一片不行。他仿佛刚经特赦回到社会的战犯，珍惜自己每一项恢复了的公民权。在他的小心眼里早已认定哥哥不正当地享有了很多他也有份的东西，这使他相当嫉妒。

在他的横行霸道下，方超只好躺下睡觉。他又一屁股骑在方超脖子上，刀横在人家脸上，问人家招不招。方超一个翻身把他掀下来。姥姥在一边帮腔：你就让他骑会儿。老姨拎着方枪枪耳朵把他揪到单人床上。

姥姥喂他吃鸡蛋羹时他突然一手指着门哭起来。一屋人莫名其妙，不知他又怎么了，问他也光哭不言声儿。过了片刻，有人敲门。李阿姨刚进楼道门脚步声方枪枪就听到了。方枪枪背顶着门不让李阿姨进。姥姥怕闪着他也不敢使大劲拉，隔着门缝和同来的保育院张副院长说话。张副院长句句在理，李阿姨振振有词；只要李阿姨说一句，方枪枪就在门后震耳欲聋尖叫一声。

张副院长和李阿姨终于挤进门。

方枪枪跪在靠背椅前双手捂眼大声武气地哭。这哭泣由于长时间不间歇并随着大人的说话节奏一声比一声高带出了表演意识，削弱了悲痛气氛。从手指缝中我看到李阿姨和张副院长脸上相同的表情：既沉着又无奈。姥姥是见过世面的，很有手腕，和她们交谈时始终面带微笑声音温和但态度不屈不挠。她要留这孩子吃完晚饭再交到阿姨们手上。

那天晚上，方枪枪在家吃了晚饭。家里的饭菜并不比保育院的饭菜更丰盛，但每一个米粒，每一根菜叶都那么人味，芳香满口。方枪枪像一位尊贵的酋长或说强盗头儿不等他抢各种好吃的都自动堆在他碗里，第二筷子才轮到他哥。这位大他一岁的男孩表现的很有风度，像王子一样谦让，还学着大人往弟弟碗里送了一勺菜，赢得满桌夸奖。

我让着弟弟。这男孩添油加醋地说。

方枪枪有说有笑，当之无愧，吃得高兴还在凳子上站起来像出操一样表演原地踏步走。

这时一个烫发的年轻女人用钥匙开门进来，看到正在一片欢声笑语中出风头的方枪枪不禁一愣。这女人立刻和老太太吵了起来。她像一个干部批评另一个比她低级别的干部激烈指责老太太不该容留这孩子。她吐词飞快，情绪激动，鲜明的心理活动全写在脸上：忽而愤怒暴跳如雷；忽而恐惧仿佛大难将至；忽而绝望怨天尤人牢骚满腹。老太太分辩了几句，解释了几句，给了她几句。那女人气冲冲进了自己的屋，临进门还回头喝道：

让他下来像什么样子。

大家这才发现方枪枪还站在凳子上垂头盯着自己脚尖活像罚站。

我注意到这女人的房间是锁着的。当她隐于门帘之后可以听到咯哒一声开锁响，然后那屋的灯就亮了，光线泼过来，使凳子腿和水泥地陡然多出一些反光点。

方枪枪碗里的饭永远也吃不完。他像只蚂蚁一个米粒一个米粒搬运自己的食物。他把米饭堆成小宝塔，肉和菜一片片一根根码放整齐，彼此隔开，泾渭分明。这个工程完成后，他又开始新的花样：把肉埋在米饭里，边吃边观察肉是怎么从饭堆里一点点露出头尾。只听木质拖鞋声像一阵急促的鼓点疾驰到身边，方枪枪腾空而起被女人抱坐在大腿上，碗里那一小堆永不消失的饭菜几勺子就全塞在方枪枪嘴里。女人抱着方枪枪下地换鞋，一转身整个饭桌都跟了过去，发出巨大刺耳的摩擦声——方枪枪两只小手使劲抓着桌沿。女人低头掰开了他的手，一转身他又抓住姥姥的衣服，老太太被他带的也站了起来。女人用力掰他的手，刚掰开一只，另一只又飞快地补上去。两只小手像对钩子见什么钩什么，打掉了墙上一幅镶着镜框的领袖像，飞刀似的扔出一支筷子。一家人乱成一团，嚷成一片。在这一片喧嚣中我清楚听到女人反复发狠小声念叨一句话：我就不信，治不了你我就不信……

我往女人脸上重重打了一下，又打了一下，我吐出方枪枪满嘴塞得鼓鼓囊囊的饭菜，大声哭号起来。

我坐在地上，像刚从老虎凳上下来被打断腿的革命志士。几只大人的手拎着我的脖领子，只要他们稍一松劲，我就往地上躺。方枪枪那时也有个四五十斤，我不配合，单个女同志别想把他扶正。他妈躲到卫生间哭去了，每隔五分钟冲出来指着他没头没脑喊上一句：

你今天不回保育院就不行……居然打起我来了。

说到后半句，泪水涌出眼眶，转身又回卫生间拿毛巾擦。

姥姥和我谈判：今天咱们先回去后天就是星期天了一定接你姥姥的话你还不信吗。

他姨也劝我还带着吓唬：瞧把你妈气的再不听话她不要你了你就得老待在保育院。

方超拿条毛巾走来，搬着方枪枪脸给他一处处擦泪。

我指着方超控诉：他还不去呢。他不去我就不去。

方超理直气壮：我病了。

我也病了。

方超仔细看了一眼我，突然出手照我脸上就是一巴掌。

方枪枪和方超都穿上棉猴，手扶着大人肩膀换棉鞋。

老姨一手牵一个领着两个孩子下楼。楼道里很黑，方超一路都在啜泣。到了外面有月光的地方，可以看到他脸上亮晶晶的泪珠。偶尔遇到走夜路的人也不禁闻声回头。

回到保育院。班里的孩子正在洗屁股。看见方枪枪回来既压抑又兴奋，很多脸看见他笑。方枪枪很得意，像悄悄干了好事的活雷锋不声不响上了自己床。活该！他想，都得上保育院，不许没病装病赖在家里阿姨说的——下次还把你逮回来。

他头埋在被窝里窸窸窣窣剥家里带回来的水果糖玻璃纸，糖含在嘴里探出头。陈北燕张嘴跟他要，他把糖藏在舌底大张口假装没有。

第二天做早操时，方枪枪利用每一个转身动作回头找方超，脖子都拧酸了也没看见。上午散步时他注意看阳台，一行行晾着的衣服和栏杆上摆放的常青花草湿漉漉的不时有一滴亮晶晶的水珠儿坠落高楼——早晨有人来过阳台，浇了花，把新洗的衣服搭在绳子上。

接着，他看到方超难以置信地扛枪出现在阳台上，把枪架在栏杆上向他瞄准，枪口随着他移动。方超举枪欢呼。虽然听不见声音，也猜得出他在嚷：打中了。整整一小时，方超都在阳台上武装示威，进行军事表演：一会儿枪上肩阔步前进，鬼子进村似的东张西望；一会儿紧握手中枪立正不动深沉地凝视远方。

我知道中了计。

李阿姨手心朝上小臂带大臂轻轻一抬，坐在数排人后的方枪枪像中了邪站起来。老李四指弯拢向内蜷了蜷，方枪枪身不由己，齐步甩臂径直走到黑板前。

立——定！

方枪枪尽力站直。

挺胸抬头目视前方，两手放在裤线上。李阿姨纠正着方枪枪的姿势，把他的两只小手打开，五指合拢按在裤线上。

做得很好。可见没有东西是学不会的——现在转过去面对大家。

李阿姨推着笔管溜直的方枪枪转了个身。全班小朋友瞪着大大小小的乌黑眼珠盯着他。所有孩子都把手背在身后，像刚走一个入室抢劫的坏蛋把他们无一例外捆绑在小椅子上。

今天早晨是自己穿的衣服吗？

方枪枪摇头。

说话！回答阿姨问话要出声你懂不懂？

不是。

谁帮你穿的？

唐阿姨。

大声点！

唐阿姨！

现在我要问全班小朋友了，每天早晨起床自己穿衣服不用阿姨帮忙的请举手。

几十个孩子整体一斜，像人大表决一样右肘支桌齐刷刷举起小巴掌。有的孩子离桌子远显得腰很长。

手放——下！李阿姨口令拖得过长，差点断气。她以手掩齿轻轻咳嗽，脸颊飞起两片红晕。俄而，她复又生机勃勃地向担心地注视她的孩子们微笑，朗朗说道：

为什么每个小朋友都要自己穿衣服？现在我请一个小朋友站起来回答我。

李阿姨大眼珠子骨碌一转，骨碌又一转，凌空抓住一只贫病交加的隔年苍蝇。

她指一个手举最高，露出肚脐的女孩子：于倩倩。

因为每个小朋友都应该自己穿衣服因为不应该让别人帮忙因为别人都很忙……

于倩倩上气不接下气说了一串“因为”没词儿了，两条绿鼻涕眼瞅就要淌过嘴唇哧溜一下又全缩回鼻腔内。

说得很好，表扬你于倩倩。李阿姨笑望大家，摔死苍蝇，后背伸出一只手使劲捅了下方枪枪：听见了吗——你！

方枪枪肩窝一阵剧痛。

现在全班就方枪枪一个人还不自己穿衣服，我们应该怎么办？

帮——助——他。

李阿姨看着一班品德高尚的孩子满心欢喜：谁愿意上来给方枪枪作个示范？

她东张西望一番：还是你吧于倩倩。

于倩倩一边走一边慌慌张张解扣子，没到方枪枪面前开始脱衣服，眨眼之间已近赤膊，牙齿嘚嘚打着哆嗦手仍不停。

李阿姨在一旁说：内衣就不要脱了。

于倩倩又把摊了一地的衣裤一件件穿上身。边穿边分解动作，有时还特意停下来，让方枪枪看仔细。唐阿姨打着毛衣走进来，在靠暖气的小椅子上坐下，进针退针边对这场面饶有兴趣地看上一两眼。

于倩倩穿完衣服，地上多出一条毛裤。李阿姨鼓着掌捡起来，搭在她肩上，对她说：下去吧。

李阿姨搬只小板凳下去坐在观众席，对孤零零留在表演区的方枪枪说：你做一遍。

方枪枪一动不动，偷眼看李阿姨。

李阿姨柳眉倒竖，牛眼圆睁，第二番话正待出口，方枪枪连忙把手放在胸前衣扣上。

他一粒粒解那排大塑料扣子，敞胸露怀再解背带裤扣子。扣子眼儿很紧，他手指头都勒红了。

唐阿姨在一旁低头数着针行：不行啊，太慢了。

方枪枪露出肩膀胳膊在袖筒子打折，想把手从上袖窟窿里拿出。他披着袄像扎着膀的雁儿竭力挣扎原地团团转。手终于伸了出来，裤背带像两条逃窜的蛇从他肩上一滑而过，棉裤由于自重分两路掉下去，面口袋似的堆在脚背上。

小朋友都笑了。

李阿姨唐阿姨也前后脚笑了。

毛衣果然卡在脖子上。棉裤绊着方枪枪的双脚使他寸步难行。他像一个哑铃站在房间中央，一头是垛着的棉裤一头是翻上去的毛衣中间是他细细的身段。房间里笑声不断，我在毛衣后面快憋死了。方枪枪用手撑大毛衣领子，推到鼻子底下，露出嘴巴，我才喘出一口气。我在毛衣后面感到很安全，于是不动了，就那么没头没脑地站着。

过了一会儿。

李阿姨开口说：你就耗吧，没人帮你。

我也无所谓，就这么耗着。

李阿姨走过来捅我，骂骂咧咧。她的手指像金箍棒一样硬，我忍着疼不吭声。她看不见我，我就不怕她。她把我拖伤员一样拖到一旁，隔着毛衣敲着我脑门说：

什么时候想通了什么时候继续，要不就在这儿站一天。

我从毛线缝中看到老院长推门进来，他朝转身相迎的李阿姨使劲摆手，意思不要惊动。他在门口站了一会儿，指点李阿姨把扔在地上的棉袄给我拦腰扎上，免得着凉，然后蹑手蹑脚走了。

李阿姨的脱衣舞会结束了。尽管舞男差点意思，没能一脱到底，她仍然获得了很大快乐。接下来她带领全班小朋友上图画课时声音无比耐心心胸无比宽阔。粉笔在黑板上吱吱哑哑地响，她宣布自己画了一个红太阳，放着光的。又画了一朵向日葵，有一只只花瓣、瓜子、枝叶。她给全班小朋友发了纸，让他们依葫芦画瓢。她沉重的蹄子声从东响到西像一头大象在教室蹒跚漫步。她的身影能遮住天上的太阳，当她经过时，已经一团漆黑的方枪枪眼前仍会为之一暗。

蒙面大盗方枪枪靠着热乎乎的暖气睡了片刻。他有一些屎要拉还有一点尿要撒，他既不声明也不盲动，像有信仰的人苦苦磨炼自己的意志。一直坚持到全线失守，肉体崩溃。

这一刻真是舒服之极。好像特务当场引爆毒气弹，恶臭弥漫。

一张女孩子的脸贴在窗玻璃上定着眼珠儿往寝室里瞅。她的两手张开巴掌撑在脸旁，从后面看这女孩子似乎想在玻璃上扒出一个能探进脑袋的洞。

这女孩子出现在寝室门口，每一个摆臂迈腿都放大减慢到极致，轻轻落下不出一点声音，像皮影戏上的木偶走着一顺儿就进来了。她的谨慎其实是多余的，阿姨们带着大队孩子正在外面的院子里活动，寝室内外并没有人妨碍她。她只是遵循保育院孩子的习惯做法。这是孩子们自我发明的一种独特舞步，当他们要背着阿姨干点什么时都要如此行走。这女孩儿手舞足蹈地走了几步后，像踩住地雷一脚定格手也一前一后分别停在半空，机警地左右一看，接着一阵风似的向我们刮来。她在奔跑中恢复了自然，笑容也像把折叠扇一抖全开。

陈南燕跑到妹妹床前一个急刹车，转体九十度：你怎么又尿裤子了？

陈北燕听见姐姐问，抽抽搭搭哽咽，怨恨地看了眼并排坐在另一个被窝里一脸无耻的方枪枪。

她性格内本来就缺坚忍不拔这类品质。意志的培养需要环境，挨着方枪枪就好比邻居住着位歌星，一天到晚唱，不想学耳濡目染很多歌也会哼了。这也如同过马路，人家正思想斗争激烈决心遵守交通规则，旁边有人不管不顾抢先一步冲过去等于就是开了禁不跟上都好像吃了亏。今天就是这样，北燕憋得好好的也就是画向日葵有点分心，方枪枪在那边又拉又撒数他痛快，一秒钟之后北燕也就失控了。被方枪枪传染的孩子不是陈北燕一个，还有两个女孩一个男孩也闯了红灯。现在都没精打采光着屁股坐在被窝里，散布在寝室东一个西两个。

讨厌。陈南燕白了方枪枪一眼，掀开被子看了眼妹妹赤裸的腿。问她：你的裤子呢？

陈北燕伸出脖子往两边暖气上找，用手指了指：那儿呢。

陈南燕跑过去，抱着烤得硬邦邦的一对假腿似的棉裤回来。

我的棉毛裤袜子还在暖气上呢。北燕说。

陈南燕又跑了一趟。

床在暖气跟前的张燕生叫道：阿姨不让。

另外两个女孩也掉头看陈南燕。

陈南燕眼睛望天绕到他床前。张燕生无畏地瞪眼睛又嚷：阿姨不让自己下床。

陈南燕一把掐住男孩的脖子，做凶恶状：再嚷我就掐死你。

张燕生声音憋在喉咙里，可怜巴巴地看着陈南燕，脸和眼睛都红了。

陈南燕得意地往回走。

张燕生在后面哭咧咧地说：我告我哥打你。

陈南燕头也不回：你哥打不过我。

陈南燕扶妹妹站起来，手撑开裤腰让她瞅准了往里迈，一层层穿好，顿顿，露出脚丫。然后又让她躺下跷起腿，手连胳膊一起伸进去把缩在里面的棉毛裤毛裤拽出来，抿起棉毛裤腿把袜子套上。

穿完袜子，她把妹妹头上松了的皮筋揪下来，重新给她梳头。只见她一手拢发、一手绕皮筋里外三番麻利儿就扎好一个抓鬏。

两个抓鬏扎好后，她抬起妹妹的下颌笑眯眯端详。

她把妹妹抱下床，一手牵着，晃着另一个小巴掌环顾四周讲：小孩，谁告阿姨，五个手指头印儿。

陈南燕威严地正要走。

我告。方枪枪在一旁说，伸出脸蛋：你打我吧。

陈南燕只是一笑，并不理他。

阿姨！方枪枪提高嗓门，光着屁股一下站在床上，朝窗外喊，笑嘻嘻地看陈南燕。

陈北燕气愤地瞪他一眼：别理他，贱招。

陈南燕拉着妹妹，走到他床边。方枪枪捂头等待着。陈南燕没用手碰他，只是盯着他的小鸡鸡好奇看了会儿。说：你下来。

方枪枪咚一声跳下地：我下来了。

陈南燕跑去把李阿姨的座椅吃力地搬到窗下：你敢到这儿来吗？

方枪枪大摇大摆走过去：我来了，怎么啦？

你敢上去吗？

我上来了。

方枪枪刚爬上椅子，还没转身，陈南燕也爬了上来，两人腿挨腿地站在椅子上。

方枪枪看到满院子的小朋友和阿姨，刚想往回缩，不料身体一高，被陈南燕蹲下一抱送上窗台。

窗台很窄，半脚宽，方枪枪只能贴在玻璃上身子也转不开。你抱我下来——他瓮声瓮气地嚷。

陈南燕早跳下椅子，忙不迭地把椅子挪开拖回原处，姐妹俩站在一旁咯咯笑。拍手叫：傻小子下不来喽。傻小子登高望远喽。

姐妹俩笑了一会儿，一阵脚步响，没声了。

哎——哎——，方枪枪喊屋里别人。张燕生和那两个女孩走过来，仰脖儿看他，一声不吭，聚精会神吃手指头。

下不来了。方枪枪带着哭腔诉说。展开双臂更大面积拥抱玻璃，一个浓墨重彩的“太”字深深印在夕阳中的窗上。

我像一枚特大剪纸贴在窗户上，活生生的，逼真得令人作呕。窗外也聚起了一堆儿吃着手指头看我的小朋友。我看到还有更多的孩子停下正玩的游戏从远处往这儿跑。李阿姨背对着我和人说话。她也将很快转过头来——站在她对面的中班阿姨已经看见了我，惊奇地扬起眉毛，嘴唇加快了嚅动。我无能为力，只得眼睁睁看着这一切发生：李阿姨脸都气歪了，大步向我冲来，狂乱地挥舞长臂，嘴张得能塞进她自己的拳头。

玻璃的隔音效果很好，妨碍了我们认真交流。她的怒吼像一只蚊子嗡嗡哼唧，我觉得自己惹急了一个哑巴。看到一个残疾人那么生气，我十分内疚。我不懂也没法向她解释我的处境，没有谁想当海族馆里那些露着肚白贴在水箱上爬来爬去的两栖动物。我不好意思地朝她笑笑，她一定把这当做满不在乎和公然挑衅。有一阵儿，我绝望地想往上爬，伸手去够上面的窗棂。她在外面猛拍玻璃，似乎想把我震下来。我从来没那么近看一个人，玻璃还有某种程度的放大，李阿姨的舌苔很厚，少颗槽牙，上唇有一排胡须——她不见了。

至今我也不知道怎么在那样窄的窗台上转过的身。也许是对李阿姨的恐惧使我克服了困难，超能发挥——我只想在她到前离开窗台。此举是个错误。圆滑一点的做法应该是原汁原味儿留在原地，这样李阿姨驾到，也会一目了然：罪不在我——非不为也，实不能也。

张燕生和那俩孩子也在一旁推波助澜。跳着脚齐声喊：跳！跳！

我简单目测了一下离我最近的床，纵身鱼跃，差点扑了个空。好在本人弹跳力还成，也有股拼他个鱼死网破的冲劲儿，一个狗抢屎栽进床里，当场流下一摊涎液，小腿迎面骨磕在床栏上一阵令人昏厥的剧痛。我哭了一声就意识到这不是时候，含悲忍泪慌张下床，一瘸一拐往自己床上跑。一个拖着伤腿的小战士能跑多远。眼看快到床了，一只大手把我按在半路上，惊恐回头——李阿姨。她也有点过，逮个孩子嘛，还用擒贼似的撅起人家一只胳膊反扣人家双手。

审问完全是胡乱逼供。审的和被审的都有点歇斯底里，证人做的也全是伪证。我哭一阵，说一阵，激动得浑身颤抖。为自己极力辩解但只会说三个字：我没有。我甚至没提陈南燕的名字，压根把她和本案当做两回事，一个是玩，一个是闯祸，可见逻辑思维一点没有。张燕生等现场证人眼中看到的也是一件件孤立的事件，只会描述给他们印象深刻的景象，那就是我如何像壁虎趴在窗户上。更糟糕的是，这些伪证专家一旦记忆出现空白，就虚构。一个人起头，其他人添枝加叶，越说越乱，最后整个事情变得荒诞不经。要相信他们的说辞，我就是——神仙。

彻底的唯物主义者李阿姨此刻也感到世界观受到冲击。她伸开两臂恳切地求饶：停一下停一下，都不要讲话，一分钟——让我整理一下思路。

就是说，你从这把椅子起飞，一路飞，然后落在窗台上——下不来了？唐阿姨先恢复了理智。她从寝室门口老李的座椅量着步子向窗台走，边走边问。走到窗前对李阿姨讲：整十步。

是吗？唐阿姨歪头问我。

是。

是吗？唐阿姨大声问其他孩子。

是。

是吗？唐、李两阿姨齐声问我们大家。

是！我们的肯定并不是肯定起飞这件事，而是肯定阿姨念的那个字确实读“是”。

唐阿姨走到椅子前，转向我：你再飞一遍。

李阿姨从二楼提下陈南燕当面对质。陈南燕一进门还没开口先哭了，同时押到的陈北燕也在一旁抽抽搭搭哭起来，泪已哭干身心交瘁的方枪枪又陪着掉下眼泪。他们像一干共犯公堂相见，惺惺相惜，面面垂泣。方枪枪甚至有点喜欢这场面，共同的遭遇使他和陈家姐妹挨得更近了。一时间他忘了自己的苦主儿身份，只想和人家同样下场。

阿姨们这次严禁孩子们主动招供，自己提问题。一个问题先问陈南燕，后问方枪枪，再传唤证人，所有人只需回答“是”或“不是”。为什么“不是”不必多嘴。

方枪枪不知不觉模仿陈南燕，从模仿她的姿势到成为她的应声虫。陈南燕说是，他也说是；陈南燕说不是，他也不是。陈述客观环境时这一点难以令人察觉，只显得事实清楚毫无争议。审到后来牵涉到较多个人行为，李阿姨发现方枪枪在人称关系上的混乱，应该使用第三人称时方枪枪也使用第一人称。譬如：陈南燕说“我掐他脖子”“我搬了椅子”。方枪枪也说“我掐他脖子”“我搬了椅子”。

他这么说并无意替陈南燕开脱，只是迷恋陈南燕说“我”时那个字的发音和由此包含的身份感。似乎“我”字是个复数，像“党员”“同志”或“群众”可以容纳两个人。

阿姨若用陈南燕名字代替人称指谓问他：“是不是陈南燕搬的椅子？”他就能明白回答：“是。”但再借用人称强调：“到底是谁搬的椅子——她还是你？”他又糊涂：“我。”

再后来，方枪枪这种人称颠倒发展到公开用第三人称指称自己：“他是自己走过去的。”“他没穿裤子。”等等。

唐阿姨先发现方枪枪这种不对和陈南燕之间的联系，方枪枪的一个纯粹女孩子的拢发动作引起了她的注意。接着她发现方枪枪一直站着丁字步，姿态几乎和他对面的陈南燕如出一辙。这两个孩子脸上挂的泪珠多少、下滴速度以及吸鼻涕的频率乃至呼吸次数更是惊人一致，一个如同另一个的翻版。唐姑娘浑身起了一层鸡皮疙瘩。她一下同意了老李的判断：方枪枪这孩子思想很不健康。

她插到两个孩子之间，挡住陈南燕，厉声对方枪枪说：

方枪枪，你要端正态度。

我用陈南燕的声音小声说：错了，下次改。

这期间发生了一场混乱，用阿姨们的话说，一个误会。三堂会审还没完，到了晚饭时间。李阿姨去给其他小朋友开饭，留下唐阿姨一人在寝室里结案。逐一批评教育涉案小朋友，一个承认完错误走一个去吃饭。张燕生等几个孩子先得到解脱，陈南燕、陈北燕也陆续放掉。最后留下方枪枪，唐阿姨准备跟他好好谈谈，和风细雨地，循循善诱地，摸清他的思想根源。这么下去是不行的，这孩子快成班里的闯祸大王了，任其发展天知道还会出什么妖蛾子。谈之前唐阿姨急着去厕所换了遍月经纸，回来路过活动室正巧张副院长叫李阿姨去办公室接她家里来的电话，老李让她照看一下正吃饭的孩子们。她还想了一下把方枪枪的饭留出来。正要找碗，于倩倩把汤洒在胸前，她赶去收拾。汪若海咬了一口杨丹的肉包子，贪心太大连着咬了人家的手指头，杨丹大哭，又得要她去摆平。忙来忙去，把个方枪枪忘了。自己也饿了，挑了个馅最大的包子，舒舒服服在小椅子上坐下，跷着二郎腿，细细品起小猪剁碎了加上白菜、虾米的滋味。

这时，天已经黑了，谁也没注意窗外来了个人。这人悄无声息地站在夜色里观察灯光明亮的窗内。他看了一圈吃饭的孩子，表情纳闷，似乎没找到他要找的人。他拔腿往旁边走，从寝室的窗户往里看。寝室没开灯，很暗，他适应了光线后猛地发现方枪枪就站在窗前，垂头丧气，脸上有泪，看见他十分恐惧。

此人大怒，几乎是破门而入，活动室内正吃包子的所有人连大人带孩子全吓了一跳。唐阿姨立刻就站了起来，随即被此人直逼到脸上喝问：

为什么不给孩子饭吃？谁给你的权力不许孩子吃饭？你是法西斯啊还是国民党？这是渣滓洞啊还是白公馆？

唐阿姨被这突如其来的袭击也弄蒙了，满嘴的包子塞得她哑口无言，条件反射地加快咀嚼眼睛直勾勾地盯着对方。对方认为她无耻彻底激怒，喊声震动全楼，看那架势唐姑娘再不开口就要吃耳光了。

这关头李阿姨张副院长赶到，劝住了方枪枪他爸。她们向方际成同志连声道歉。她们和方参谋都是熟人。老李的爱人和方际成都是南京总高级步校来的，在南京就是同一个教研室，现在又是同一个处。张副院长和方家住同一个单元门洞，方家在四层，张家在三层；她爱人也是“二野”的，与方际成不同时期先后给同一个首长当过秘书。此刻，她们一起批评小唐。张副院长亲自三步并作两步赶进寝室领方枪枪出来。唐姑娘食不甘味咽下喉咙内最后一口包子，腾出这张嘴也没了说话机会，委屈的泪水扑簌簌滚过红扑扑的脸蛋。比较可气的是老李，瞪着贼亮的大眼呲儿她，好像这全是她责任。这人不可交。唐姑娘心里对自己说。

方枪枪在寝室里独守先就很紧张。他根本没认出也没想到站在窗外那人是他打完印度回来的爸爸。黑夜空院突然冒出一个很大的人，他先想到的就是保育院孩子们传说的那个鬼。外屋陡然响起的咆哮和纷嚷也很符合他想象的鬼进门吃人的局面。

张副院长领他出来后，他看到一个解放军大闹活动室的景象如同看到另一台可怕稍逊的戏剧。唐阿姨脸上的泪水更是使他魂飞魄散。阿姨都给欺负成这个样子，他还有命吗？无论大人怎么撺掇、号召他也不敢正视这个军人。头都快低到肚脐眼，后脑勺上的短头发一排排鞋刷子似的立起来露出青皮。解放军摸了摸鞋刷子，一阵痉挛掠过脖梗沿着脊椎凉到尾巴骨那儿。他听到爸爸这个词，极度紧张使他理解力短时瘫痪，像听外语一样既不懂这词的意思，也不明白与自己有什么关系。张副院长塞到他手里一个包子，他才多少放松一点，还认得这是个吃的东西，一口咬了上去。

吃完第二个包子，他突然想起爸爸，拿着第三个包子一下站起来。解放军已经走了。小朋友们也陆续离开餐桌，进寝室做睡前准备。活动室像曲终人散的剧场走的一空。偌大的房间只剩他和孤零零站在窗前默默擦泪的唐姑娘。他感到自己与这个本来没有丝毫共同点的大人此刻很像，都在想同一件事。他还不懂这犹如迷路，对自己顿生怜爱，不满足但又蛮舒服的心绪正确的说法叫：感伤。

| 第四章 |

夏天到了。午后经常电闪雷鸣，骤然降下瓢泼大雨。下雨的时候在房间里睡午觉十分享受，睡眠既深且沉，到了起床时间怎么叫也难以醒来。

孩子们都只穿着一条小三角裤衩，整个夏天光着膀子和腿，脖子扑着痱子粉，像刚消过毒的小树苗。他们都长了半头，也显得更知道和大人合作了。当你和他们谈话，会发现他们能说很多人话,除了日常用语还夹杂着一些革命单词“毛主席”“天安门”“无产阶级”“万万岁”什么的。到秋天他们该升入中班了。

方枪枪在生活自理和组织纪律性方面进步很大。虽然还是尿多，但也大都集中在晚间，喝水多了和玩得过于疲劳的时候。他长开了一些，头和身的比例不那么接近，五官也匀称多了，看上去可算清秀，颇得一些路遇的大人喜爱。他的头发偏黄，长鬓垂耳，不知道的人常常把他当做小姑娘。阿姨跟他的家长讲了多次，让他们给方枪枪头发剪短，夏天留这么长的头发容易生痱子。

大礼拜回家，他爸爸带他们哥俩去逛对过的翠微路商场，用冰棍把他骗进理发馆。一看见那些白衣白口罩细菌部队打扮的人，每人按着一颗人头奋力切削；一圈陆海空官兵引颈受戮低下高贵的头任人宰割；方枪枪先心惊肉跳。闻了一会儿臭烘烘热焖焖的头油、发渣儿、肥皂水的味儿他就晕了理发馆，跑出来吐，吐了一地小豆干饭和黄瓜炒鸡蛋。再怎么拖也不肯进去了。方际成讲不通理，当街拍了他两下，他就哭成个高音喇叭，惹来一些随军家属指责解放军不注意影响虐待幼女。气得方际成拉着方超扬长而去，“幼女”一路哭一路跟，险些被另一些随军家属当走失儿童送到交通岗。

下次讲好条件，满足了方枪枪一切正当或不正当的要求，一走到理发馆门口他又两脚生根不上台阶。没打就开始哭，谁见谁心软。

方际成对阿姨讲，这孩子他没办法，每次进理发馆都像送他上法场。先让他头发那么长着，实在不行扎小辫，等他妈妈有空儿了再收拾他。

唐阿姨心说：打呀。你不是会张牙舞爪来老虎那套——还是分人。自己家孩子是人，别人家孩子都是王八蛋。

与他们家熟识的张副院长也在私下讲：不是理不了而是不想理。这家人没女孩，在南京的时候就喜欢把方枪枪打扮成女孩子的模样，一两岁进保育院前还给方枪枪梳过小辫儿。

唐阿姨激愤地讲：就是惯孩子嘛。越是小户人家越是爱把孩子养得娇滴滴的。小唐发现这是一条规律。保育院也有不少孩子父母是高级干部，也没见谁当个宝似的。还不是交出来就不管了跟参军一样，随保育院怎么调教。这样风吹过雨打来的孩子将来才能曲能伸，坐得金銮殿，进得劳改队。

“糖包”要不是文化程度低，写自己姓还常缺笔画，真有心写一本中国版《教育诗》与各位专家好好切磋切磋。当下她就立志，捐弃前嫌拜奉天女子国民高等学校开除的李阿姨当文化教员，从人口刀手尺认起。

方枪枪顶着一头德国钢盔式的齐耳发在夏日的阳光下跑来跑去，有风的日子长发飘飘，谁见了都要说“这女孩儿长得有意思”。他也很美，受了抬举似的。没事双手分开挡住眼睛的鬓发掠向耳后，歪嘴吹吹额头的刘海，东施效颦，女里女气。好像木匠进了音乐学院拿锯的手也有机会拎弓子了——很得意自己跨入了另一个领域。

保育院的女孩子普遍比男孩子发育早，身体灵活，头脑清晰，无论是认生字学唱歌跳舞蹈都比男孩子领会快，记得牢。她们也更讲卫生，更礼貌，待人接物更有规矩。男孩子还在冲冲杀杀，她们已经在玩复杂、更有情趣的游戏：过家家、看病、喂饭什么的。其中一些发育尤其快的，更是落落大方，人在幼年便顾盼流眸，自有一番成熟。这些早熟女童每日里梳妆打扮，花言巧语；表达能力、社会经验明显高同龄男孩一截儿。阿姨喜欢她们，大量启用这一类女孩充当密探和小头目。在方枪枪性别意识尚且朦胧时，只觉得这些女孩是集体中较为优秀的一群像官场上的红人儿大学里名教授的得意门生，十分仰慕，一直在发奋盼着有朝一日鱼目混珠混迹其中。

方枪枪深信自己是在追求上进，向好孩子看齐。他也想让阿姨待见，委以重任。谁愿意总招人鄙视，姥姥不疼舅舅不爱——学好有罪呀？

女孩子的身体在日常生活中随处可见，保育院的孩子都没特别当做一个秘密或一种奇观。实际上她们过分简朴的线条在漫不经心的眼光中很容易遭到忽视。方枪枪有时起心打量她们全在于什么也看不见，一说起女孩子怎么长的就茫然。自己在明处，她们在暗处，平白无端就觉得吃了她们的亏。大家都是新中国的少年儿童，团结友爱，何至于她们得天独厚，长得那么经济、轻盈、便于活动。尤其有时方枪枪翻床栏硌了一下蛋，安然走在路上被大人出其不意掏一把裆，越发觉得自己这一嘟噜肉多余、碍事、暴露身份。我们班男孩中高洋的阴茎异乎常人，豆荚般饱满鼓胀，阿姨们也引为一奇，没事便指着说笑，搞得他成了保育院名人。经常一些无聊的男大人走来参观，很多手摸来摸去，有一次摸发炎了，肿得红艳。方枪枪不留神看了一眼，留下病态、畸形的印象，心中更是嫌恶。

后来胡乱受了些进化论的影响，没搞清是怎么回事就瞎造句：女孩先进化没了，男孩还没进化完。

方枪枪时常把自己想象成一个好看的女孩子：一张洁白的瓜子脸——葵花子；弯弯的黑眼睛，不一定很大，但务必双眼皮；鼻梁很直，薄若餐刀刃，可用来切豆腐；鼻头是尖是圆，他犹豫很久，最后选择不尖也不圆，翘起来。嘴是樱桃小口，不能窄于鼻翼，像哥哥那样——抢饭时很不方便。

他还要一个香烟过滤嘴长短的人中；一瓶葡萄酒粗细的脖子；可盛一滴眼泪的酒窝；像枚纽扣缝得熨帖的肚脐；十根面条一样的手指；两条吧凳般的长腿。

他不要所谓身体曲线，只希望自己全身上下像根无缝钢管浑圆紧凑，白璧无瑕，拎得起放得下，一丝不挂也不丢人，到那儿展览都是可造之材。

最早他这些想法是照着陈南燕想的，后来几经修改，超出了原型。单纯拷贝陈南燕，因为实物总在，一比样品，赝品就不像了。

无论本人自我感觉多好，陈南燕一到如同竖起照妖镜，方枪枪自己也觉得原形毕露。

方枪枪博采保育院所有女孩的特点。一些男孩长得不错，他也大胆取其局部为其所用。还有一些无人具备，他又坚持要有的特点，譬如气质、风度，他就自作主张，想当然了。

他认为自己应该显得傲。

我长得这么好，全保育院也找不出第二个，不能太平易近人了。咱们这些个小孩，德智体都没开始发展，天真烂漫，比不了学识又谈不上什么思想品德，长得全乎，不傻不茶，就是一个人全部优点了——谁也不能管我叫“花瓶”。

老院长有一次看见方枪枪在花坛摘花儿，掐了朵月季凑在鼻前使劲嗅，眼睛瞟来瞟去。见人注意便做出深为花香陶醉状，劲儿劲儿地掉头走开。那步态也特别，像是经过设计，踩高跷似的平地走出一股蹬梯子的味儿。

于是指着问：这个……男孩还是女孩，怎么这么恶心？

还有一次，大家玩完回屋，都急着上厕所。李阿姨也急。她放进女孩子，把男孩子挡在外面，自己也进去，还插上门。刚蹲下，发现方枪枪蹲在旁边，心头大怒，又不便声张。方枪枪装模作样撒完尿走了，大敞着门。李阿姨吃了个苍蝇似的别提心里多熬糟，一下午嘴里都在嘟囔：真他妈流氓真他妈流氓。小唐听见问：流谁啦？

李阿姨嘴一下闭得像刀片那么薄，倔强的模样仿佛告诉小唐：打死我也不说。

方枪枪不三不四的样子和特立独行的架势在保育院遭到集体的孤立。男孩们当他是个怪物、叛徒，给他起了个外号：假媳妇儿——我认为这是鹦鹉学的阿姨舌。阿姨看不到，还把他堵在墙角揍，按在地上吃土。美丽整洁的方枪枪经常弄得蓬头垢首，一副残花败柳的样子。心中愈发觉得男孩粗野，发狠不与他们为伍。他也傲得挺没意思的。也想给自己找几个宫女，眼睛一遍遍往女孩子高的那一堆儿里乜斜。心知自己是冒牌货，还是抖着胆子往人家跟前凑，凑了几天插进去，觍着脸问人家：你们玩什么呢？

女孩们晃着怀里缺胳膊少腿的布娃娃不吭气，谁也不看他一眼。

带我玩吧，我给你们当做饭的。

杨丹先翻了他一个白眼，其他女孩一个挨一个接力朝他翻，陈北燕翻得比谁都大，半天不见黑眼珠落回槽儿。

中午午睡，他掐陈北燕胳膊上最嫩的肉：为什么不带我玩？

陈北燕疼得嘤嘤哭。

方枪枪咬牙切齿小声说：以后不许你跟别人玩，只许跟我玩。

唐阿姨巡视过来，他连忙缩回手，盖好毛巾被装睡。

他听到唐阿姨问陈北燕哭什么，陈北燕不敢说，挨了“糖包”一通训斥。

下午，方枪枪走到哪儿，陈北燕跟到哪儿。女孩子们叫她，她看着方枪枪脚下不敢挪步。杨丹搂着脖子把她带走，没过多一会儿，她又自个乖乖回来了。

方枪枪很高兴，尽量善待她，拔了一些草，做成一束花的样子，让她手里拿着。

他让她坐上转椅，推得她飞转，自己退开一步，挥手向她告别：再见！到了就来信。

方枪枪还把陈北燕搀进秋千筐坐下，自己当大力士送人家上半空。

下来问人家跟我玩好玩吗？陈北燕不点头也不摇头，方枪枪给了她一耳光，接着手指她问：你哭？

陈北燕也就没哭出来。

方枪枪想自己还要耐心点，多给她一点参与感。于是拉起她手喜气洋洋地建议：咱们玩打仗吧。

方枪枪在前边假装八路军跑，陈北燕在后边假装中央军追。方枪枪边跑边射击，还扔手榴弹，严格按照军事要领，爆炸时趴下，打枪时隐蔽。陈北燕简单，敢死队一样往上冲，枪拿的也是无声手枪，光放不响。女兵就是不会打仗。方枪枪对她讲，你这样不行，真在战斗中很快就会中弹。他教了她几种简单的步兵动作，怎么卧倒，怎么匍匐前进，让她原地练了几遍。不标准，再来。陈北燕趴在地上哭了。方枪枪不为其所动，冷酷地命令她继续。直到无可救药才叫她起来。再三叮嘱她：枪一定要响，人一定要经常趴下，否则这仗没法打。然后雄赳赳跑开几步宣布重新开战。这次他当美国兵，陈北燕当志愿军；他巡逻，陈北燕打他的埋伏。

方枪枪战斗得累了，跑到一堆沙子上笔直倒下，对赶上来，不知再往下应该怎么办的陈北燕说：假装我牺牲了，假装你把我埋起来。

陈北燕跪在沙堆上，第一把沙子就扬在方枪枪脸上。

方枪枪眯了眼，揉着眼睛坐起来，没发火，兴致勃勃换了个花样：假装我负伤了，假装你抢救我，假装把我运医院去。

陈北燕用尽全身力气才把方枪枪从地下架起来。方枪枪在她搀扶下非常得意地一瘸一拐穿过院子，时而吊在她身上短暂昏迷片刻。张燕生一帮男孩大声给他们起哄。

方枪枪躺在树荫下让陈北燕治伤，太阳晒着一点就往荫里挪一点。陈北燕给他吃药，抹药水，在他坚持下还用手指头给他打针，臀部注射。

为了玩得逼真，方枪枪还在树下拣了个塑料扣子当药吞下，含在舌底。

现在你的伤好了，可以假装追赶部队了。陈北燕十分不耐烦地结束治疗，对病人态度一点也不好，很像院里卫生科的大夫。

假装现在你负伤了，假装我给你看病。

方枪枪把含了半天的扣子吐出来，塞到陈北燕嘴里：假装我先给你吃药打针脱裤子。

陈北燕脸朝下枕着胳膊，一动不动趴在地上，褪下裤衩。

方枪枪拣了根树枝，撅巴撅巴当针管。嘴里还念念有词：

假装我抽了药，假装我甩甩针头，假装我……他高高举起树枝正要扎陈北燕，只听另一棵树下李阿姨一声大吼：

干什么呢你！

声音未落，人冲过来，一把搡开方枪枪，拉起陈北燕三下五除二给她提上裤衩。呲儿她：你傻呀！

方枪枪玩得高兴半截中断，笑容还在脸上：我怎么啦？

李阿姨蹲在地上给陈北燕拍土，扭过脸嗓子眼儿里发出一声低吼：滚——

方枪枪走出小树林，来到太阳地。尽管已近黄昏，太阳光仍然很足，晒在皮肤上洒辣椒面儿似的。他满身大汗，蹭到墙上、门上都是一片湿印。他走进活动室，用自己缸子接着凉白开桶的铜龙头喝了很多水。那水有点温，放了白糖，好像还放了一些盐，喝进嘴里有点甜也有点咸，喝多了爱打嗝儿。他又接了半缸子水走出门站在台阶上边喝边瞅别人玩。

他肚里灌了凉水，没有冷却下来，反而更加逛荡。李阿姨那一小吼，别看他表面上没怎么样，心里着实受惊不小。李阿姨吼之时那张脸很多年后才找着词形容：鄙夷。这李阿姨的粗暴恶劣他是习以为常，更狰狞的嘴脸也遭到过，怕一下也就完了，全没今天这么触目惊心过眼难忘。方枪枪自以为还是深得大人喜欢的。虽然有几分孤芳自赏，但对阿姨这类强者，他一向摧眉折腰能巴结则巴结，很在乎她们对自己的看法。李阿姨这一吼，吼掉了他一大半自信。再一项令他惶恐的是原因不明。过去李阿姨每次行凶，都凶得有个道理，方枪枪自个也清楚什么地方招了人家，霉头触在哪里。这一次玩得好好的，如遭晴天霹雳，死都不知道是怎么死的。

方枪枪有些愤愤不平：她也给我打针了我也给她打针了怎么我就活该得一个“滚”。这时他想起陈北燕的屁股。刚才玩时这东西并不显眼，只是身体的一部分，他压根没往记性中搁。现在，屁股断头去尾凸显在他眼前，像清白无辜的生灵受了冒犯，十分冤屈却含悲忍垢不记仇不皱眉。屁股多老实呀——我感到一阵羞愧。欺负不会说话的东西算什么本事？人家那么腼腆，不爱声张，默默地为我们做好事：承担我们的重量，排泄我们的肮脏；从有限的口粮中节省出那么一大块脂肪垫在下面，使我们身上有一处容许人打又不太疼的地方，走到哪儿都像给自己带着个沙发垫儿。当然还有一些我那时不知的好处，譬如：遇到地震给压在房子底下多活几天燃烧的能量。简言之：应该善加珍藏妥帖呵护诚心敬重的东西被我随随便便拿出来胡使，不说亵渎神圣也要讲暴殄天物。难怪李阿姨发那么大火。我知错了。我对屁股充满歉意，觉得自己深深得罪了一个那么善良忠厚又谦虚谨慎的好屁股。

我抬眼去看所有人的屁股，都严严实实包裹在结实的布匹里，或扁或鼓——这一定是好东西。

唐阿姨从屋里搬出一把椅子放在树荫下，朝我招手点名叫道：方枪枪你过来。

她很亲切，满脸堆笑，一手背在身后，一手绕着柳枝揪下片片柳叶。

我走了几步，看到她手中什么东西一闪光，心中不祥，先排除第一恐惧双手抱着脑袋大声说：我不理发。

不理发。跟你商量个事。唐阿姨笑得更可人了。

我盯着她的一举一动，满腹狐疑走到近前。

我准备让你当吃饭小值日。

唐阿姨虚晃一枪，冷不丁伸出一只手抓人。我早有防备，收腹含胸，眨眼之间人已在一丈开外。

你跑？唐阿姨变色吆喝。

我不跑。我前腿弓后腿弯，箭在弦上和她讨价还价：不跑不理发。

进退几个回合，唐阿姨眼珠一转，计上心头，掉脸喊那边正玩得欢的孩子：你们帮阿姨把方枪枪抓住。

只听周围小朋友发了声呐喊，人人奋勇，个个争先，一窝蜂四面包抄过来。

我左冲右突在前边拼命地跑，边跑边回头——大群孩子黑压压紧跟在后面，最前面的几个狂奔之中还伸着手像铁道游击队在追火车。一只手挠了一把我的光背，我一个急拐弯儿，一排孩子应变不及闯进花丛。

散兵游勇杨丹出现在我面前，一脸惊恐只想躲我，左闪右闪都跟我想到一块儿了。

我只好抓住她双肩，脚下一个绊儿将她尖叫着摔倒在尘埃中。

就耽误了这么一小会儿，长腿长手的高洋从后面把我扑倒。快马驾到的其他孩子接二连三压到我们身上摞成京东肉饼。我扭过头亲眼所见，汪若海健步赶来双手按着趴在最上面的于倩倩屁股一个起跳，稳稳坐在她的腰上。

我费劲抽出一只手用力打高洋的脸。高洋被人山压得一动不动还不了手，皱着眉头忍受，很快脸就被打红了，贴着我脸呜呜咽咽哭。

唐阿姨分开鬼哭狼嚎的孩子，掐着我的后脖梗把我押到树荫下的椅子上，一推子先在我脑门中间犁了道沟，松了手说：你跑吧。

我哭哭啼啼任她给我拔毛，只求保住耳朵。前几天见过唐阿姨拿厨房的韭菜练手，以为她是想学修剪桃树，还为她高兴。她煞费苦心给我剃了个盖儿。这是她认为最美观的发式。她们房山县唐家坨子的栓柱有富什么的都剃这样的头。其他小朋友围着我叫：马桶盖儿马桶盖儿。

第五章

人矮，天就显得高；日晴，云就蒸发了。翠微路上的枫树叶子已经变成酒红色，摘下来贴在帽子上就能当帽徽；杨树梢头的部分被一夏天的阳光晒得像披了件黄军装；榆树、槐树还是绿的，但也绿得乏了，中午也显得阴郁；树叶脆弱，没风也自夭枝头接二连三沙漏般往下掉不像柳树轻薄依旧，有事没事翩翩起舞。

天好，阿姨就带我们去街上看车。从家属区的西门出来，沿着翠微路走到复兴路口。出门小朋友除了横着手牵手还要扯着前人的后下摆，一个穿一个远看就像一根绳上拴的蚂蚱。走到复兴路上，小朋友们面向马路排成两行，小合唱一样伸着脖子等着，驶过一辆汽车就拍手雀跃，齐声欢唱：大汽车大汽车大，汽，车。

很多年前新北京一带还是典型的郊区景致。天空还没被首都钢铁公司和八宝山火葬场污染。也不繁盛，没有沿街那些花里胡哨的大笨楼和脏馆子。复兴路只是一条四车道的窄马路。两侧树木葱茏，有很宽的灌木带将非机动车道隔开。骑自行车或步行的人可一路受着林荫的遮蔽。随处可见菜田、果园、远山与河流。

建筑物大都隐在围墙深处，多数高度在二层或四层，在林木环抱中露出错落有致的屋顶。仅有的标志性建筑是军事博物馆高大的金色五星和海军办公的大屋顶黄楼。

马路很清净，基本没有行人，汽车也很少，小朋友们望眼欲穿才盼得来一辆军用卡车。要是驰过一辆车头带奔鹿标志的老"伏尔加"就像见了宝一样，欢呼声久久难以平息：小汽车小汽车，小——汽——车——

这一趟没白来。

我把"小气"和"小汽车"这俩词搞糊涂了，以为这俩是同根词，因为小气才叫小汽车。不理解为什么大官偏坐"小汽车"。

走来走去，知道了自己的大概方位和家乡的部分面貌。东面是北京城，有火车站，西单和木樨地。沿着马路中间一直走能走到天安门，毛主席就住在那儿上。屋里挂着红灯笼。逢年过节出来让大伙儿见见，平时就把相片挂在外头谁想他了可以随时看看。

紧挨着我们院的是海军大院。大得一塌糊涂，围墙围住我们半个院子，还一直绵延到公主坟"大1路"公共汽车总站。兵力也多，足有两个连我们院只是一个可怜的警卫排。更遥远的东方据说还有个空军大院。全国战斗机都是从那院起飞保卫党中央。有时不知何故远处会传来一声巨响，小朋友都知道那是空军在投弹轰炸。多一半孩子见过机场停放的飞机，星期天那些飞机统归"军博"管，买票就能进去参观。

西边隔着翠微路是通信兵，发报机都在里面。他们保育院的小孩也经常手拉手出来，沿着路西侧他们院围墙走到复兴路上看汽车，与我们井水不犯河水。再往西就深了，大院一门接一门，都是陆军把门。你要知道陆军有多少兵种你就挨牌数吧。反正尽头是"301"总医院，全是病房。据说"301"往西还有陆军，但我们班的小朋友最远也就在“301”住过院，再西还有哪支部队也没人说得清了。陆军如此众多，声势浩大，很使我们这些陆军小朋友优越。

我们院门牌是“29 号”。这是开在复兴路上的北门号码。有时我们抄近路从北门回院，经过门外那两个大红数字，一下就记住了。北门是正门，门禁森严，站岗的有长枪短枪，进出要穿军装亮出入证。家属小孩是不许通行的。保育院阿姨认识有的战士，另外我们小朋友好歹也算编队行进，带班的班排长偶尔开恩，挥手放过我们。这些兵拿的都是真枪啊！小朋友们格外敬畏那枪刺上的凹进去的血槽，看得入迷，走出老远还一个劲儿后仰着身子拧脖回头。最爱看的是这些兵敬礼。有干部通过，背短枪的就一个立正手举帽檐。小朋友们登时喜笑颜开连忙学着互相敬礼，一步一个立正，谁看就向谁致敬，队伍就此扯散了拉长了一路都是忍着笑不停行礼的小孩。

北门内的办公区有三个品字形排列的大花园，被结满青灰色树子的柏丛紧紧环绕，里面种着一些花草看不清品种和姿态。中央花园有一根旗杆，高耸入云，想数上边飘扬的那面红旗到底有几颗黄星一定会被直射下来的阳光刺盲眼睛。每个花园后面都有一座灰白钢筋混凝土楼房，平头整脸肥矮敦实。楼门宽大一排玻璃门主楼还有防雨车道；窗户很多一扇连一扇枪眼一般都是钢框铁架。这种风格如果一定要命名可称之为“苏维埃式”。一种经过简化的俄国款样：毫不掩饰，突出坚固，具有堡垒般战斗气势和库房般容积米数的大块头。小朋友们的爸爸都在这些楼里上班。每次路上总会碰见一两位，一个人喊爸爸，其他人也会跟着乱喊。楼上窗户就有人探出头，知道是保育院小朋友经过了。

出办公区还有一道岗。那道隔离墙建的有点节约，砖砌得很花哨，码出很多镂空的图案，攀登方便，应该说是道女墙。

女墙外是大操场，也是我们院的中心地带。操场上有两个篮球场，一个灯光水泥地一个土地；一架双杠一具单杠一个沙坑一堵障碍板一条独木桥；更大的部分是一个足球场，东西两侧遥立着无网的足球门。

操场西路排列着礼堂、俱乐部、澡堂、锅炉房、卫生科、一食堂和菜窖到西门。

东线桃林夹路，成熟的桃子有婴儿脸那么大，三三两两娇嫩地躲在匕首形桃叶中。桃树后有一大片果园，铁丝网围着很多苹果树、梨树和一铺果实累累的葡萄架子。果园南边隔着一片杨树林空地是所大别墅，在美国也值一百多万。原先是给一名将军修的宅子。此时当做保育院的传染病隔离室。再往南百米开外的另一所将宅。更大，更讲究。围着栅栏，有单独的岗亭卫兵。在加州得卖两百万美元。小朋友们都知道住的是十年后相当著名的林彪反党集团成员海军中将李作鹏。此人给小朋友留下深刻印象。大高个，挺胸叠肚，像现今的明星一样永远戴副墨镜从没摘下过。那是我有生以来见过的头一副墨镜。这墨镜使我备受困扰，那是电影里坏人一般而言特务的道具，革命高干李将军戴着充满邪气。

他是一位海军副司令。高洋很了解他，告诉我们他原来是我们部的副部长，官迁海军家没搬。他有一个胖儿子。之所以戴墨镜是因为他的一只眼在战争年代被白狗子打瞎了，装了只狗眼。

李将军家毗邻东院墙有一个小门，通往一墙之隔的海军大院。小门的卫兵由两个院各出一名陆海军士兵。再加上李家自己的岗哨，一小块地方林立着很多武装卫兵，给小孩重兵把守的感觉。

跨过东西小马路是 38 楼。这也是座将军楼，住着一员中将，几员少将，一位前途远大的大校和一位白发苍苍的老上校。这位老上校原来也是将军，国民党部队起义的。他的儿女当时就很大了，有的已经成婚。高洋见过他的外孙女。

挨着 38 楼就是我家的 42 楼。这是院里最大的楼，我们班小朋友多数都住在这幢楼里。往西过了二食堂，院最深处还有一幢和我们楼一模一样的 23 楼。高洋杨丹家住那楼。

其他就是些平房和筒子楼了。于倩倩家住平房。

38 楼人家都吃辣子。家里炒辣椒，闻见油锅味儿就要流眼泪。

42 楼和 23 楼里很多大个子壮汉，吃馒头地瓜就大葱，说话像含着猪大油。爱打孩子。孩子也被打惯了。经常在楼下听到楼上近乎杀人的惨叫，片刻受害者下来笑嘻嘻的，若无其事。

高洋讲，38 楼都是红军。42 楼和 23 楼的是八路。一个在南边打一个在北边打，成立解放军前都不在一个部队。高洋什么都懂。他家吃蛇，有时还套猫。他家一个老太太说出话来谁也听不懂。

小朋友家爱吃的东西都不一样。除了地瓜大葱还有喝醋的一天到晚捞面条的炒菜放糖吃糯米的。我家专做的就是猪肉酸菜炖粉条。

没一家爱喝豆汁。

大人都讲方枪枪虎头虎脑。他头剃得青一块白一块从后边看就是一足球；两腿膝盖永远涂着紫药水或红药水旧创未愈又添新伤；脖子、脚后跟没到冬天就皴了什么时候搓什么时候一群活蚯蚓。孩子有了七八颗牙，路上捡到圆的亮的就往嘴里塞，经常大便时拉出一个扣子或汽水瓶盖偶尔还有一枚五分硬币。有一次唐阿姨见他塞嘴里一只八一帽徽，连忙用手捅嘴里去掏已吞进肚里还被咬了一口。午睡时来了两个卫生科护士，带着一根橡皮管子和一输液瓶肥皂水。她们把管子插进孩子肛门，把那瓶肥皂水灌进他直肠，让孩子坐在便盆上，聊天等了一会儿，就听便盆一阵水响，接着当啷一声。护士把帽徽冲下马桶，放心走了。孩子一下午括约肌失灵，吃窝头拉棒子面粥，学了一个新词：灌肠儿。此后一生一见到那道北京小吃扭头便走。

孩子还学会了一个新词：王八拳。中国武术没这一路。那拳不叫“打”“使”而叫“抡”。要领是以肩为轴，两臂能伸多长尽量伸多长，然后“抡”起来，左右画车轮。车轮转的越快越好，在眼前形成一个密不透风的屏障，谁进来都是一顿雨点般的拳头落身上。打的时候最好边哭边“抡”，那样震慑效果最佳。

不会王八拳不行啊。孩子长不大。孩子每天都要和全班小朋友较量一番。一起床，还没穿完衣服，就要先跟陈北燕抡一通王八拳。下地之后，每一张床的小朋友都在摩拳擦掌，等他一到就开始抡拳。要走到活动室必须一路抡过去。上厕所也要边抡边尿，旁边不能有人，也腾不出手扶把。做游戏的时间几乎没有了，只要阿姨一解散，小朋友们就围着方枪枪狂抡王八拳。也不见得非要打中，关键是运动起来，别让他闲着。经常形成小朋友们围成一圈，方枪枪一人独在中间，各抡各的，谁也没打着谁，个个哭得上气不接下气。好像邪功导师领着信众在练气哭啊闹啊。阿姨也不明白这些孩子为什么同仇敌忾跟方枪枪过不去。问原因没人说得上来，一个比一个委屈；三令五申又制止不住，一转身孩子们就打成一团。为了减少打架，阿姨有意隔离方枪枪。散步时把他搁在自己手里单独领着。玩集体游戏老鹰捉小鸡丢手绢时让他一人在边上看着。这丝毫没有缓和孩子和大家的关系。

孩子也不懂这局面是怎么形成的，只知道谁不理他就打谁，越打越多，打成了惯性。孩子他不羞，不苦闷，不讲理，不自怜，每日一睁眼兢兢业业打到闭眼。他总是第一个醒，最后一个睡。

有时寝室熄了灯，还有一些男孩光着脚悄悄摸过来，孩子就和他们床上床下你来我往比试半天。全班都睡了，孩子还在黑暗中闪动着警惕的眼光。

孩子太累了，心中生出一些狠念头。那些女孩再向他抡拳头，他就贴上前认真打一个直拳。这一手很奏效，一拳打在脸上，对方的王八拳也就歇了。排头逐一打去，一片女孩子捂着脸蹲下哭。下次一见他纷纷逃散。

打垮了女队，孩子转向男队。他先是攻击单个遇到的男孩，不管人家是在喝水还是上厕所，只要占着手，上去就打。高洋有次拉屎，被他打得差点掉进茅坑。老实胆小的男孩都被他驯服了，一解散就去和女孩玩。只有张燕生汪若海等七八个男孩十分顽强，每日堵着他照打不误，也疼也哭但就是打不散。汪若海也学会抽冷子打直拳。孩子第一次挨了直拳就有点坚持不下去，可惜没有办法光荣投降，只有打下去。第二趟直拳打过来疼得实在哭都来不及，张燕生雪上加霜一头撞过来，孩子当场停止奋战，浑身软绵绵得再无一丝力气。第二次一交手挨的全是直拳，孩子转身要跑，吃了一绊儿，被几个人屁股压在底下骑到吃午饭。汪若海还坐在他头上放了几个蔫屁。被人骑了吃过人家屁，再遇到这一伙，孩子失去抵抗意志，奴隶一般任他们驱使。汪若海喊一声：假媳妇儿。孩子就乖乖跑过去站在人家面前，叫立正立正，叫敬礼敬礼。听到汪若海喊：把叛徒押上来。就知道是在喊自己。不管正干着什么马上停下来，等着来提自己。下跪捆绑坐老虎凳之后，还要被处决多次，一听到“我以人民的名义”叭一声枪响就要立刻栽倒在地。正面枪响向后倒，后脑枪响向前趴，前后夹击身体应转半周两腿弯曲原地瘫泥。每一枪都有讲究，都要交代，乱来不行的。像枪响捂胸那就是严重违例，这是革命者的专利，叛徒使不得。

方枪枪每天遭几遍枪决，死得非常老练。尤其善于乱枪穿身：东一抽搐西一痉挛，转好几圈也不倒下——脸望蓝天，大张着嘴，身体一点点往下溜，左翻一白眼右翻一白眼——躺到地上戏还很足：吐舌头、蹬腿儿，不折腾够了不闭眼。他这死法保育院很多小朋友钦佩，视为绝技，群起效仿。汪若海等人看了也喜欢，争当叛徒令方枪枪挨个枪毙他们，一个个两眼失神，东倒西歪，颓然扑地。一时保育院枪声四起，尸横满院。当叛徒，遭枪击，死不瞑目蔚然成风。

当了人家的兵，尽管吃点苦，我还是更多觉得找到组织的安心，比一个人独闯天下少很多茫然。位置明确了，前途不用考虑了。我背着汪若海或者张燕生在院子里漫步时，想的就是怎么当好一匹马。小碎步怎么颠颠地迈，柳条抽到屁股上怎么最快速度跑起来，听到“吁”的一声怎么低头停下来。这不是谁都干得好的。譬如说人只有两条腿，手还要抱着身上人的腿，勒马后退这个最体现马之矫健骑手之英姿的动作缺两条前腿你怎么表现？那就要凭空捏造，借鉴戏曲艺术来个金鸡独立匀出一条人腿仰起马蹄，另一条腿同时往后蹦——这平衡功能不是一般人具备的。几年后第一次看《智取威虎山》，童祥苓打虎上山，马遇虎惊退那一场，我们这一排小哥们儿忽然大笑不止，觉得看到了熟悉的场面。

再有就是骑马打仗。说是骑兵格斗，主要还是要看谁的坐骑稳健耐战。你不能把主人驮进战场就傻站在那儿不动。你要尽可能迂回机动，第一防备侧面、后面的偷袭；第二从侧面、后面偷袭人家。敌人应处于你和骑师的正面半径范围内。接敌之后骑手因要两手全力肉搏，身体就全靠马加固。你要不断托着他屁股把他举高，身体越高，臀下越稳，骑手的优势越大。一旦他快不行了，将要被人拖下马来，你还要及时退出战场，重整再战。哪有什么命令啊，全靠马自觉。所以没有好马，再好的骑手说要取胜那是一句空话。好马还会主动参战，撞击对方的马。一般不是身高体壮有战术头脑的孩子想当马还没人要呢。打赢的时候，最大的荣誉是属于马的。

那么多人争着骑我，我感到自己十分优秀。

有一次，我哥哥看见我驮着汪若海用嘴伴奏咯哒咯哒跑过去，揪下汪若海要揍他。我还替汪若海说情：我愿意的。

我也不是没马。汪若海骑完我，我就骑高洋。高洋人很高，是匹好马。可他不愿意我骑他，打起仗不出力，经常别人一拽，他就松手，我就掉在地上。怎么打也不上路。我换遍了保育院所有的马，没一个可心的。有时情况紧急，随手拉来一个小孩骑上投入战斗，没走几步连人带马压垮在地。

汪若海爱好之一是给女孩子捣乱。作为他的打手我也义不容辞。女孩子那边刚摆好过家家的锅碗瓢盆，汪若海就领着我们几个歪戴帽子斜扎皮带的小子走过去，踢开假设的门，横眉立目，恶声恶气地问人家租子交了没有，家里藏没藏八路。汪若海喜欢杨丹，每次都说她是八路，让我们把她抓走，抱住人家就亲。杨丹见他就跑。我们就追。杨丹跑得快，一跑就跑到阿姨跟前。我撵不上她，转身去追陈北燕。她刚留了两个小辫儿，授人以柄，又跑得最慢，我几步撵到她身后，一把拽住她小辫儿，她就乖乖到手了。

我抓着陈北燕两个小辫儿像提着马缰绳，把她赶到汪若海面前，挺胸敬礼：报告军长，八路跑了，抓住个送信的。

烧死她——汪若海手叠手杵着根树棍叉着腿撅着屁股觉得自己很像皇军小队长。

我把陈北燕贴在最粗的老槐树上，自己从后绕树拉着她的两只手，把她全身打开形同五花大绑。张燕生他们就在她面前假装点起一堆熊熊大火，模仿着火苗呼呼向她脸上吹气。陈北燕睁着惊恐的眼睛一声不出，头发吓得都立了起来。

八格牙鲁，老虎凳的干活。汪若海又说。

我满头大汗跑去搬砖头，把陈北燕靠树按坐地上，往她脚底下一块块垫砖头。我一般垫三块砖头膝盖就疼了，陈北燕垫四块砖头也没事儿。花坛里就那么几块砖头，中班一桌老虎凳又用了一些，我们这边就没了。我把陈北燕腿往上抬，她很软，还有很大余量。

看她腿能不能够到脑门。汪若海说。

我和张燕生各搬起她一条腿使劲往上举。陈北燕从靠着的树干滑到地上，后脑勺蹭土，大声哭起来。我们赶紧扔下她的腿慌慌张张溜了。

第二天黄昏，我在杨树下拣到了一只老根儿叶子，又宽又油，拿它拔断了汪若海他们所有人的老根儿。正得意呢，陈南燕冲过来一下把我推了个大跟头。我刚要站起来，她又冲过来推我一跟头。她紧绷着嘴，眼睛明亮像里面点了灯，脸雪白一用劲就涌出满腮红。她不让我站起来，只要我将起未起，她就再推一把，每次推我都让我觉得她想推死我。

我招你了？我糗在地上大声嚷。

你招我了。她死盯着我咬着牙说。她身后还跟着几个大班女孩抓着汪若海、张燕生的脖领子乱嚷：有你没有有没有你？

他二人连哭带挣扎：放开你放开。

张燕生他三哥张宁生和一帮大班男孩冲过来，推那些女孩：干吗干吗？欺负我弟干吗？

女孩男孩立刻吵成一片，什么也听不清，只能听到杨丹她姐杨彤的尖嗓子，一口一个：废话！废话！

我哥跑过来时，唐阿姨也赶了过来，问陈南燕怎么回事，怎么欺负中班小朋友。

陈南燕这才说：他先欺负我妹的。不是一次，老欺负。

唐阿姨把陈北燕叫进人圈指着我问：他怎么欺负你了？

陈北燕有人撑腰，声音也亮堂了：他揪我辫子把我绑树上还用火烧还掰我腿……

唐阿姨咂着嘴点着我额头：你，一天不惹事你就难受。专欺负女孩子恨死我了——那也不能自己打人。陈南燕我要告诉你们班阿姨，星期六告家长。女孩子还这么野蛮。都回去，这事儿阿姨处理。

走，回班。唐阿姨一把将我揪走。路上顺手牵羊捉住汪若海张燕生。

你们三个就是咱们班的害群之马。你，是坏头头——唐阿姨一摁汪若海脑门。

你，是狗腿子——她一摁张燕生。

你，最坏。狗头军师。什么坏主意都是你出的。她一摁我脑门，我头往前一低，只听她手指关节咔吧一声响，我脑门上留了个红印。

你再坏！唐阿姨远远拿起竹教鞭敲我天灵盖：你翻谁白眼，你再翻一个试试——你就是缺打。你父母不知道管教你，所以你成了个祸害。他们再这么惯你，你就等着长大让公安局管吧。

唐阿姨把陈北燕带进来，理理她的小辫儿，手扶着她肩对她说：你这孩子也是太老实，挨了欺负不吭声。你越这样这些坏孩子就越欺负你——下次谁再欺负你立刻告阿姨。

陈北燕怯生生点头。

现在，你们三个一个一个向陈北燕道歉。从汪若海开始。

我错了，下次不这样了。

说对不起——你们家大人没教你啊？

对不起。

张燕生。

我错了，下次不这样了，对不起。

方枪枪。

……

方枪枪！唐阿姨用竹教鞭左右捅我的双肩，捅得我撒娇似的来回晃身子。

阿姨可等着你呢啊——阿姨可没多少耐心了啊——你是非要阿姨把你家长请来是不是？

她一竿儿捅疼了我。我小声嘀咕：糖包。

你说什么！“糖包”一下炸了，窜了过来，连推带搡，我脑袋咚一声磕在身后水泥墙上。我开口骂她：操你妈！

“糖包”这一鞭绝对是照着我人抽过来的，带着风声，呼一下从我头皮上刮过——我本能地缩了一下脖子。第二鞭抡起时，我已经钻过桌子站到另一侧。

你敢骂我妈。我撕烂你的嘴。

唐阿姨眼睛都红了，疯子一样举鞭绕着桌子追我。她追过来，我就钻到另一边。我也吓坏了，不敢远跑也不敢再骂，只是来回钻桌子。我不知道唐阿姨为什么不上桌子，那儿童桌子很矮，她一迈腿不费劲就能站上去，那样抓我打我都易如反掌。也许是习惯意识影响了她，也许是气蒙了大脑空白只剩下一个念头：报仇。

李阿姨披头散发端着个脸盆从外面进来。她刚洗过澡，人很干净，颧骨泛红还有几分娇媚。怎么啦——她心情愉快地问小唐。

他——唐阿姨指我，接着眼泪夺眶而出，悲愤嘶喊：骂我。

骂你什么？李阿姨放下盆，用皮筋扎一把头发，紧了一扣眼腰带。

操我——妈。

我就知道李阿姨会加入。早已看好路线。当她一脚踏上桌子，另一脚尚在半空，骤然高大像罗盛教那样纵身向我扑来，我已小碎步溜进厕所，一反身插上门插销。

她十指尖尖，指甲有泥，像两把多齿叉子在我心灵上留下了三天无法磨灭的印象。

外面汪若海在哭，关门的一瞬间我看到他被失去平衡的李阿姨一膀子撞倒。

李阿姨庄严的声音在我耳边响起：屋里有没有其他小朋友——请给阿姨开门。

我小心翼翼走过刚擦过滑溜溜的瓷砖地，从后门溜掉。

老院长正在夕阳下背手踱步，苦吟“ai”的韵脚。看见我笑眯眯地问：玩捉迷藏呢？

李阿姨唐阿姨带着大批小朋友绕过楼角出现时，我已快出了保育院大门。

你回来。

李阿姨高声喊。

不！我也用尽全身力气哭着喊：我不回去。你们全都欺负我。

李阿姨跑起来。

我也跑起来。

下班号吹响了。海军、通信兵都响起了嘹亮的军号。悠长的号音回荡在辽阔的晚空。

| 第六章 |

那个黄昏很美，方枪枪到死都会记住这景象。晚霞似一把通天大火在斜垂的天幕上熊熊燃烧，火光映红了大地。流云一朵朵飞动，到处风起云涌，像爆炸决口的大河滚滚奔腾。蓝色在空中融化，一大块一大块地剥落变黄。整个天穹忽明忽暗，亮时极尽斑斓夺目，间有巨光射出；暗时一片铁青，薄若蝉翼隐约透明宛如一炉煤火表面已成灰烬内部仍旧暗红涌动。在这瞬息万变的光线照射下，树，像阴天一样边缘清晰；楼，红里掺进很多黄变成一堵堵橙色的墙；花果草坪遍地枯黄——看到哪里都是一幅曝光不足的照片。

照片上有喇叭中播放的军歌声，总是一排男声粗声粗气在唱；有饭菜漂浮的味道，一闻就是大锅熬的白菜和笼屉蒸的米饭；有一伙伙穿黄军装的人沿操场东西两路步出办公区；操场上有一群赤膊打篮球的汉子，一个穿印字红背心的大个子低头运球过人，头顶直立的短发和鼓起的肱二头肌相当醒目；一个光头战士两臂撑着双杠高高跃起，口轮匝肌结实地凸显一圈；一个烫花穿列宁装的青年妇女在大门卫兵前骗腿下自行车；一排小学生有高有矮走进院门。其中一个扭脸看卫兵腰上的皮手枪套；一个战士一手托摞报纸一手扶把奋力在骑自行车，他半身倾斜，眼望前方，一滴汗珠儿在帽檐下闪闪发亮。两个女孩正从一幢楼门里出来，一个脸已露出一个还在暗处，手里拿的铝饭盒十分明亮。

送报战士从她们身边一划而过。两名少女最后一级台阶一跳而下像是比赛跳远，她们起立后沿着小马路上粉笔画的房子一间间跳着往前走，手里饭盒一路响。穿列宁装的青年妇女骑到楼前下车，拎包匆匆进了另一个单元门。那排小学生跑过来，书包在胯部一下下拍打，分头进了不同的楼门。西门进来更多的家属、学生，有骑车的有步行的。最后一抹夕阳像是跟着他们从西门进来，水泥小马路像金色镜框映着上面来来往往的人、车。

穿黄军装的人流蔓延到每一条马路，每一幢楼前，与妇女孩子汇成一片，或扎堆儿聊天或结伴而行帮着拎饭盒和菜篮子。他们都是胖胖和善的中年人，个头高矮不等，年龄相差无几，讲话南腔北调，走路松松垮垮。要不是身上披着那身军装，领章缀着的杠、星，你会把他们当做百货大楼的经理或各单位管后勤的干部。十几年听不见炮响，年纪大一点，吃得好一点，活动少一点，内分泌再变化一点，军官们都有些发福，有些白净。凭脸你看不出这些保养得不错的先生放过牛砍过柴。下班了，到家了，该吃晚饭了——终于盼到一天最舒心的时刻。他们都干家务，也怕老婆，洗洗涮涮，生儿育女。他们脸上充溢着满足、惬意、百事不求人的表情。

在这一片和平光景下，李阿姨也显得软化形象可亲。她像一个在找贪玩的孩子回家吃饭的少妇，寻寻觅觅，边走边问，不时停下和人打招呼，笑聊几句；接着又焦急地四下张望。

方枪枪藏在浓密的桃树丛中，脸蛋挂在其他桃子之间。李阿姨在他眼前来回走了几遍也没发现。他望尽穿黄军装的人也没看见他的爸爸。好几个军人他都以为是，走到近处又变成了别人，白动了一番情。他觉得自己忘记了父亲的面容。42 楼上家家厨房亮了灯，只有他家窗户是黑的。姥姥和姨已经回了沈阳，再也没人请他吃晚饭了。天暗下来，路上行人断迹，操场上打篮球的人也走了。他很难再让人发现了。眼泪顺着脸蛋流下来，他揪着树叶无声地哽咽，知道父母去了远方。他很怀念保育院，现在应该洗过手坐在桌前吃晚饭了。他把一根树枝上的桃叶揪得净光，树枝一定很疼，吱吱呀呀地小声叫。他不摘桃子，阿姨说过摘桃子不是好孩子，那叫偷。他想当好孩子，却总是像个坏孩子被人追来追去。谁都追他，小朋友追，阿姨追，陈南燕也追——想到这儿他大声哭起来。他咧着嘴，仰着脸，边哭边东张西望。周围只能看见李作鹏家的警卫一人。这个背手枪的水兵站在李家花园栅栏外挖鼻孔，一眼也没往这边看。哭了一会儿，方枪枪声音低下来，眼泪不断只是改成了哼哼。他用手去摸一个个成熟的桃子，桃皮上的绒毛立刻刺激了他，手指一片潮红，又扎又痒。他站起来觉得屁股都硌扁了，裤子被桃树胶沾得刺啦一声拉出很多根丝。他脚蹬树杈拨开枝叶伸长脖子往外看，再没人来，他就准备自己下树了。

方枪枪倏地缩回脖子，他看见李阿姨、张副院长领着方超从保育院大门走出来。他很兴奋，藏好自己悄悄乐了一下。等了一会儿没见人过来，再次偷看发现他们进了楼门，他很失望。片刻，三个人又出来了，站在楼前十字路口，似乎拿不定主意往哪条路找。方超嘴里还嚼着东西，显然是从饭桌上给带出来的。他向桃树这边呆呆张望，方枪枪探头探脑，跃跃欲试，嘴里高兴得出小声：笨蛋，我在这儿呢。方超看了会儿桃子，抬头看大人。三个人转身回保育院。

方枪枪这时跳下树，站在马路牙子上，只要这三个人中任何一人回头都会一眼看见他。方枪枪叉着腰，大英雄般一步跨到路中央，望眼欲穿地注视着这三人的背影——直到他们消逝在保育院楼拐角，没有一个人回头。他们对我太不好了——方枪枪悻悻地原地向后转，低着头叉着腰无聊地走。

他走过一棵棵桃树。看着桃树的间距自己也迈起大步。我应该生病，看你们再不关心我——看到保育院隔离室的灯光，他恨恨地想。

小孩，别再往前走了。

方枪枪听到有人说话，停住。他已来到办公区豁口，站岗的军人瞅着他。

你是谁家孩子呀？军人从岗亭走出来。

我是从保育院跑出来的。方枪枪仰头看着这个高大的士兵。

你怎么那么淘气。士兵笑着说，骗我呢吧？我这儿可有电话能打保育院。

真的。方枪枪认真地说，阿姨不好，小朋友也都不好，我就跑了。

你爸是谁呀？

我爸是，我爸是……方枪枪不知道名字，一指办公区的楼：我爸就在这楼里。

这些楼里都没有人。你妈叫什么？你住哪楼啊？

能让我看看你的枪吗？

可以。士兵解腰上的手枪套：只许看一眼。

这枪能打吗？方枪枪踮着脚扒着士兵的皮带摸了摸套里露出半截儿的光滑乌亮枪身：能让我打一枪吗？

那可不行，那我可犯错误了。士兵笑，扣上枪套。

就一枪。

这是谁家娃儿，怎么跑这儿来了？一个空着手的士兵走过来，掏出烟卷点火边吸边说。

知不道，在这儿玩半天了。站岗的士兵说。

快回家去吧娃儿。一会儿天黑了，狼都出来了。新来的士兵蹲下抱着腿抽烟。

你们家又丰收了？站岗的兵问那个兵。

方枪枪气喘吁吁停住脚，看到操场上有几个人在往两根高木杆上拴白布，好奇地走过去看。这些人把白布两角穿着的绳子扎在高杆上垂下来的铁环上，然后两个人跑到杆旁分头拽绳，一下一下，像升旗一样，整块白布吊到半空，四四方方飘动——他们要放电影。方枪枪恍然大悟。每个楼里陆续有人出来，拎着各式各样的小板凳、竹躺椅，很快就摆满了半个操场。银幕四角牢牢系在木杆上，微风仍然把它吹得凸来凹去，拂动不止。放电影的人架好音箱，在远处支起放映机。放映机射出一束白光打在银幕上，银幕像个大窗户亮起来。很多小孩跑到银幕下，用手做出各种各样的小动物。操场几乎被坐满了，上千人说话、谈笑，发出巨大的嗡嗡声像一架飞机低空飞行。保育院大班的孩子也来了，排着队，一人抱着把小椅子。他们在最前排一行行坐下。天已经完全暗下来，隔几步就看不清人脸。方枪枪和他们面对面坐在篮球场地上谁也没注意那个混在大人堆里的小孩子就是他。

电影开始了。一枚黑色的八一军徽在银幕上放着光芒，接着就是炮弹爆炸，密集的枪声。左手端着刺刀枪军帽上挂着屁帘的日本兵冲过去，军官骑在大洋马上也用左手高举战刀连声怪叫。八路军趴在沟里左手开枪，打一枪拉一下枪栓。他们很好认，个个都比日本鬼子长得好看，浓眉大眼，帽子上钉着两粒衬衣扣子。农村老百姓拖儿带女惊慌失措地跑，炮弹在他们中间冒起一朵朵硝烟。方枪枪不替他们担心。他看过多次电影，虽然记不住片名，故事也看得糊里糊涂，但不知何故就是知道下面情节怎么发展。他更担心那些英武的八路军。一会儿他们准要撤退，留下个把跑不快的或挨了枪子儿的让老百姓掩护——这和他在保育院玩的差不多。

果不其然，大娘大嫂大爷们让鬼子给圈了回来。刚才又投弹又射击就瞧他勇的指导员和二班副现在都混在老百姓人堆儿中，枪也没了俩扣眼帽子也摘了穿着身要饭的衣服。镜头给到一个总挡着他们哥俩儿的白胡子老头脸上，方枪枪叹了口气，完了，这老头一会儿准让鬼子烧死。

反着看电影，银幕上的人一律用左手让方枪枪心里别扭，又觉得好玩，自己左手也痒痒，捡起一粒石子歪歪斜斜扔出去。

银幕泻下的光照亮大班孩子一张张仰着的真诚的脸。他们也在为乡亲们着急，从小就知道好人子弹少，大部队总是在打完仗才赶到。老头被绑到树上，一点不害怕。孩子们也不是太心疼他，既然好人这边一定要死人，他们也同意鬼子挑一个老的，只要部队不受损失将来算战果咱们总是赢家。

老头被烧得耷拉下头，这种有音乐伴奏，人群围观，从头到尾不痛苦只是咽下一口气的死法陈南燕觉得很好看。如果要陈南燕挑一个诗意的时刻，陈南燕会首选去死。

大部队该来了吧？她伸了个懒腰问方超。

这时她看见银幕另一面暴露在光线下的方枪枪。

方枪枪靠在身旁席地而坐津津有味看着电影咧嘴笑的战士肩膀睡着了。大部队冲过来的呐喊声也没能唤醒他。银幕上纷乱的人影、马匹、刀枪投射在他脸上斑马一样黑一道白一道像正在演奏的手风琴忽宽忽窄，这张小脸变幻不定只有一双眼睛始终紧紧闭着。他睡得很香,那战士一挪肩膀他就向后倒去,平躺在地上睡。

你弟。她指给方超看。

方超看不清那个躺着的孩子，还要忙着看电影。

陈南燕扭头找阿姨，阿姨不在。她拉着方超低头从银幕下飞跑着钻过去。日本军官被逼入绝境，四周都是指着他的枪口。方超站住看。陈南燕自己跑到地上的孩子身边，跪下摇晃他醒。孩子睡得很死，怎么晃也不睁眼。周围坐着的大人都眼盯着银幕满意地期待着。有一刹那，陈南燕以为方枪枪死了，俯下身体贴近方枪枪脸马上闻到他呼出的气息和奶味这才笑了。她把胳膊塞进方枪枪颈下，手托着他的脸蛋像妈妈抱她妹妹那样把方枪枪上身抬起；她的另一只手伸进男孩子两腿膝下，跪着一用劲，挺沉一个男孩离了地。这时旁边战士忽然扭脸说：你应该叫你们家大人来。

日本军官死得很惨，很丑恶。两边一千多观众同时鼓起掌，个个笑容满面。小孩一起冲银幕上那个死人喊：该!

方枪枪醒了一下，茫然看了眼欢呼的人群，头往陈南燕怀里靠了靠，一手钩住她脖子，爪子冰人。陈南燕抱着沉睡的方枪枪迎着四散的人流走了几步，觉得自己很伟大。

方枪枪的梦里还在跟着部队渡河。他趴在马背上一走一晃悠。天很黑，队伍里有哥哥、陈南燕和很多大班的孩子。人们低头慢慢地走着，军长师长都和自己的部队失散了，战士们手里也光拿着小马扎。刚才的战斗没打好，方枪枪觉得是自己的责任。敌人冲上来的时候，他失去了知觉，一定是受了伤，可浑身上下找不到伤口，看来子弹是穿过去了。他想从马上下来，要回自己的枪，对大家喊：同志们，不能再这样撤了！马把他往上一推，更紧地夹住他。马穿着保育院阿姨的蓝点大白褂。必须枪毙几个。方枪枪昏昏沉沉地想。

人群走散了，只剩下保育院的队伍还保持着队形。进村了，方枪枪被搀进堡垒户明亮的房间，乡亲们关心地围上来，端来热腾腾的鸡蛋西红柿面条。李大嫂人真好。方枪枪疲倦地微笑着，想对她说我没事伤不重就是困了。他吃了几口，猛地提醒自己伤员不能吃太多，回头叫人看出来，睡不成觉就得送回前线。先睡觉先睡觉，饭有的吃这一伤怎么也得养半拉月多享几天福。方枪枪打着小算盘上了自己床，脱衣服时还记着：临睡前问问李大嫂那个姓唐的女特务抓起来没有，出发前跟民兵讲过几次了。部队没把敌人打退，村里的特务又要活跃了。他希望不要天没亮就被敌人包围，还得钻地道。

明天跟海军借兵反攻一下。西边还有很多部队没有用上。我就不信小小几个日本兵打不过他们。三八大盖过时了，我们有炮——他妈的，空军的飞机为什么没起飞？见死不救，有意保存实力。日本人都打到我们院了你公主坟还安全吗？要批评他们，下死命令，要不仗没法打。

第二天方枪枪发现自己还是个小孩，躺在一片密密麻麻的小床中，又落到李阿姨唐阿姨手里，不禁失声痛哭。

他头闷在枕头上，身体一耸一耸，哭得十分伤心。鼻涕流在嘴里人要大叹气离开枕头才能呼吸一下。他哭了一早晨，趴累了，又转过身拿湿枕巾盖着脸哭。他实在不想接受这个现实，没有勇气开始保育院新的一天生活。阿姨小朋友也都没人理他，没人劝他也不叫他起床。大家都认为他是深为自己骂阿姨的错误懊悔，畏罪情绪严重，乃至痛不欲生。

小朋友们照直去外边做早操，做完操在活动室吃早饭。他们知道方枪枪闯下塌天大祸，几乎没救了，自己也学了一点乖，所以吃饭走路静悄悄的全不似往日吵吵嚷嚷。保育院整幢楼里只传出一个孩子断断续续的哭声。

隔着透光的枕巾，方枪枪看到走过来一个人影，这人开口是唐阿姨的声音：知道错就行了，别哭起床吧。

唐阿姨的语调也有些颤抖，声音低沉带着家乡的口音。方枪枪这时尤其受不了别人对他好，眼泪更多了。他哭，一是哭自己不该得罪唐阿姨，捅了个大娄子；二是哭阿姨：你要早点对我这么好，我又何至于骂你，恨你，往外跑——咱们不是都没事了吗？

再想一会儿，就起来吃饭。阿姨不会跟你计较，阿姨干这个工作就是有思想准备不怕受委屈的。只要你能主动承认错误，阿姨还会对你像从前一样。

唐阿姨说着喉咙也有些哽咽。她用手摩挲摩挲方枪枪的额发，手很暖很干燥。唐阿姨起身走了。

方枪枪又流了会儿眼泪，自己也觉得在劫难逃，看来混不过这一关，总要面对阿姨小朋友，跟大伙有个交代。另外他也确实饿了，饿得不轻。早知第二天是这么回事，昨晚那碗面条就不该浪费。

方枪枪一奋勇坐了起来，扒掉蒙着脸的枕巾，窗外的阳光一下刺进了他的眼睛。他哭得眼睛又红又肿，看东西只能眯觑着不悲伤也情不自禁时时流泪。

他穿齐衣服下了地，一手拨拉着沿途一根根床栏慢腾腾往寝室外走——真希望生活里没这一天。真希望在电影里过日子，下一个镜头就是一行字幕：多年以后。

他最后看了眼阳光明媚的窗外，没有他的大部队，只好推开寝室门——臊眉耷眼出现在大家伙儿面前。

小朋友们趴在桌上静静地画画，看见他出来一齐抬起头，有几个还眉飞色舞，接着又一齐低下头，继续全神贯注地画画儿。

唐阿姨在用拖把擦地板，摆臂扭胯退一步脚下湿一行。她好像也哭过，眼睛红红的显得人既老实又质朴。看到方枪枪，她把墩布靠在墙上，大步走过来牵起他手将他领到门边一张孤零零的小桌旁坐下。小桌上摆着一搪瓷碗大米粥，一碟酱萝卜片和四个糖包。

方枪枪喝粥吃糖包。粥和糖包都是温的，糖包里的白糖部分已经凝结成砂状。平时早饭每人只有两个干粮，今天他得了四个。很多小朋友回头偷偷朝他笑，方枪枪矜持地瞟他们咬着糖包跷起二郎腿，看到拖地的唐阿姨立刻又放下腿，低头喝粥。

小朋友们排队去远处玩了。方枪枪独自坐在活动室窗前小椅子上，看着地板上的水印在阳光下一点点干透。院里很安静，楼上也没有脚步声。他已经想好了，待会儿一上来就主动承认错误，不该跑，不该骂人，对不起，再也不了。应该再画一张画送给唐阿姨，表示歉意。画什么呢？葵花、太阳、小鸟？应该有人物，一个大人，一个小孩，大人是唐阿姨，小孩是我，大人拉着小孩的手，旁边再有葵花太阳和小鸟。写上自己和唐阿姨的名字——

唐阿姨不是糖包的“糖”吧?

唐阿姨李阿姨张副院长从门缝鱼贯而入，李阿姨张副院长手里还各拿一个本子。她们三人在方枪枪面前围坐成半圆，李阿姨张副院长拧开钢笔帽在本子上乱画几下试水儿。

大人还没开口，方枪枪就勇敢地站起来，背手面对唐阿姨多少有些唐突地大声说：我错了不该跑不该骂您对不起下回改再不了。

说完他还不伦不类地鞠了个躬搞得唐阿姨直眨眼睛一时无话。

你坐下你坐下先别急着承认错误。李阿姨拉着他的后衣摆把他拉回到小椅子上。

有认识能承认错误这很好。张副院长推推自己的眼镜说，倒不在于错误大小，主要看态度好坏，是否能挖出错误根源，挖出根子，改就容易，就不是句空话了。

这几句话倒给方枪枪说糊涂了，话听清了意思一点没懂。这态度还不算好？还要往哪儿挖？隐隐觉得自己这错误白认了，人家没原谅。

你那句骂人话是跟谁学的这我们特别想知道。张副院长接着说，你这么小怎么会骂这句话?

哪句话？方枪枪一时忘了自己昨天骂过什么，他觉得自己也没骂几句。嗷，他想起来，他骂阿姨“糖包”来着，不禁一阵脸红低下头。

你懂这句话的意思吗？张副院长问。

方枪枪点头。

你懂？李阿姨难以置信。

小朋友都这么说。方枪枪不安地在椅子上扭扭屁股。

不可能！李阿姨扯着嗓门嚷嚷：我从没听见任何小朋友嘴里说过这话。咱班、全保育院我是第一次从你嘴里听见这脏字儿。

那你可真太不了解情况。方枪枪不服地想，小朋友背后还管你叫大鸭梨你大概也没听说过。

你是不是在家听谁说的，还是在院里听那些大一点的学生说的？

都不是。方枪枪也不明白张副院长脑子是怎么转的——保育院外边的人怎么会知道唐阿姨的外号？

那你是怎么会说的？一定是有人教，你才会的，你才多大？我二十岁以前都不会说这个话。保育院绝不会有人讲这个话——不允许！

张副院长态度严厉起来：今天你一定要说出这句话是谁教你的。跟小朋友打架，顶撞阿姨，从保育院往外跑，都不是什么大不了的事，承认错误后都可以原谅。但讲这个话，不说清楚，没人原谅你。这还得了吗？我搞幼教工作从一解放就开始，十几年，军训部的孩子我带大多少拨儿，没见过这么恶劣的，对阿姨骂出这种话。这话解放前也只有流氓地痞才挂在嘴边。

张副院长愤然站起：你起立。

方枪枪瞠目立正。

你父母我都很熟，我不相信他们会教你说这个话。他们要知道他们的孩子这么小就这么——怎么形容呢？

满嘴喷粪！“大鸭梨”脱口而出。

满嘴污言秽语——他们会伤心的。张副院长毕竟是个知识分子干部，文雅一些。

孩子交到我们手里，没学到好，倒学了这么些乱七八糟的——我们失职啊。

张副院长言下竟有些唏嘘，背转过去摘眼镜。

快说！“大鸭梨”呵斥我，你不要想着替别人打掩护。说不出人来你就全自个兜着——早看你不是个玩意儿。

不要朝他嚷，还要耐心细致，我们的责任是教育。张副院长看我一眼，这之前先不要让他参加班级集体活动了，让他反省直到搞清整个事件——我就不信没坏人影响他会自己学出这种话。

听见了没有——听见了没有！李阿姨声若洪钟，两下就撞得我胸腔发麻。

麻之后是心口一阵阵起酸。我瞪着她和张副院长，告诉自己不许哭，不许当着这两个坏蛋哭。一开始我就不该承认有错，真是后悔。对待她们这号的必须厉害，没理也要搅理，因为她们是笨蛋，你认错也白认，她们听不出你的诚心。比起“大鸭梨”，“张四眼”更讨厌。说他妈什么呢一大嘟噜没一句听得懂的。你要罚我以后不许玩就直说。想告我爸打我没门儿。他出差了不在，找不着人，气死你气死你。

方枪枪的心理活动都写在脸上。张副院长看罢摇头，对李阿姨讲：不要急，这孩子现在抵触情绪很大，慢慢来。

你现在回寝室，待在自己床上，从今天起每天不许下床。撒尿报告阿姨，吃饭等阿姨叫，没有允许不许跟小朋友说话。别人主动跟你说也不行。

有枪第一个崩了这大鸭梨。我在走向寝室的路上鼓励方枪枪：做得对，不怕她们，下次还骂操她们的妈。我想起了昨天方枪枪骂的这句话。确实不知道是个什么意思。也忘了从哪儿，听谁先讲的不知不觉就会了。但我发誓，骂唐阿姨那次是第一次说。气急了，不知说什么好，一下脱了口。这话也许不好，不好你跟我好好说，现在这样，我还不改了！有空儿就骂你们：

操你妈操你妈操你们大鸭梨张四眼一块儿的妈。

陪我进寝室的唐阿姨看见方枪枪嘴不停翕动，叹气道：你骂这话真是早了点儿。

我没骂你。方枪枪哭咧咧地说，一骨碌爬上床。

| 第七章 |

正如越南人民的伟大领袖胡志明伯伯所言：再也没有比独立自由更宝贵的了。我在自己的钢丝床上蹦啊蹦，身体笔直，两手贴腿，想象自己从十米跳台一个接一个“冰棍儿”跳下来。跳累了就踮起脚痴看窗外跑来跑去热闹嬉戏的小朋友，看得闷了又接着跳起来，我在空中学会了从 1 数到 54，那是寝室里空床的数目。我看到了远藏墙角的簸箕扫帚，天花板洁白中的瑕疵。偌大的寝室总是只有我一个人。开初我还能自得其乐，为自己制造一些惊险场面和有意义的时刻。每天早晨阿姨带着小朋友退出后，我在床上立即开始折腾：拿被窝做地道，摸着黑往里爬，从被脚隐蔽待命之后一跃而出；用枕头在床栏砌成垛口，打一枪换一个地方，机敏地滚动躲避子弹，负了重伤依然艰难地扣动扳机。我差不多一个人打完了解放军几十年的战斗，消灭了我能想到的国内外敌军。紧接着尝到了胜利之后的空虚，凯旋归来的无聊。荣华富贵犹如过眼烟云。

我从一张床走到另一张床，光脚踩在两根紧靠的床栏杆上走钢丝一样全凭张开双手平衡，更多的时候像一架行将坠落的小飞机，左右摇摆着翅膀，飞不多远扑通掉到别人床上。班里小朋友的平展的床单都被我踩上脚印，践踏成一块皱巴巴的抹布。我发现阿姨的床上有很多秘密。枕头下、被子中藏着一些奇形怪状的布带子和叠成很宽扇子的粉纸。我把那些乱七八糟的布带子抖落出来，试图穿到自己身上。有两个圆兜的似乎很容易猜出用途，一般我是当做小背包套在肩上，既可以装伞兵又可以当步话机对指挥部呼叫：851，851，我是延安。还有一种带子研究很久莫名其妙，穿在哪儿都有多余部分，也就能凑合胡乱打一绑腿。粉纸没什么可说的，一概用来擦鼻涕，相当吸水。我对阿姨身上居然要挂这么多零碎十分轻蔑，可见她们有多畸形多不正常，难怪一个赛一个脾气暴。

唐阿姨对我的态度比李阿姨要缓和。她还能用正常的口吻同我讲话，准时叫我吃饭，对上厕所的要求也一般予以满足。有时我还得到她有意的关照。我是全班最后一个吃饭，笸箩里剩下的凉花卷、凉发糕她都夹给我，吃炒菜她就帚底连汤带水都添给我起码涨出大半份，这样我往往比其他小朋友吃的食物分量更足。赶上吃好的肉包子什么的，这种最后就餐的实惠更招人眼羡，有些饭量大嘴馋的孩子制造各种机会吃着手指头在我桌旁徘徊，我大肆享用，一口也不给他们剩下。于倩倩曾替我数着目睹我把十一个猪肉白菜包子都咽下肚子，当场大哭起来。

我像一名被判了死刑的江洋大盗受到同牢其他普通刑事犯的尊敬。我也用实际行动证明了自己的——酷。每天仰着脸独出独入凡人不理，跟阿姨说话也是歪着头，眺望远方。谁手里拿着什么我看上的东西，走过去一言不发劈手夺来，被抢的人一声不敢吭，目送我远去。汪若海有一次还想骑我，我背起他二话不说往墙上撞，还专程走去挑门框锐角，撞得他痛哭不止，屁股两天才重新弹成半圆。告到阿姨那里还受到批评：谁让你去和他接触的？自此他一见我脸上便有些谄媚。

陈北燕完全沦为我的奴隶。晚上我只要把脚一伸过去，她就会给我脱袜子；早晨我还没醒，她已经把我两只袜子穿好了。我喜欢拧着她脸蛋睡觉，她就任我伸过去一只手拧着，常常我都睡着了手还在她脸上。

我遇见过一次陈南燕。那时我已开始趁保育院所有阿姨小朋友外出散步，偷偷溜出班在整栋楼里蹿上蹿下，视察各班情况。我在二楼拐角处碰到正偷偷摸摸下楼梯的陈南燕。大概她也犯了什么错误，被她们班阿姨罚不许出门。当时周围一个人没有，全楼静悄悄的。我们都鬼鬼祟祟干着不可告人的勾当，冷不丁冒出一个人来，彼此大吃一惊，第一个反应是都转身要跑。接着又都镇静下来，横眉冷对。陈南燕瞪着我，又开始一步步慢慢下楼。快到最后一级台阶，也就是将近我面前，我舞起王八拳。

我只是在原地舞，拳头并没有落到她身上，隔着半尺远。她侧脸皱起眉毛，好像突然有风沙刮来。她可能想寻找缝隙钻过去，怎奈我双拳舞得密不透风，向前一步断难幸免。她想从一旁绕过去，走到哪边我迎到哪边。

别来劲啊——她小声警告。

我更不答话，只是一味瞎抡，抡得我自己都看不清眼前的她。

她无意还手，就那么居高临下望着我，看得有些不耐烦就换只脚当重心。

对峙半日，我迈上一级台阶。

别来劲啊——她又说。但人往高处退了一级。

我又迈上一级，她一低头冲下来，不是对打而是穿过敌人封锁线。

我的拳头纷纷落在她头顶、肩膀，有一拳擦过她的额头，一拳打中她的耳朵。我不是真想加害她，舞在高潮，猝不及停，最后两拳也是软的。

她在下一层楼梯停住了。我从扶手往下看：她捂着耳朵在流眼泪。

看到她的眼泪，我也像掉在地上的铅笔外表完整内芯儿断成一截一截。我想谁都不会再对方枪枪这个坏孩子好了。

我觉得保育院的房间都太大了，大的就像人在海中，四周一片汪洋。这些房间又都很深，如同一口口深潭。人在潭底静坐，耳朵受到很大压力，嗡嗡作响，时间长了再听人近在咫尺说话都觉得很遥远像隔着一层玻璃罩。

有时太长时间听不到一点声音，我很怕自己聋了，就喊。突如其来的尖叫首先把我自己吓一大跳，像是鬼的声音，接下来久久不敢再出一声。

阿姨带着小朋友回来，经常发现方枪枪失踪不见。她们发动全体小朋友里里外外找，最后在紧靠墙角的小床底下找到我。我紧蜷双腿，两手抱膝，睁着眼睛目视前方。她们以为我傻了，在我眼前晃手掌，让我数手指。我心中冷笑：这太小儿科了。我早就数过多少遍二百一十六条床腿，现在正在加每张床下的弹簧钢丝数。她们打扰了我的计算，令我非常不耐烦。

张副院长又找我谈了几次，她的要求降低到只要我承认错误，万事皆休。我哪有工夫再跟她扯淡，总是得不出全班床的弹簧钢丝总数叫我十分烦恼，一上三百就乱，一上三百就乱，我都快被二百九十八、二百九十九这两个数字弄疯了。像是有人在我脑子中设了重返记号，一到二百九十八、二百九十九就不走字，读过去就变回二百零一、二百零二……我试过慢读、快读，一句一字和一带而过，统统无济于事。三百成了我的顶点、极限、宿命，可望不可即，到达它的同时就中断、弯曲，开始新一圈轮回。这短短一组小数像一顶小帽子扣在我过大的头上，箍得我喘不上气伸不开腿，视线一过三百米都一片模糊，只能蜷缩着待在床底。

她们允许我参加集体活动。第一次走出保育院，看到桃树我就跑了。我好像在前世见过这些相映成趣，整齐排列的桃树。一万年前它们就这么长着，结满桃子，我是一只小猴子，骑在树上吃桃、轻盈地攀上攀下，手还被桃子尖利的绒毛刺伤。我有个美好的过去，这只有重新爬上树才能想起。

看到我擅自离队，没有一个小朋友告阿姨。班里似乎已形成共识我有不守纪律的特权，或者说我已不属于这个班集体。

曾经挂满枝头的桃子已经消失，桃叶似乎更茂盛了。破碎的蓝天记载着一些含义暧昧，难以言说的符号。当我还是个大人的时候，我指挥着大军从这里经过。我有一把手枪。心情沉重。我不知这么多年的战斗生涯是如何度过的，也忘了到底是胜仗多还是败仗多，为了什么坚持斗争。我失去了最后一个参谋人员，心中的苦闷无人诉说。强大的敌人埋伏在前方，明知这一仗打不过还是身不由己走向包围圈。我想起自己的父母，他们远在天边。横在中间的无数河流、高山峻岭被夕阳照得紫瘢淤红残缺不全，他们的身影依稀淡薄，只是天际线上的两个黑点，快马也追赶不上。我很想重回他们怀抱，重回童年无忧的时光。这时我意识到他们早已去世，不复再在这个世上。42 楼那个家只是一个空壳，一个骗局，只等我回去埋伏在墙里的敌人就会一齐开火，把我打死在自己家的堂屋地上。为此他们已经先打死了我哥哥，派了另一个方超冒充他。一想到自己一个亲人也没有了，我肝肠寸断。我知道自己是连年战乱不休的祸首，杀了太多人，就算带领整个部队投降，人家都会得到赦免，我是肯定要判死刑。这么年轻就要去死，我实在不愿意。早知今日，当初对一些落在自己手里的人就该手下留情，放人家一马。要是陈南燕姐妹活着，我被捕后她们一定会为我讲些好话的。真怀念早年刚起兵的岁月，那时大家多么亲密无间。

唐阿姨在桃树丛中找到方枪枪时，发现他哭得伤心欲绝。抱在身上仍一声不出，泪如泉涌，身体剧烈颤抖，喉咙咕嘟咕嘟闷声吞咽。唐阿姨直担心他会窒息，不断轻轻拍打他的后背，走几步让他往地上吐一口痰。

唐阿姨感到方枪枪身体很烫，卫生科医生来给他试了体温计，果然有些低烧。医生开了一些四环素和阿司匹林让阿姨饭后给他服下。午睡起来，方枪枪热度又升了一点，躁动不安。到了下午，脸上开始出现露珠一般滚圆的水疱，额头、鼻侧、颈后都有。唐阿姨一看十分紧张，她知道这是出麻疹了，必须马上隔离，否则会很快传染给其他小朋友。

唐阿姨把方枪枪抱到隔离室，李阿姨抱着他的一小卷铺盖相跟着。空置的将军住宅客厅里窗帘低垂，光线晦暗，飘浮着浓烈的来苏水味儿。一些出麻疹的孩子已经睡在那里，由一个老阿姨照料。李阿姨在一张空床上铺好被褥，从唐阿姨手里接过方枪枪把他放进被窝，掖严被角。这个过程，我很清醒，李阿姨掖好被子后还摸了摸我的头发。她把我的几小袋药片也带来了，一一交代给隔离室的阿姨。她和唐阿姨似乎都不太信任隔离室的老阿姨，反复告诉她这些药分几次吃，什么时间吃，一次吃几片。还是生病好。生病别人对你就不厉害了。

临走时，两个阿姨都再三叮嘱我：千万不要用手抓脸，多痒也不要抓。水疱破了就会结疤，长大就不漂亮了。

黄昏唐阿姨又来看了我一次，正赶上病号饭送来，她一筷一筷喂我吃了那碗面条，每一筷都先用嘴吹吹再填进我嘴里，还用筷子头把沾在我嘴角下巴的残渣扒拉干净。我感到愧对她，吃完一口就低下头，心里还是愿意被她俘虏的。

吃完饭隔离室的灯就熄灭了。我身上热乎乎的，脚心出汗，把手脚都伸出被窝。隔离室老阿姨查床看见，又都把我塞回去。外面天还没黑，隐隐可以听到远处人声喧语。我睡了一会儿，被脸上痒醒了，像是有几只蚂蚁爬。我想用手抓，发现双手被布带一边一只绑在床栏上。我记着阿姨的嘱咐，不能抓，要忍耐。这次我要表现好，让她们知道其实我是最听话的孩子，如果她们允许我投降，就会知道我有多忠心多勇敢。我痒得哭起来。周围的孩子也有人跟着哭，哎哟哎哟喊爸喊妈。司令不能哭。司令一哭底下的大将就会瞧不起你，以后就不服你管了。我边哭边劝自己。部队被消灭了，东山再起很困难。幸亏得了病。应该在病好前逃出去。出了隔离室一拐就是国境线那道灰墙，趁夜里没人看见翻过去到海军大院就没人管了。有海军站岗我们院的人追不过去。我可以装作海军的小孩，不叫他们看出我是干什么的，若无其事瞒过他们院的大人，混进海军的码头上船，去找城里的解放军。我在波涛中起伏颠簸，小床变成我的船，一次次把我从浪底送上浪尖，一次比一次离天花板近。再这么甩下去我该磕着了。那黑色的怪物又从天花板上出现了，带着巨大的身躯沉甸甸地接触我。我想我已经被它压死了。死后的感觉并没我想的那么可怕，身体还能动，意识也没中断。我不能让人看出自己没死，要装死。看来我确实与众不同，别人都死了我就死不了。这个秘密不能泄露，要不别人就会盯着我往死里打，其他人挨一枪我就得挨一梭子。我有这么个打不死的本领，将来准能在解放军里当大官。每次打仗我都装死，仗打完了再偷偷跑回来，毛主席一定很惊讶。

灯亮了，我看到唐阿姨、李阿姨、张副院长还有一个烫发的年轻女人以及两个卫生科的大夫围在我床边窃窃私语，商量什么。我装死，一动不动，连呼吸也屏住。她们轮流用手摸我额头，一点没发现我没死，只是都说：又高了。

她们把我翻过身，脱下裤衩，将一支冰凉光滑的细棍儿塞进我肛门。我初以为是谁的手指，后来想到是体温计。这很不舒服，但我忍住了不抗议，一说话就不像死尸了。她们拔出体温计时我跟出一屁。自己十分扫兴，估计前功尽弃。果然她们动用最狠一招试验我。我听到玻璃瓶被敲碎发出的清脆声，屁股一紧，接着挨了一针，锐痛刺肤，真想埋怨，又想算了，只要她们不拉我起来还是装到底，将来遇到各种各样的敌人什么怪招儿不使？没毅力老得被人家多枪毙几回。

我被翻回来时歪着脑袋，耷拉着舌头吐白沫儿。听到有人笑：没事，还装死呢。

于是知道自己有点过。

隔离室白天也挂着窗帘，方枪枪睡得日夜颠倒，常常把晚饭号听成起床号，留下那些日子天总是阴沉沉的印象。每天都有一些新出疹发着烧的孩子送进来。一天上午方枪枪醒来，发现陈南燕睡在他旁边的床上，烧得昏昏沉沉，边哭边说胡话，脸上星星点点涂着紫药水像长了虫眼的苹果。

后来方枪枪的烧退了，老阿姨允许他们几个出完疹子的孩子白天在隔离室外的凉台回廊玩。凉台边有一架茂盛的藤萝，吊着很多皂荚，方枪枪以为那是宽扁豆。陈南燕等同室病友几个女孩子想摘下一些炒菜过家家。方枪枪主动当底座，蹲在木头架子旁让陈南燕踩着他肩膀、脑袋瓜伸手够着去摘。陈南燕问他有没有劲儿站起来。他一努站了起来，手把着陈南燕腿弯摇摇晃晃在日影斑驳的藤萝架下走。下来的时候他腿一软，两人一齐倾斜，陈南燕一下从他肩上滑下来用手搂住他脖子，倒在地上手也没松，两个孩子钩着脖子躺在地上还相视傻笑半天。皂荚撒了一地。

方枪枪和女孩子们玩得很好。谁使唤他都听，让去打水就去打水，让去拔草就去拔草，跑来跑去，忙得不亦乐乎。也因此受到女孩子们待见，辛劳之余被允许抱一下人家娃娃。在他的带动下，隔离室其他男孩也都争着给女孩当随从。自愿为女孩子效劳的人多了，形成一个局面：每个女孩都给自己找了个贴身男仆，走到哪儿带到哪儿，什么事都是这男仆干，不许旁人胡插手乱献媚的。

陈南燕挑男仆时好几个男孩自告奋勇，方枪枪手举得都快杵到陈南燕眼睛上了。陈南燕边退边挑一脚踏空掉到回廊台阶下去。最后陈南燕选上他，方枪枪笑都没来得及笑一声立刻勤勤恳恳开始工作,奔波听命百依百顺。惹得杨彤还老大不高兴,跟陈南燕吵，说是自己“第一个看上他”的。陈南燕也不示弱，说“他本来就是我发展的不信你问他自己”。两个女孩鸡一嘴鸭一嘴吵了一中午。方枪枪在一旁垂手恭立，一语不出，心里很是满足。

陈南燕对下人很关照很爱护的。教他跳房子，踢毽。方枪枪踢毽不灵，脚摆不正；跳房子还成，手里脚尖都有点准头。几次女孩们组织男仆比赛，他都赢了。女孩子们每天比赛跳绳，双人跳，女主人和她的男仆。这是方枪枪喜欢的游戏。每次他和陈南燕面对面脚对脚站好，他就不禁乐呵呵的。陈南燕很严肃，绷着虫眼渐少的小脸紧盯着方枪枪的眼睛，嘴里清脆地喊道：预备——齐！双手往前猛一抡绳，他们俩就一齐有节奏地跳起来。绳子像鞭子刷刷从脚下抽过，两个人异口同声喊着：一、二、三……喊到了二百，周围小朋友就一齐帮着喊，越喊声越大，越喊声越齐：二百九十八、二百九十九、三百……这时候，方枪枪的声音比谁都响亮，他毫无障碍地喊出三百这个数字。陈南燕单人跳的记录到达过五百五。但对方枪枪而言，这三百就意味着超越了自我，因而使他兴奋异常，眼中也放出光彩。陈南燕受到他的感染，脸上也露出笑容。两个孩子喊着、笑着、眼对眼互相紧盯着，同心协力跳着躲过一次次绳击。方枪枪在陈南燕的瞳仁中看到了自己和身后的回廊。这一切被完整缩成一幅褐色的小照：花影、日光、墙窗、其他的孩子。以至几十年后我一直认为有这样一张照片。与陈南燕争论起来还蛮有把握地形容：135 相机拍的，当时颜色就有些发黄，从藤萝架方向取景，照的是凉台回廊上一群孩子在看我们俩跳绳。陈南燕总是说我胡扯。她压根不记得我们一起在保育院隔离室住过。不记得我们冤家对头似的打过架；不记得我上过她的床她帮我脱过衣服。在她的童年记忆中我是个无足轻重的角色，只是方超一个很小的弟弟。当我把我对她的感受讲给她听时，她的回答是：流氓。

方枪枪以为他是陈南燕最亲近的人。这一次他超过了陈北燕。一切如他想象过的那样发生。他像一股臭味儿萦绕在陈南燕周围，日夜不离左右。他跟陈南燕跟得那么贴身，以致屡屡踩到陈南燕的后脚跟，使这个女孩每走几步就要蹲下来提鞋。他没得到“小尾巴”的绰号殊感不公。

午睡时间孩子们睡不着，整间客厅内充满嘈嘈切切的低语。

陈南燕和方枪枪在床上一聊就是很久很久很杂乱。陈南燕去过很多地方，记着一鳞半爪，就形容给方枪枪听。颐和园，北海公园，香山。她把这些地方都说成人间仙境，有好多好多亭子、画着画的长廊，可以划船，在船上喝汽水吃面包。这都是皇帝住的地方。皇帝显然是个爱玩的人，人民还挺惯他，让他把家修得像个公园。我以后准备当一个皇后——陈南燕轻描淡写去意已定地说。她还怕方枪枪听不懂，接着问他：你知道什么是皇后吗？

知道——方枪枪点头：皇帝的人，必须是女的。

对——陈南燕肯定他的知识面：皇帝的爱人。就譬如说皇帝是爸爸，皇后就是妈妈。

那我就当皇帝。方枪枪兴高采烈地说。

那不行。陈南燕不同意：皇帝还得打仗呢，那得是大人。你不行。

方枪枪想争辩说自己当过司令，打过仗。话到嘴边又怀疑起自己的记性，陷入沉思：到底是真的还是自己做的梦？

那时你可以到我们家来玩，不收门票，我穿得特别漂亮，请你随便喝汽水吃冰激凌。陈南燕美滋滋地幻想——你要想在我们家上班也可以。

那陈北燕呢？方枪枪不服地问。

她是公主啊。陈南燕说：我妹妹肯定得是公主。

不对，公主必须得是女儿才能当的。方枪枪奋起反对。

妹妹也可以的。陈南燕想说服他：这你不懂——这样吧你给我当太子。

我懂。妹妹就是不能当，除非她是你生的。方枪枪寸步不让。

咱们别争了，问杨彤。陈南燕欠起身喊杨彤：杨彤你说妹妹能当公主吗？

杨彤从另一张床上露出头：可以。妹妹姐姐都可以。女儿叫贵妃。

杨彤说得确凿，方枪枪一时没词儿。

那你到底当不当太子？陈南燕问他。

不当。方枪枪生气地说：要当我就当大将——太子是干什么的？

太子？太子就是每天陪皇后玩的——你不陪我玩了？

方枪枪既舍不得不陪陈南燕玩，又嫉妒陈公主地位比他高，左思右想，终于同意：那就又当太子又当大将。陈南燕问方枪枪：你们家是从哪儿来的？

方枪枪说：我们家就是这儿的。

陈南燕得意地说：不对。咱们这些家原来都不是29号的，都是从外边搬来的。

外边哪儿啊？方枪枪这次糊涂了。

都是很远的地方，要坐火车才能到。我不知道你家是哪的，我们家是南京的。杨彤她们家也是南京的。我们两家是一起坐火车来的。我在火车上就认识她和她妹。你肯定也坐过火车，只不过你忘了。咱们院的人全坐过火车。那边那个瘦瘦的像猴子的那个高晋，你们班高洋他哥，只有他们家是坐飞机来的——陈南燕指给方枪枪看。

方枪枪被她说得心神恍惚，使劲回忆自己坐火车的经历，怎么想也是雪地鸿爪，似有若无。一顶白色的遮阳帽在他记忆深处飘飘荡荡地飞舞，总也不落。他好像看到混浊泥黄的滔滔江水。他不知道那是什么地方，为什么有那么多脏水，人何以身在水上。他想那并不是真的，是陈南燕一通渲染造成的。从远方而来——这说法真令人神往。我早就猜到，我不是一个简单的小朋友，在此之前我有一个复杂、幽暗的过去。我受过很多苦，九死一生；经历过很多难以想象的考验和激动人心的时刻。此番前来，一定肩负伟大的使命，否则不必有“我”。保育院张三李四王二麻子够多的了，又何必浪费一个方枪枪冒名顶替进行掩护？只是我在保育院浑浑噩噩的生活中忘记了自己的身份和任务。也许这是为了我的安全，等我长大这一切就会油然想起。方枪枪这个外壳实在弱小，不堪一击。如果我的敌人知道我现在是这么一个儿童，他们就会找来轻而易举弄死——方枪枪一死，我的计划也就打乱了。一切还要从头再来。

派我来的人是谁呢？

咱们为什么都要到 29 号来？我问陈南燕。

她已经睡着了，额头紧紧顶着床栏杆。我看到她脑门上硌出来的一道道红印。

我叹了口气翻过身来，迷迷糊糊正要入睡，一下又精神了：一个黑黑的军人和那个烫发女人头挨头扒着纱窗往屋里看。我撑起身子，烫发女人立刻笑逐颜开向我拼命挥手，露出门牙和明晃晃的手表。

我扭头去找那个流星般在墙上、天花板上飞来飞去的亮点儿。

| 第八章 |

我问方枪枪的爸爸：我是从哪儿来的？

他微笑不说话，很为难的样子。

地里拣来的。方妈妈插话，飞快地瞟方爸爸一眼。

白菜地吗？

方妈妈大笑：对。

白菜地呢？

挖了。铲平了。没了。

原来呢？

原来就在大操场。方妈妈信手一指。

南京在哪儿？

在南边儿。方爸爸说。

南边哪儿？

这要看地图才能说得清。回家我指给你。

南京有河吗？

方爸爸讶异地一扬眉毛：你都记得？

我快乐地说：我的白帽子呢？掉水里了吧。

厉害厉害，你那么小会记得。

他怎么会记得，还不是你总说。方妈妈一撇嘴。

那些鸡呢？

什么鸡？两个人一起糊涂。

方爸爸先反应过来：你是说困难时期家里养的那些鸡？都进你肚子了——你看他确实都记得。

这次轮到我茫然了。

再往前呢？

往哪儿前？方爸爸领我躲过一辆自行车。

南京。白菜地。

两人笑：又绕回来了。

方妈妈说，这些事小孩别老瞎问。

长大你自然就知道了。方爸爸说。

这就对了。我心里一美，手牵两个大人之手，双脚离地悠起秋千。

你为什么那样笑，好像你什么都懂？方妈妈奇怪地看我。

我懂。

懂什么，说出来。

我不是你们的孩子。

胡说！方妈妈一卸胳膊把我墩在地上。指着自己鼻子：你，是我生的。南京“八一”医院。这可不是瞎编的，有出生证。

说着她得意地笑起来，好像这下终于把谎编圆了。

我也笑，瞟了眼方爸爸，彼此仿佛心照不宣。

这一次我在方家住的时间比较长。第一天我还能严格要求自己，不乱动老乡一针一线。第二天就忘乎所以不知道自己姓什么了。方家，特别是方妈妈也有很多规定、禁忌：进门要换拖鞋；饭前便后要洗手；撒完尿立即冲马桶；不许进大人卧室；不许躺着看小人书；吃饭要端起碗，筷子不能插在米饭上——据说这是给死人吃的。

方妈妈工作很忙。每天她进门天都黑了，收音机里在播一首低沉、叫孩子听了心里难过的歌儿："起来——饥寒交迫的奴隶。"这时我已经迷迷糊糊，怎么主观努力也起不来。

唱完歌说一句话：现在是各地人民广播电台联播节目时间。

然后，方妈妈就准时回来了。她和方爸爸在外屋咕咕哝哝说话，踢里趿拉进来开一下灯，接着能嗅到香油和鸡蛋的味道，听到吃面条的叹息和咂舌声。再往后就什么也不知道了。这歌声、挂面味伴我入睡多年，养成习惯：一听《国际歌》就想顺嘴说：现在是各地人民广播电台联播节目时间；一吃挂面就困得不行。

方爸爸也很忙。一吹号就要起床，带我去食堂吃早饭。吹第二遍号他就要去上班。把我送到 42 楼小路口，看着我进单元门，自己去办公区。中午吹号，我再在食堂门口等他，一起吃完午饭回家午睡。下午醒来家里一般只有我一个人。直到晚上吹号，我才能在食堂门口又一次等到方爸爸。有时方爸爸晚上还要开会，天黑很久也不见他回家。

家里不锁门。铜钥匙就插在门外的钥匙孔里，不管谁进门一拧就行。平时关着主要是怕风吹开。

白天，我就一个人把儿童三轮车从四楼搬下来，背着一支刺刀枪骑着车在院里逛。我还有一支装电池枪口能闪红光的冲锋枪，舍不得拿出家，怕被别的小孩玩坏了。院里常见一些没工作的家属和推着婴儿车的保姆在每个楼一层凉台坐着聊天。我骑车过去和她们说说话，逗逗孩子，给她们表演表演拼刺刀。

有时我也听听她们的会。

这些家庭妇女都是资格很老的共产党员。做姑娘时一定很像电影上那些腰扎皮带背着大枪又站岗又送军粮的泼辣的妇救会干部。现在老了，解除了武装并失去电影上那种硝烟纷飞的战争背景。

她们和方妈妈那种时髦女青年完全两路人，从里到外毫无共同点。前者来自农村山区很多人目不识丁，后者基本是大中城市学生出身；她们说话有浓重的山东口音，方妈妈她们全讲普通话；她们穿偏襟粗布大褂，梳直上直下的短发别着老式发卡，冬春刮风的日子包着花布头巾；方妈妈她们穿旗袍、布拉吉或制服，烫发，系丝巾或羊毛围巾；她们苍老、身材臃肿，手里纳着鞋底子，表情既善良又温顺，很爱和小孩说话，拿东西给小孩吃，小孩做什么都会得到她们的赞许；方妈妈她们白皙、体态窈窕，手里拎皮包，神态傲然，不是自家孩子一眼不看，不许小孩吃别人东西，小孩做什么都要被她们禁止、喝住。

方妈妈她们都是那种标准新中国女性。电影上也有这么一路人，身份一般为教师、文工团员或大学生：刚毅较真，意气风发，一遇见错误倾向就坚决斗争。你一看见她们就会产生幻觉，仿佛看到一个高举火炬向我们跑来的女子马拉松运动员。“文化大革命”过后家家公开了一些历史照片，我发现这些尊敬的女同志大都是有钱人家或曰剥削阶级家庭的小姐来的。

听会的收获使方枪枪知道白薯切成片晾成干儿很好吃；鸡蛋打成浆和在面里摊饼也很好吃；笼而统之得出印象——别人家的饭比自己家的好吃。

家庭妇女党员们一边晒太阳聊天，一边也摆着个小半导体收音机让它响着，权当它是个神经病，没人理它自己仍一个劲又唱又说。神经病大部分时间是憋着嗓子唱戏，要多难听有多难听，就像有人拿钝刀宰它，脖子都断了只剩一口气还没结没完死乞白赖地哼唧。

唱戏之余神经病也爱说一些不着四六的话。方枪枪字字听得明白属于国语，连成一片反而晕菜如坠五里云雾中。灌进他耳朵里最多的两个词一是“美国”二是“越南”。神经病好多话里都带着这两个人，似乎这两个人在打架，神经病在一边看不下去，絮絮叨叨听着也不像劝倒像是自己挺生气。

美国——方枪枪有印象。这大高个生活作风不太好，家里富裕讲吃讲穿，出门也爱欺负一些小朋友。好像原来就欺负过一个叫“朝鲜”的小朋友。方枪枪妈妈和院里许多人家都去人到朝鲜跟这大流氓打过群架，他们要不去朝鲜小朋友就完了。方妈妈爱说“朝鲜的大米比长春的好吃”。可能还吃了一些美国大流氓的牛肉罐头，吃完把勺子带了回来。方枪枪一家喝汤每人一把沉甸甸的钢勺子。勺子把儿上刻着弯弯曲曲的花纹，一个是 U，一个是 S，一个是 A。方妈妈说这三个花纹意思是“美国陆军”。大流氓是会省事儿。方妈妈还说这钢叫“不锈钢”，意思是永远不会生锈，沾水不擦干也没事儿。方妈妈轻飘飘的描述让方枪枪觉得她不是去朝鲜打仗而是去抢饭。由此方枪枪也得出结论：打仗比较理想的就是找美国兵打，他们吃得好，跟他们打除了可以抢他们的饭吃还可以抢他们的吃饭家伙。

越南——方枪枪只能凭发音猜测是个南边的小朋友，越往南越是。大流氓没事又去他们家捣乱，早晚又是一场群架。方枪枪也是替大流氓想不明白：你吃得好穿得好老招那些苦哈哈的住得都挺远的小朋友干什么？你又谁也打不过，回头我们院和海军一起出兵你怎么办？我妈去都够你一呛，我爸再一急也去了呢？

有时神经病还说错话。

半导体一有口误，方枪枪就在一边着急带跺脚地嚷：错了，又错了——阿姨收音机又念错了。

张燕生他妈，一个大胖女人就无比爱怜地摸摸方枪枪的头：小伙儿真聪明，这么丁点大就给收音机挑眼了。

总和这些没文化的妇女混在一起也没多大意思，方枪枪像动物园湖中的水禽游人不再投喂新的食物就漫游开了。他骑车到保育院隔离室，扒着窗户往里瞧。老阿姨出来对他说，他同期病友都回家了。方枪枪隐约记得陈南燕家在 23 楼，便沿路往远处楼群方向骑。

他嘴里含着一个枣，皮肉都吃干净，还舍不得吐核儿，舌尖反复舔着枣核每一条皱纹贪图剩下的一点点甜味。他穿过一排平房，家家门户敞开，不少门口站着衣不蔽体，又黑又脏的孩子。一些头发蓬乱，敞胸露怀的妇女在煤炉上熬粥或在搓板上使劲洗衣裤。她们一边干活一边大声叫骂，所用词汇不堪入耳。方枪枪以为她们接下去将要厮打，停下来想看热闹。等了一会儿，什么也没发生。再看她们的脸，平和舒展，嘴好像是借来的，所骂脏话与己无关。被骂的孩子、大人也置若罔闻，照旧呆立、进出。有两个妇女隔着几个门点名互骂，意思接近方枪枪骂唐阿姨那句话，但不涉及长辈，只保留句首动词。与其说是宣泄情绪不如说是详尽叙事。她们把这个字形容成一件事，只在夜里发生，都说对方喜欢这件事，乐得不行。这语气和所述感受给方枪枪造成很大困惑和混乱。分明是骂她，讲的又是一件快乐的事。祝愿别人快乐，也唯恐别人不快乐，这怎么能叫骂人呢？这骂法实在低级，怪不得打不起来。方枪枪很想叫她们住嘴，教她们真生气了应该怎么说。想了想他会的那几句对她们也不适用,第一人家不是“流氓”；第二人家没“不要脸”；第三人家本身就是“妈妈”，不能两边都是妈妈——想到这儿他似有所悟：第一这在妈妈不是坏事；第二爱干好事也不能到处说；第三必须不是爸爸才算骂人话。

他往一个正在烧饭的炉子跟前凑，探头探脑往锅里瞅，跟人家搭讪：你做什么饭呢？

那妇女没给他好脸：去去，一边待着去。

那些光屁股的孩子看方枪枪的眼神也不是很友好。他们和方枪枪差不多同龄，但都没上保育院，方枪枪一个也不认识。

这儿排平房是大院的贫民窟，住的都是不穿军装的职工：司机、炊事员、烧锅炉的、木工、电工、水暖工、花儿匠什么的在方枪枪看来都是些老百姓。在方枪枪的词典里“老百姓”这三个字是贬义词。他把不穿军装的人家都称作“老百姓家”，小孩叫做“老百姓的孩子”。听似仅有一点精神上的优越，其实小心眼里充满地地道道的势利，那是指穷人、无权无势的人。平房人家的普遍赤贫在简朴的旧时代仍觉触目惊心。他们的妇女衣衫褴褛，终日辛劳，未老先衰。孩子满脸菜色，颊上染癣，手足生疮。个别人家还要靠捡垃圾维持生活。平房有个很小的孩子，一年大部分时间不穿衣服，赤身裸体玩土。我们给他起了个外号：黑屁股红老二。没事我们就让这些孩子把东西亮出来给大家看，以证实确是红的。然后狂笑，得了什么宝物似的。

平房的人从不和楼上的人来往。方枪枪经过那里时有强烈感受：这儿没人喜欢他。

方枪枪骑到 23 楼前的空场，看着四个单元门不知陈南燕家在哪个门里。他绕到楼后，两脚平衡踩着车镫子直起身，手搭凉篷往楼上一间间阳台上望。23 楼紧挨着海军围墙，墙那边海军汽车队发动引擎和司机们的说话声听得一清二楚。这边楼上悄无声息。方枪枪小声喊了句：陈南燕。自己也觉得不好意思。又喊了两声，声音仍憋在嗓子眼里也就自己能听见。他鼓了鼓勇气，已经张大嘴还是随之羞怯了。想了想觉得意思到了，坐下蹬车离开。边骑边抬头，盼望正巧遇见陈南燕上阳台。二楼阳台一个女人在晾衣服，手里干着活眼睛盯着他。这女人眼熟，也许是陈南燕妈妈。陈南燕在吗——想着方枪枪就说出了口，声音也很清亮。女人摆摆湿手，往上一指，接着她伸出脑袋仰头大喊：老周，周玉茹，有个小孩找你们家女儿。

这一喊直令方枪枪丢魂落魄，走也不对留也心虚，脸一下红了。

三楼阳台门响，探出一个文质彬彬戴眼镜的女人脸，俯视方枪枪捏着嗓子小声说：你是谁呀，南燕病还没好，不能下楼，你自己玩去吧。

说完缩了回去。方枪枪听见陈南燕在屋里和她妈妈吵了起来，大人的声音低得几乎是一阵阵空白，女孩的嗓门又高又飘如同一缕缕鸽哨。

方枪枪从 23 楼另一端绕出去，看见杨彤一个人在锅炉房前的大杨树下跳皮筋，念念有词地在两棵树间蹦跃不休。方枪枪骑到她跟前，她也没回头。方枪枪举枪瞄了她一会儿，她总是在晃动很难达到三点一线。方枪枪嘴里喊了声“啪勾”，蹬车走了。

他上身俯把将车蹬得飞快，一路丁零当啷从二食堂小松林里冲上小马路。保育院的散步队伍正好晃晃悠悠经过面前。方枪枪立刻挺起胸脯，一脚着地，单臂挎枪，作骄矜巡逻状。李阿姨看都不看他那个操性一眼，昂首而过，其他小朋友七嘴八舌同他搭话：你病好了吗？什么时候来上保育院？昨天我们吃果酱包了。

我不上保育院了。方枪枪自我吹嘘：我自己在家。自己到食堂吃饭。昨天我还吃过狮子头呢。

他骑车跟在保育院行列旁，一会儿直行一会儿拐弯，前前后后找人说话，掏出身上所有宝物向小朋友显摆：

我有弹球你没有吧？我有奶糖你没有吧？我这兜里还有两分钱，裤兜里还有个转笔刀，这一把老根儿都是我在食堂门前拣的那儿老根儿特多我家里还一冲锋枪没拿下来我觉得巡逻带一刺刀枪就够了。

李阿姨猛一转身大步奔向喋喋不休的方枪枪，拎起他的车把连人带车拖到通往办公区的岔路口，脚蹬小车后杠用力一踹，方枪枪箭也似的向前滑去。方枪枪在高速滑行中感到几分快意，自己也顺势猛蹬了几圈轮子，到了礼堂门口才慢慢停下来。回头再望，保育院的队伍早没了影儿。

礼堂是院里最雄伟的建筑，有很多高大的门窗、拐角、凸凹和宽阔的台阶。门两边有两个宣传栏，玻璃箱子挂着锁，里边贴着一些照片和漫画。礼堂周围种着金字塔一般的雪松，阳光充足的白天也一地阴影。如果这里藏着游击队是很难发现的。方枪枪下了车，端着枪鬼头鬼脑摸进松林，在一株株松树后闪来闪去，悄悄地接近，猛地跳出来大喊一声：不许动！

在一株雪松后面，他刚跳出来，只喊出一个字：不……嘴就被人捂住了。张宁生等几个大班男孩坐在礼堂的窗台上，晃荡着腿，笑嘻嘻地看着他。捂他嘴的是又瘦又高总是很严肃的高晋。

把他带过来。张宁生招招手。

高晋捂着方枪枪的嘴，用膝盖顶着他屁股往前走。方枪枪上身几乎躺在他怀里，挺着肚子，两手还横端着刺刀枪。

张宁生咚一声跳下地，看了眼路口，顺手下了方枪枪的枪，往旁边的树干上一个跨步突刺，木刺刀扎在树干上，尖儿立刻绽开，变成乱糟糟的方头。破枪——他把枪背在肩上，问方枪枪：听说你是你们班的大王？

高晋松开手，方枪枪大口喘气。目不转睛盯着另一个孩子从张宁生肩上摘下自己的枪，往树上、礼堂墙上一通乱扎。

你是不是老欺负我弟——高晋搡了他一下。

还我。方枪枪说，期期艾艾看着高晋。

我操——张宁生做扇大嘴巴状，手抡圆了从方枪枪脸上轻轻刮过直接进了他的衣兜，搜出弹球装进自己的口袋。

高晋从方枪枪另一兜搜出牛奶糖，退开几步剥开纸就往自己嘴里塞。

还我。方枪枪跟着高晋。

张宁生也跟上高晋：一人一半。

高晋吐出半截牛奶糖，咬下一块湿漉漉递给张宁生。又咬断一点还给方枪枪。

三个孩子都嚼着牛奶糖，一时无话。其他孩子围上来要，张宁生高晋都张大嘴：咽了。

还我。方枪枪去掏张宁生口袋。

张宁生拨开他的手，躲开他：一会还你。

方枪枪又去要枪，拿枪的孩子用刺刀扎他不让他靠近。

你来的时候看见保育院的队了吗？高晋问他。

看见了，他们都出西门了。方枪枪说。

看见我们班了吗？张宁生说。

看见了都出去了。

走。张宁生带着大家往松林外走。

这是你的车吧？高晋坐上方枪枪停在路边的车，蹬起来走。一个孩子站到车后杠上手扶他的双肩搭车前进。

一行孩子横穿大操场，方枪枪也跟在后面。

警卫排的战士正在苦练捕俘拳，拧腕反掌捂笼抓鸡，又齐刷刷跌倒一排脚有力地蹬向半空。

跑！张宁生一声喊。孩子们撒丫子狂跑。

方枪枪跑得上气不接下气，心中充满通过敌人封锁线的喜悦。

孩子们跑过大操场，冲过大柳树、桃树和东马路，进了隔离室和果园之间的杨树林。杨树林地表长着一层苔藓，十分滑溜，张宁生先一个屁蹾儿摔倒，方枪枪也一脚踩跐，差点滑个大劈叉，裆部一阵扯皮拉筋，脸上皱眉咧嘴。高晋一个捂笼抓鸡——即手从裆后伸过攥住前趴，将他抬起。其他孩子纷笑。方枪枪他自己也笑。一瘸一拐又跟大家继续跑。

跑到围墙边，方枪枪发现那儿堆着几十根潮湿巨大的原木。方超领着另一些从保育院逃出来的孩子在上面玩，看见他们跑来发出兴奋的叫嚣。

冲啊！每人四两大烟土。高晋率先往木堆上爬。

方超站在制高点一根原木上，上来一个推下去一个。高晋和他像点穴似的互相推胸脯，都摇摇欲坠，最后还是高晋脚下一滑，迎面趴下。张宁生扑上去想抱他腿，被他蹲下一点脑门，仰面坐倒。方枪枪好容易爬上来，刚想一笑，方超毫不留情地当胸一掌，方枪枪双臂向后抡了两圈，失去平衡，一屁股坐张宁生身上。高晋再次冲向方超，一腿蹬上原木死不后退，就手搭住方超膀子，另一条腿也迈了上去；张宁生抱住方超腿，使他寸步难行，自己跪着爬上原木。三个人都在一根原木上，张宁生高晋一起喊：一二三，胖方超纹丝不动。方枪枪爬了上来，把他们三人一股脑推了下去。

占领喽——方枪枪跳着脚在原木上喊。

他转身凝视海军大院。原木堆和围墙等高，一抬腿就能站在围墙上，很有些居高临下一览无余的舒畅。别的孩子也从四面八方爬上围墙，站成一排，假装人人怀抱一挺后坐力很大的机关枪向海军大院内横扫。这儿是海军大院荒僻的一角，种着无数矮小的苹果树。果园后面是海军两个警卫连的营房，可以看见浪桥、转梯和圆圆的“伏虎”。这些运动器具不像29号体育用具漆成深绿而是都漆成海蓝色。这种颜色的差别使一墙之隔的两个院风景大不相同，像两个民族建立的风格迥异的国家。29号的主要色调是大红大绿：楼是红的，人和树是绿的。海军大院的主要色调是蓝和黄：人是蓝的，楼是一大块明晃晃的黄。与红绿的沉郁比蓝黄显得更明快，与远方的蓝天更吻合，稍带一点外来的味道。“海”这个字使人轻易能联想到陆地尽头的巨大区域，它的颜色又和天空同为蓝色更拓展扩充了这种辽阔深远的想象，令一个孩子超出自己经验感到了世界的大。孩子眼中的海军大院是一个强盛的帝国，有更多的楼，更多的汽车和更多的兵。一切建筑、道路、广场都比29号院堂皇、讲究、宽大。这观感使孩子深感压抑，像是看到了更美好的生活，进而心存敬畏神向往之。

29号的孩子们站在墙上嫉妒地议论海军。方超说别看他们院大只有一个大将和一个上将；张宁生说咱们院原先有两个元帅；高晋说李作鹏在咱们院只能当副部长到他们那儿就当了副司令，所以他们院和咱们院平级。他们三个唠唠叨叨说了很多人名、官衔。方枪枪在一旁听着十分钦佩，暗记人名，默诵少中上大四种顺序。

孩子们排成一队在围墙上走着正步，嘴里唱着：向前进，向前进，战士的责任重，妇女的冤仇深……

歌声惊动了东小门站岗的海军哨兵，吹着哨向这边跑来。

大孩子们纷纷跳下院墙，方枪枪吓呆了，看着地面不敢跳。

那水兵一手指着方枪枪喝道：你别跑，下来！

方超张宁生在这边墙下喊：跳啊没事。

方枪枪含泪看看他们，蹲着蹭到另一边墙沿，被水兵一把揪了下来。落地时他踩了水兵的脚。水兵踢了他一脚，提溜着他的耳朵脚不沾地拎回哨位。方枪枪双手抱着那只大手一路一走蹦高疼得哇哇大叫。

方枪枪一边抹泪一边如实交代了和他一起上墙的其他孩子的名字，说了保育院阿姨的姓。陆军哨兵进岗亭往保育院摇电话，一会儿出来说：人家说这孩子现在没上保育院，不管。

你爸叫什么，哪个处的？陆军问。

方枪枪说不清楚，一指 42 楼：就是那个楼的。

我怎么对你没印象？陆军说，姓方的多了。

先不管，让他站这儿。什么时候想起大人叫什么，亲自来领才能放走。太不像话了，你们院小孩老爬墙。上次我就挨了我们排长一顿呲儿。

水兵把方枪枪拉到海军这边靠墙站着，自己悻悻回到门外哨位继续站岗。

这时中午下班号响了。方枪枪想到爸爸会在食堂门口等他，心里很恐怖。非常后悔自己胆小不敢跳墙，心里又把那墙跳了几遍，也觉得没什么了不起。他直腰往远处看，苹果园那边临街是铁丝网，大概有小孩钻过，扯开个口子。我敢不敢悄悄跑了从铁丝网钻走？方枪枪问自己，结论是：不敢。他又往墙上看，伸手够够高度，掂量自己能否一跃蹿上去，结论是：不能。只好死心塌地留在原地。独在异国，倍感凄凉。

几个海军小孩手拿弹弓走过来，一路仰头找着树上的鸟。看见他围上来问：你到我们院干吗来？

我爬墙被逮了。方枪枪老实回答。

有弹球吗？有烟盒吗？海军小孩们搜了一遍方枪枪，一无所获，骂：穷鬼。

海军哨兵听见这边有人说话，从门口探出身。

以后再逮着你爬墙打死你——海军小孩指着方枪枪狐假虎威吓唬。走开。

那几个小孩走过去又走回来。哨兵也换了岗，回到营房端着碗蹲在转梯架子旁吃饭，边吃还往这边瞅上一眼。

方枪枪吐干了嘴里的全部吐沫，把一窝蚂蚁陷入汪洋大海。下午上班号也响了，方枪枪饿得前胸贴后背，捂着肚子不断到门口探头探脑。

新上岗的水兵是个脸色苍白的男孩，看样子中学还没毕业，穿着那身水兵服像个姑娘。方枪枪看他一眼，他也瞟方枪枪一眼，两个人似乎都有点紧张。陆军哨兵也换了，是个大黑个子老兵，不时和海军小兄弟说笑。

方枪枪沮丧地靠墙坐在地上，用手指甲抠泥，不知该不该主动去找两个新哨兵承认错误，还是死等人家处理。他觉得鸡蛋炒西红柿是人间至香。

此刻，有人从小门里出来。他抬头一看，是陈南燕牵着她妈妈的手。

你藏这儿干吗？陈南燕问，你爸到处找你，都找到我们家去了。

他们不让我走。方枪枪两眼一挤，掉下两颗眼泪。

你们去哪儿？两滴泪后，方枪枪又关心地问。

我们，陈南燕有些扭捏，我跟我妈妈去七一小学上班。

陈南燕妈妈找哨兵询问，两个哨兵莫名其妙。海军那个小兵还说：我还纳闷这孩子为什么老在这儿看我们站岗还以为是我们院小孩呢。

你妈妈是老师啊？

昂。

那你将来上七一还是上翠微呀？

咱们快别聊了。你还不回家？

陈妈妈赶紧把方枪枪领进院：快回家吧，大人都着急了。

看见方枪枪没往 42 楼走，又在后面嚷：你去哪儿？

方枪枪回头，举起一只手指着方向，愣了片刻带着哭腔说：找我车去。

刚绕过李作鹏家，只见方爸爸押着一队孩子从杨树林中走出来。方超打头，垂头丧气，脸上还有红手印子。

方枪枪本能地拉开步子要跑，被方爸爸一声怒吼喝住：看你跑！

方枪枪缩肩拱背站在路边期待着，三十秒之后，背上重重挨了一掌，身体往前一扑，差点没把心脏呕出口。

第九章

很长时间，我把方枪枪他爸当做我的“大部队”，寡不敌众，危难时刻想着他。严酷的事实教育了我：没有哪个“大部队”真爱救自己的“小部队”。小股流窜部队除了给大部队添麻烦不干什么正经事，所以大部队赶到之后横扫敌人倒在其次，第一件要干的事是先把那些惹是生非的散兵游勇收拾一顿。

方枪枪他爸平时严肃不乏温和，偶尔露出狞厉令人震悚不已。他一向处处注意自己作为正规军人应有的仪容、风度和举止。整洁的军装、笔挺的腰板也确实为身材中等的他平添几分尊严和庄重。我相信他总是正义和战无不胜的。这是大的方面，值得我学习。小的方面，我认为他不够文明之师的称号。身为军人，他长期违反两条军纪，《八项注意》的第一条和第二条：第一不许打人和骂人；第二不许虐待俘虏兵。

有段时间，他内心痛苦，打起方枪枪来好像他是万恶之源。这就严重混淆了敌我，破坏了军民关系。他的榜样力量促使方枪枪形成这样的认识：一、当兵的不一定不打好人；二、打认识的人不犯法。关系越近越亲社会公众越不干涉；三、打人是一种日常的情感表达方式，或者毋宁说是一种深情厚谊的流露。当你特别爱一个人的时候，他有点不识抬举，你可以照死了揍他。

那天余下的时刻方枪枪破涕为笑如果算不得狗熊掰棒子——撂爪就忘。家里来了很多亲戚：舅舅、舅妈、三姨和姨夫。他们都是新婚不久的年轻人，也许未婚正在谈恋爱。

方枪枪妈妈有很多兄弟姐妹，尤其两个妹妹，常来常往，是方枪枪和方超最欢迎的来宾。三姨是个快乐活跃的空军中尉，飞机制造工程师，讲一口流利的俄语。老姨在一所中学教语文，更爱说爱笑，不是那种假模三道的姑娘。她们的开朗在那个时代相当惊人。她们都对生活怀有一种孩子般的热爱。每次来京，无论怎样匆忙，也要赶来带方枪枪方超逛一圈公园，下一把饭馆。你不会觉得她们是在糊弄孩子，因为她们对逛公园下饭馆比孩子还要兴致高昂和孜孜不倦。由于有这两个姨，方枪枪才享受到正经的家庭娱乐。

她们找的丈夫都烧得一手好菜。三姨夫是个憨厚的上海人，不善言谈，一来就钻进厨房，似乎他的任务就是专门来为可怜的每日只知粗茶淡饭的方枪枪和方超改善生活。他常做的几道菜方妈妈也无师自通缺糖少醋地会了，成了方家的日常主菜，使方枪枪这个地道的北方孩子养偏出一种不很地道的南方口儿。很早就预言上海菜终会流行北京。

老姨夫在一本正经的方妈妈眼里算个花花公子。这个相貌酷似乔冠华的中学体育教师，吃喝玩乐样样精通，抽烟喝酒无所不为，顶大逆不道的是居然爱看小说。我对小说这东西第一次耳闻，就是听他和老姨讲他们上大学时如何上面听课底下看小说。方妈妈大惊失色地批评他们腐蚀少儿，他二人嘻嘻哈哈全不在意。当时我不辨是非，觉得方妈妈假正经，对这两个不守课堂纪律的大人喜欢得不得了。老姨和老姨夫是方妈妈那一族系出名的落后分子，大概连共产党也没入，学习也不好，要不怎么去念了师范——这都是方妈妈的观念。

年轻亲戚们在方家大操大办，煎炒烹炸。方枪枪跑进跑出，欢欣鼓舞，对即将开锣的盛宴寄予厚望。方妈妈提前下了班，方超也从保育院接了回来。哥儿俩见面都忘了刚才的同声一哭只顾赛着激动。这是他们人生最初掀起的小高潮：有这么多很亲的人，一会儿还有很好的饭，明天还要一同出游，拍照、吃冰棍、喝汽水——这就叫幸福吧？

夜里，大人们聊得很晚，喧声笑语阵阵传到已经合眼躺在床上的方枪枪耳中，使他睡着后仍有知觉，睡梦中也跟着偶尔喜上眉梢。后半夜这笑语变成嘈嘈切切的雨声，方枪枪尿了床。

第二天醒来，外面果然下过雨，阳台地都是湿的。天空阴霾密布，刮着小凉风，看样子白天还有雨。方妈妈先建议取消出去玩的计划，方超方枪枪一起跟她急了。每人背起昨晚灌好凉白开的塑料水壶，戴上自己的遮阳帽，各自手拎一根指挥交通的三色棒，擅自开门，三步并作两步抢先下楼了。

哥儿俩在楼下路口指挥了一会儿交通，隔两秒就轮流冲楼上喊：快下来呀你们。

大人们陆续下来，一个个乔装打扮，方爸爸也换了身浅白色的柞蚕丝军便装，让方枪枪觉得像个特务，不愿意拉他的手。

方妈妈又是最后一个下来，花枝招展，香气扑鼻。每次出去玩她都是千呼万唤始下楼，大家都等她一人，下来后还要再上去，一定忘拿了什么东西。方枪枪皱着眉头噘着嘴，一腔高兴都被她破坏了，直想宣布：不带你了。

一干人在路上横排走，方枪枪跑在前面，见路口就抬棒挥手指示大家往前走。有时自己指错了方向，大人拐弯了，又忙不迭夹棍按壶屁颠颠跟过去。

通北门的路上有很多家盛装大人孩子往外走，其中很多保育院小朋友，方枪枪每超过一家，没人打听也要告诉人家：我们家去中山公园。

方超觉得他很跌份，笑着跟三姨说：就跟哪儿都没去过似的。

三姨笑道：他是不如你去的地方多，他比你小啊。

咱们还去过中山陵呢对吧？那时候还没有他呢对吧？方超在后面故意大声说。

方枪枪在前边听得很气，想了半路没找到反驳的话。跑回来拉住三姨另一只手。

出北门往东没走几步，大家一片惊叹，大一路公共汽车站排队等车的人龙见首不见尾，一直甩到海军北墙。海军空军的男女老少出来不少，一家子一家子站在那儿等车进城，其中还混有成班成排的男兵女兵。

方妈妈又是第一个打退堂鼓：我的妈呀，这么老些人，哪辈子才能轮到咱们上车？

说完拿眼看方枪枪方超。

方枪枪扭脸不理她。

方妈妈又抬头看天：这雨我看还得下。带伞也不管用。这些人怎么都那么傻呀，待会儿都得沦到半道上车都下不了。

下雪也去。方枪枪说。

大人都笑了。

下雨中山公园就不好看了，也照不成相，去了也白去。方妈妈煽动群众：要不咱们去一近的地方，八一湖？也能划船。

反正我去过中山公园，不去也行。方超超然地说。

我不同意。方枪枪气急败坏。

其实你也去过中山公园。你忘了咱家还有你在那儿拍的照片呢。方妈妈对方枪枪说。

就没去过，去过也要再去。说好了的。方枪枪低头睃巡，若不是脚下一片泥泞，怕弄脏新裤子，他非躺下打个滚。

你看你看，别人都看你了，穿得这么漂亮的小孩哭鼻子，和大人闹。方爸爸猜出他的念头，一把拽住他胳膊。

姐，三姨说，你就依孩子去吧，何必让他哭呢？

没说不去，我这不是征求大家意见嘛。好好，去去，一帮大人，都让一孩子治住了。咱们小时候哪有说跟大人犟的，还不是大人怎么说都听大人的。回头我就上保育院跟你们阿姨提意见去，怎么把孩子都教成反叛了？

方妈妈咸一句，淡一句，半句真半句假。

方枪枪嘟嘟囔囔，两字轻三字重，该点标点符号的地方都不点：说话不算话出门就反悔还妈妈呢都不如小孩。

方爸爸笑：这可真是娘儿俩，顶起嘴来真像。

行了姐，你跟个孩子较什么真儿？三姨端着“上海”120照相机退开几步蹲下对准方枪枪：咱们等的时候先照个相。

方枪枪刚想擦泪，重整笑容，那边照相机已经咔嚓一声照了。

我胳膊还在脸上呢。方枪枪想重拍。

没事，三姨笑道，等你将来有孩子了，给他看：这是你爸爸小时候。

公共汽车总站的车早都发光了，大家翘首期盼行驶一圈回来的空车。站台上人头汹涌，成百上千个脖子齐刷刷伸着像庄稼地一排排谷穗，一镰刀上去不知能砍落多少。还有数不清的人从四面八方走来加入到这个庞大的行列，毫无怨言无比耐心地越排越远。方枪枪和方超跑前跑后，挨个扒拉着数人，每走一车就跑回来报告：再有三十车就到咱们了。

各位，我有一个比喻：这么多人就像杨柳万千条——方枪枪笑道，背手等着夸奖。

舅舅、姨噼噼啪啪地鼓掌：真聪明。

这是你想出来的吗？方超嗤之以鼻，这是人家早说过的。

方枪枪受到揭发，害臊地走开。

公主坟浓荫雾霭，像一大团降落到地凝固不散的乌云。方枪枪发现陈北燕一家站在队尾，走过去对她说：过去你就躺在那里。

陈北燕不明白他说的什么鬼话，眨巴着眼睛看着他一声不出。

你才躺在那里呢。陈南燕伶牙俐齿回了他一句。

不许跟小朋友说话这么厉害。陈妈妈批评大女儿。

我们家在前边，你们排到我们那去吧。方枪枪热情邀请他们加塞儿。

那可不行，别人可不同意。陈爸爸笑道：这小孩很有礼貌，是跟你一班的吗北燕？

他老欺负我妹，还打过我呢。陈南燕说。

是吗，陈爸爸收起笑容，那可不好，男孩子不该欺负女孩子。

方枪枪窘得不知说什么好，问陈爸爸：你说话是哪儿的口音呀？

陈爸爸明显不爱回答，但还是耐心作了答：我这是江苏口音。别瞎打听了，快回你爸爸妈妈那儿去吧。

方超过来把方枪枪领走：不知道人家不爱理你呀？

三姨、妈妈突然狂叫哥儿俩，她们已经排到了一辆车前，哥儿俩手拉手狂奔，半路受到姨和妈的接应，一人抱起一个，冲向车后门，忠厚的三姨夫死死把住那扇将要合拢的门，不顾周围人群一片“不道德”的指控。

这时云开日出，方枪枪在车关门前恰被一束日光照进瞳孔。

“斯可达”汽车负重行驶，每一个机件都在嘁里哐当乱响，像一节火车开进城里，一车人也如醉心的戏迷随着锣鼓点儿整齐地摇头晃脑。

方枪枪方超挤坐在一个空军女兵让出的座位上，透过不很干净的车窗玻璃听三姨介绍沿途可说之处，遇到另一面的景致就站起来从人缝中看个一掠而过的鳞爪。

这是京西宾馆，这是木樨地大桥，这是广播大楼，那是民族文化宫西单电报大楼……

东张西望，忽起忽坐，方枪枪很快感到恶心。刚才就座时三姨还让方超换方枪枪靠窗，说他爱晕车，方枪枪不服，贪图视野开阔没说什么，现在知道自己果然是个穷命，坐车就晕。心里也怯了。

他对木樨地桥下碧绿的河水，桥上站岗的陆军有印象；对广播大楼密如蛛网的天线有印象；复兴门一带灰墙青瓦的民房令他好奇：为什么有老百姓住在城里；“庆丰”包子铺门口排大队买包子的人让他觉得自己也饿了。之后他就都不记得了，使劲回忆还有车内忽然强烈起来的柴油味。

他并没昏倒，只是把早饭吃的没消化完的东西喷了出来，方超躲得一干二净，三姨和那个空军女兵都沾了荤腥。三姨、妈、舅都掏出身上的纸、手绢给那清秀的女兵擦蓝裙子，赔笑脸，赔不是。女兵都快哭了，一五一十擦去秽物就往人堆儿里钻，走到哪儿人家都闪开个空场——她也成了万人嫌。

方枪枪小脸雪白，吐得神清气爽，吧嗒着嘴问：咱们到哪儿了？

一家人在天安门广场下了车，方枪枪精神恍惚地还在这片全世界最大的空地上跑了几步，无动于衷地环顾一下四周肥矮结实的新旧宫殿，什么也不走脑子和视网膜，活活一具行尸走肉混迹于大千世界。

广场上积的雨水在蒸发，白气袅袅，方枪枪梦游天安门，眼前如同一幅幅幻灯片：天像涨潮的海水把红墙黄瓦、白色大理石都浸泡在一片蓝汪汪之中，人车像孑孓一层层漂浮；每一级建筑都退得很远，喊都听不见；只有这几万块方砖湿淋淋的刚露出水面，走道像爬山，仅此平面即可看出地球是圆的。他软的像个脱扣的螺帽，一道纹也拧不上，很怕此刻吹来一阵风，把他轻烟般吹散，不知变成什么飘离这个世界。这广场大得瘆人，青天白日也会心生惊悸，似乎公开存在着一般摄人魂魄的力量。

从那次拍下的“120”照片上看，方枪枪大部分时间昏睡不醒，轮流出现在每个男人的肩头，耷拉着头，像是有意躲避镜头。在中山公园原“公理战胜”后改为“和平万岁”牌坊前他是睡的；唐花坞前也是睡的；护城河里划船时他有一张是醒着的，自己坐着，但两眼无神，魂不守舍。天安门正面、人民英雄纪念碑前他都是睡的。不过大家是背对景物拍照，独他脸朝后，又似偷偷觊觎。

方枪枪再度记事是在西单大街“亨得利”钟表店门前独自哭泣。在此之前，方爸爸以为他醒了，把他放下地自己走，一家人快步走进“玉华台”饭庄，方枪枪跟着另一家打扮相似的男女走了。

一直走到“曲园”酒楼门口，这家人要过马路去西单商场，这家的孩子才告诉大人：有个小孩跟着咱们。这家大人把方枪枪领回到开始跟的地方，都记成钟表店了，向过往群众失物招领。

方家男女冲出饭庄，看都没看左近这一小撮人群，一窝蜂往北找。

方枪枪看着下午阳光中熙熙攘攘的人群，周围一切店铺招牌皆为陌生，猜是一座城里却怎么也不明白自己如何会在这儿，为什么一人站在街头哭。刚才他最后的梦境是在保育院午觉起床，天光气氛与此刻衔接得天衣无缝，绝对是一睁眼故土故人后抛，顷刻间孤零人在万里天外。方枪枪断魂欲绝：我不是有名有姓有爹妈吗？已经在 29 号上了好几年保育院，交了一些朋友，树了一些敌人，学了一些名词，历了一些悲欢，刚刚有点适应，怎么一下都白过了——这是把我扔到哪儿去重新开始呀？我捶胸顿足一阵震撼验证出这不是梦。此时不是梦，那过去就是梦，这两个处境中总有一个是梦——我一下感到生活的不牢靠，不知哪天在哪儿醒来，前边的一切就都否定了。悲痛之余也有些困惑：想我小小年纪既不认路又不会飞翔，为何一觉醒来身在异地——也许不是人吧？

一群闲人拉拉扯扯把我交到西单路口的交通警手里，那儿已经有两个走丢的孩子。交通警忙着指挥路口车辆行人，四面八方地立正，也顾不上理我们，我们三个倒霉孩子就并排站在他脚下抹眼泪。

方爸爸后来说，他听行人说路口交通警那儿捡了几个孩子，就往路口跑，远远看见指挥台下站着个男孩和台上的警察一起指挥交通，警察举棒他也举棒，警察转身他也转身，行人都笑，警察再转回来一张黑脸也绷不住乐了。

重为人子，回到自己唯一的生活，我感到既甜蜜又安心。保育院阿姨太凶，爸爸妈妈有点陌生，好吃的东西总是太少，小朋友们动不动翻脸，这生活听上去不尽如人意，但总比没有强。虽然不是我自己选的，既然在29号院里开了头，省事的办法就是在这儿继续下去。

那些年的日子像松紧带，一会儿短一会儿长；又像三级跳远，有时每一步都能数清，有时一跃过去很多月；时间如同迅速贬值的钞票，面额很大不值什么。

我和方枪枪回到保育院，他已是大二班的孩子。谁都忘了他得过麻疹，似乎大家共同度过了一个假期，重新开园。季节也跳过冬春，再次进入夏末。我觉得过丢了一些日子，有些事情插不进记忆的顺序，有些变化大出我意外。唐阿姨怀孕了，挺着肚子，脸上长出蝴蝶斑。可她原来明明是个姑娘，在院里没家，住集体宿舍。李阿姨眉心长出一个痦子，又黑又圆使她两道浓眉接近合龙，这没一段时间是长不起来的。陈北燕我几乎没认出来，看到一个胖胖的有两个大脸蛋的小姑娘坐在椅子上朝方枪枪笑，我以为是个新生。她说自己得了肝炎，在“302”住了半年院，吃了很多糖和激素。她被特许可以在保育院随时吃糖，一嘴牙都吃成了虫牙，疼起来就歪着嘴咝咝倒抽凉气。

陈南燕黑了，高了，两条腿长得像竹竿，小班新人入院的孩子没一个赶到她屁股。看到那么多惊惶失措的小不点在我们原来的寝室里哭作一团，我和方枪枪都觉得自己像个元老。我们敲玻璃扮鬼脸吓唬那些小孩，对哭声陡然升高颇为满意。显然这些年吃得好了，院里又生出一片孩子，比我们那一波多出很多。一楼都叫这帮六十年代的小崽子占了，二楼还要让给新升上来的中班，飞机楼没我们的地儿了。我们大二班和陈南燕他们大一班合编为一个班，一起搬到果园边上的一所大房子里。这种安排我比较高兴。

新搬去的那所大房子有一大间屋子，无数的小窗户，窗外树影婆娑，十分幽暗。这屋子能睡二百个孩子。两个班的孩子汇合在一起像两支兄弟红军会师，兴奋异常，兄弟姐妹嘘寒问暖，都住在了一起，彼此也有个照应。大一班的调皮孩子比我们班的多，能量也大，跟张宁生高晋他们比，方枪枪汪若海这些都算小玩闹，阿姨根本顾不上，尺度无形宽了，我行我素也不被注意，你可以说生存空间大了。

比较扫兴的是新床铺挨着于倩倩，她倒不怎么流鼻涕了，可我还是不喜欢她，嘴太大。

大房间套着一个小房间，能摆十几张床，那似乎是个待遇，只有得够小红旗的孩子才能睡在里面。阿姨开始给孩子的日常行为打分，墙上贴着一张表，写着所有孩子的名字，表现好的挂小红旗，得到五面睡高间。

陈南燕是高间常客，我觉出方枪枪也想得红旗，以期有一天离偶像近一点。

我认为方超也喜欢陈南燕，因为他得了很多红旗，经常抱着铺盖卷在高间进进出出。

我对方枪枪也感到陌生。我很惊讶他和大一班张宁生一伙竟然那么熟，俨然小哥们儿，他和张燕生打架，张宁生基本不插手，让他们公平胜负。他和陈南燕的关系也令我诧异，陈南燕每天遇见他必定一笑，几遇几笑，相视无语尽在一笑。这神秘的笑容叫我举止失措，因为完全不解其意，反观方枪枪，极其暧昧，笑意未消满足复现。这感觉让我十分不舒服，似乎这二人瞒着我有了默契。如此轻易地被择出二人世界是我不能容忍的，这就像你把心思托付好友他却捷足先登发生很多故事没你什么事。方枪枪什么也不对我说，这就是朋友，我还以为能信任他呢。有一天下午，我在厕所堵住陈南燕，她正在提裤子。

你为什么老朝我笑？我彬彬有礼地问。

她大怒：谁冲你笑了！

我本来还预备了些笑容和美意，此刻也不由大怒：你。

别不要脸了。她一膀子撞开我，气冲冲出厕所，回头又说：我笑狗呢。

你才是狗呢。我默默心酸了一会儿，本来无尿也无趣地站到台上尿了几滴。

我猜到了这其中的原因：我以为过去的日子每一天其实都真实存在，只是我不在场，方枪枪则一秒也没缺席。这是我们的区别。他身在自己的生活里，我只是他生活中的过客。我有一种神奇的能力，可以加快时间的流逝，遇到尴尬危险无聊便翩然离去，来年再说。他却无从逃身，永远留在现实里，每一天都要一分一秒地度过，太阳不落山，他的一天就不能结束。从这点上说，他的生活远比我所知要多、丰富。很多事情我不知情。没有我的日子他独自面对的都是些什么？为什么他和别人的关系会有这样那样的变化？我想我错过了很多重要的时刻和机会，以至今天也不能说真正了解生活。

这种面临同一日历年各怀长度不同。也决定了我和他对人、事的态度之差：我自命理想主义者，或叫妄想主义者；他是现实主义者，或叫机会主义者。

现实主义者对理想主义者总是不置一词，当我试图支配他时便感到他的顽强。我知道他的绝望，如此漫长一眼望不到头又不可省略的一生真叫人不堪重负。我们看不透其中的内容，不知道前边有什么在等着他无论好坏他都得一一受着。我想我日后是有个去处的，他知道我不属于这儿，你可以把这叫体验生活——可我不能带他一起飞走，这他也清楚。他经常猜我是谁，来干什么。那时我也不知道我的使命是记录他，要是知道，我不会那么任性，会多留一些时间在他身边。

第十章

方枪枪知道自己眼睛后面还有一双眼睛。他十分信任住在自己身体里的那个叫“我”的孩子。他认为这孩子比自己大，因其来历不明显得神秘、见多识广。

那时他已经听说了《西游记》这个故事。高洋家有一套《西游记》连环画，这小子看一本就回保育院卖弄一段，云山雾罩，记不清的地方就胡说八道，讲得小朋友们神魂颠倒，想入非非。每天晚上熄灯后，孩子们各自躺在床上，全室一片寂静，评书连播员高洋又尖又浅的嗓子就在黑暗中开讲了：孙悟空、牛魔王、唐僧、白骨精、玉皇大帝一个个出现在我们面前，飞来飞去，各显神通，展开一场无关正义，纯粹比武的混战。这比小八路打鬼子的故事要有趣，也不那么揪心。好孩子孙悟空武器比较过硬，不像海娃张嘎子赤手空拳缺枪少炮，老得先挨揍，鬼鬼祟祟躲子弹——这种尽受罪，也吹，仍不免凄风惨雨的描写弄得大家都不爱当好人了：胜利是一定会胜利，但总的加起来，还是坏人滋润的时候多。

孙悟空多好呵，首先一条金箍棒好使，再一条永远打不死，百炼成钢一点没吃苦，几个仙桃人参果加上太上老君的一把炒豆全过程完了。吃一个就得活好几千年，他得活多少年——太让人羡慕了。要是不掩护唐僧这个没起子的，谁拿他有办法？

孩子们在高洋断章取义、支离破碎的讲述中，一点没意识到唐僧同志是在追求真理，孙悟空老兄只不过是革命队伍中的一个打手。特别对观音菩萨、如来佛这些领导人有意见，你们非要到孙悟空没辙了再去救他，平时光在一边看笑话。既然上边决定要到西天取经，你们也举了手，为什么不一阵风把老唐吹到西天还要人家一步步走？孙悟空同志能力强一个人足以完成这项任务为什么不信任还故意派出一些妖魔鬼怪打人家？这就不得不使人怀疑如来佛的动机了：经是你的，人也是你派的，自己派人取自己的经，你想干什么？

一些求知欲旺盛的孩子再三问过高洋：什么叫真经，真经说什么了，值得哥儿几个这么费劲巴力往西天赶？

高洋支支吾吾，想了半天说：不知道。

到了西天以后呢？方超问，如来佛有什么表示？

什么表示也没有。高洋苦恼地说，小人书上只说到了，就完了。

连“从此过上幸福美满的生活”这一句也没有吗？陈南燕说。他们高间的孩子也摸黑出来听故事。

没有。高洋十分泄气。

这叫什么事呀。孩子们群情激愤议论纷纷：我觉得如来佛没安好心，他们都是一伙的，合起来坑老孙。

另一个看过这套连环画，只是口才不如弟弟一直沉默的高晋最后有一个说法，比较受孩子们认可：

真经——那就是个意思，给孙悟空找点事干，怕他又去大闹天宫。

晚上寝室的故事会方枪枪很少插话，只是静静躺在自己被窝里吸收玩味这些匪夷所思的神话。听到孙悟空被如来佛压在五指山下，他流下亮晶晶的泪水；孙悟空钻进铁扇公主的肚子，扑灭了火焰山，捣毁盘丝洞，渡过子母河，他又偷偷笑了——为自己曾经动摇了对老孙的信心感到不好意思。他对这个本来快活地在花果山当大王，却把自己的后半生献给在崇山峻岭扫荡群妖的壮丽事业的猴子产生了极大敬意。那时他很崇拜书，认为书上写的都是发生过的事情，每一个字都是真的。他把《西游记》当做现实一种，刚刚结束的历史。

远在古代，中国天上、地下、水里到处都充斥着神通广大的妖怪，连地主那样的坏人都欺负，全靠大英雄孙悟空一根棍子打光了，否则的话，多少部队金角大王一个葫芦就给装走了。没有孙悟空，就没有我们今天的清平世界、朗朗乾坤、幸福生活。我们应该怀念他，起码谱一个歌唱唱人家，以显得我们有良心。要不人家该不高兴了，再有妖怪人家就不一定帮忙了。

方枪枪坚信孙悟空还活着，在遥远的西天翻跟头。那些被他打败的妖怪也都活着，变成善良的山里农民苟且偷生。也许他们中的一些不安分的人已经进了城，变化成其他形状潜伏在我们身边，夜里出来吃个把孩子解馋——如此一想方枪枪汗毛倒竖，树、窗户、墙壁、一张桌子、一把椅子都像幻了形的妖怪。

他头蒙进被窝哆哆嗦嗦地祈祷：孙悟空你快来吧，妖怪都没死，没你不成。

方枪枪充满希望地问他身体内的大孩子：你是孙悟空变的吗？

我很想说是。我也非常乐意是。可我对这一点把握也没有。

孙悟空有七十二变，我只是一变：变成方枪枪，而且再也变不回来了。

孙悟空一个跟头十万八千里，我爬个墙都费事。

如果我是孙悟空，我的金箍棒呢？方枪枪的耳朵里只有耳屎。

再说，就算我爱忘事，也不可能对自己的英雄事迹一点印象都没有，群众这么提醒也想不起来——多峥嵘的岁月啊。

我对方枪枪说，很可能我连猪八戒变得都不是，老猪的武艺我也望尘莫及。你就别指望我替你去打人了，咱们都不是这块料。也许我只是孙大爷棍下丧命的一个小妖，辗转投胎投到你这儿。

是个妖就比人强。方枪枪对我的信任一如既往。

方枪枪掉牙了。满嘴牙都像钢琴琴键可以按动。啃苹果尤其要小心翼翼，不留神就出血，就撅断一只，一阵麻人的寒战掠过全身。他很担心自己从此吃不了好东西。我对他说，没问题，咱们还会长出一嘴牙。

他的肛门很痒，挠也治标不治本。保育院的小朋友都新添了一个动作：一手在前抠鼻子，一手在后挠屁股，非常锻炼腰肌。汪若海第一，于倩倩第二，陆续拉出蛔虫。李阿姨拿来一箱宝塔糖每顿饭发给大家几颗，想多吃敞开供应。孩子们一开始还当糖抢，吃下去才知有多恶心，口腔、肚皮都会感到麻痹。我提醒方枪枪要警惕，李阿姨的糖那是随便吃的吗？应该含在嘴里不咽，上厕所时吐掉。

我教导方枪枪：你要小心呢，李阿姨很可能是妖怪变的。看看周围，没有人长那么大一张嘴，除了吃孩子她要这么大嘴干什么？请你注意她的眼角，那儿有两道向上斜拉的纹路，这是她变成李阿姨时没变好留下的。她的脸上有很多难以掩饰的旧貌：唇上的胡须，鼻孔内的黑毛——一个功力不够的妖怪变成人时最难变的就是过去的一身毛发。再譬如她眉心那粒痦子，这几乎就是铁证了：一不留神露出的本相。我很得意自己的目光敏锐，识破了一个妖怪，同时把方枪枪吓得簌簌发抖。我叮咛方枪枪：要听妖怪的话，别让她盯上你。数着点小朋友的人头，这么多孩子她随便吃一两个咱们也发现不了。

李阿姨发现方枪枪升到大班后表现很好，循规蹈矩，不急不躁，尤其听她的话，指东不敢向西，说一不敢答二。李阿姨对这孩子的进步极表欣慰：工夫下得深，铁杵磨成针，关键在教育，天下没有不会点头的顽石。通过日常观察，李阿姨还发现了这孩子有数学天才，没事就爱数小朋友，早一遍，晚一遍，想知道今天有多少小朋友到场，少了几个，不用报数，问他即可。数不齐人饭也吃不下，着急、出汗、面如土色。这么小的孩子对数字这么热爱，实在罕见。现在全社会都在提倡向科学进军，没准自己班里已经出了一个华罗庚——的坯子，别误了他。李阿姨想到自己的一生，估计是瞎了，如果临死能说红旗上也有几滴她的鲜血，就全指望这班孩子蘸上她的血一块堆儿去染红旗捎带脚混上一些。不可能那么倒霉，几百个孩子一个烈士不出。要紧的是从现在做起，有苗头的都对他们好一点，广种薄收。方枪枪倒不比张宁生高晋这几个打架手黑的孩子更有烈士相，但也不怕他没出息，哪怕光当个部长，年逾古稀回忆起谁给他启的蒙，登在报上，唏嘘涕下，一派动人。那时尽管自己穷困潦倒，瘫痪在床，倒不一定出头自首——这点骨气是有的——也可悲欣自许，憨笑弃世，让部长想死。李阿姨追终抚远，两滴清泪不觉挂腮，底下一片孩子吓得屏息敛气。

别看我，千万别看我。方枪枪心里打鼓，悄抬一眸，正与远远投来的李阿姨目光相逢。李阿姨目光是温柔的，殷殷期许的，方枪枪这厢早灵魂出窍，手脚冰凉，认定今晚将成李阿姨的腹中餐。我还小啊，肉也不香，为什么你不先吃又白又胖的陈北燕？想到此生皆休，方枪枪也不免泪挂双腮。

这孩子有良心，我哭他也哭，俺俩感情这么深这我倒没料到。这么想着，李阿姨又死盯了方枪枪两眼。

晚上，别人都睡了，陈南燕躺在床上看见地上一个黑影向她爬来，爬到她的床边黑影跪立起来，借着月光她认出是大二班的一个男孩。

男孩满脸泪水，哽咽着小声对她说：我告诉你一件事，你可千万千万别告诉别人，一定保密，你发誓。

我发誓，我千万千万不告诉别人。陈南燕很兴奋，催促道：什么事你快说。

咱们班李阿姨是妖怪变的。

真的？陈南燕大惊失色。

不骗你。男孩悲痛地说，今天晚上她就会来吃我。她已经吃了咱们班好些人了，我数过。现在轮到我了，她知道就我发现了她，所以先吃我。

那你怎么办呀？陈南燕既害怕又同情。

没办法，打不过她，可我不想死。男孩头顶着床栏哭出声。哭了会儿又说：你能让我在你床底下躲一晚上吗？

能能，你躲吧。陈南燕侠义地说，看着男孩爬进她的床下。

陈南燕睡不着，想得很多。她问床下的男孩：你说咱们两个合起来，打得过李阿姨吗？

不知道。

陈南燕跳下床，爬进床底，用手摸到那团热乎乎的肉体：我想去打死李阿姨——咱俩一起去吧。

我不去。男孩说，你也别去。咱们班小孩都加上也打不过李阿姨。

男孩向女孩身边靠过来，两个孩子身体紧贴并排趴在黑暗中，女孩能感到男孩的身体在抖。

一个小孩下床尿尿，光着脚丫走过他们眼前。

陈南燕往外爬，男孩拉住她：你去哪儿？

我去看看李阿姨。

别去。

我不碰她，光看看。

那也别去，她该吃你了。

看看李阿姨变成妖怪什么样儿就回来。

那对脚丫又走回来，爬上床。有人大声说梦话：那就算了……

陈南燕爬出床，又回身拉那男孩想让他一起去，男孩很沉，死活拖不动。

陈南燕自己出了小房间，穿过大寝室，回头看一个小黑影远远跟着她。她走进活动室，阿姨的值班床就在门边。她看到床上蜷伏着的黑黢黢一堆东西，身上起了一层鸡皮疙瘩，头发都飘了起来。她走近床前，那堆黑物毫无声息，她一刹那想到了很多可怕的情景，还是不由自主一伸手掀开被子，一团热气扑面而来，有很浓的膻气。被子里的人说：你干吗？

陈南燕一声没吱，回头就跑，在大寝室还和那男孩撞了一下，双方恐怖之极。

几天以后，方枪枪看见陈南燕哭着被李阿姨揪着小辫卷着铺盖轰出高间。

李阿姨纠集全体小朋友列队，让陈南燕站在队前，指着她说：“你们这几天大概也都听陈南燕说了，我是个妖怪变的。现在我让陈南燕当众讲一遍，我是不是妖怪——我是吗？”

你不是。陈南燕哭丧着脸说。

你这算什么问题？

造谣。

性质严不严重？

严重。

严重怎么办？

改。

怎么改？

陈南燕开始在沿着一排排孩子走动，挨个辨认他们的脸。

在陈南燕背后还有一个造谣者，我们现在就把他揪出来。李阿姨喊：一个男生。啊哈，太恶毒了，居然造这种谣破坏阿姨威信，绝不轻饶。陈南燕，你可仔细，找不出那个人，我就认为是你。

李阿姨艰难地朝孩子们微笑：你们信吗？这可能吗——大声回答。

孩子们齐声说：不——可——能。

是不可能嘛，我要是妖怪，你们怎能好好的一个不少——我现在还要辟一个谣：那些生病回家的孩子我已经全通知他们家长明天送回来了。咱们再让方枪枪数一遍。

陈南燕走到方枪枪面前，停下来，方枪枪血都不流了。

就是他——陈南燕一指。

方枪枪膝盖一软，刚想下跪，李阿姨大手忽忽生风掠过他左耳，把后排的高洋揪出列。

高洋杀猪般号叫、恳求：饶了我吧，不是我，冤枉。

我含泪看着替罪羊高洋被李阿姨拖走，默默地满怀歉意地向他告别：永别了，朋友。别记恨我，我实在不能救你，咱俩加一块也不够李阿姨塞牙缝的，以后我会为你报仇。

我毫不怀疑高洋此去将被李阿姨细嚼慢咽吃得连骨头渣子都不剩。可怜的高洋，你将要很疼。李阿姨的表白十分可笑，班里一个孩子不少丝毫不能证明她不是吃人的妖怪，反而暴露出一个更可怕的真相：她每吃掉一个孩子，就会用一个小妖变成那孩子的模样。这是一个很简单的是个妖怪就会变的戏法，只能骗骗无知的孩子瞒不了我。

我料到李阿姨早晚要把保育院的孩子吃光，用她手下的小妖代替，因为小妖听话，好管。我是妖怪也会这样做，当我偷吃糖时也会用糖纸包上一颗土坷垃充数。这一手很高明，不显山不露水，看上去还是那么多孩子，其实瓤都换了，爸爸妈妈也蒙在鼓里，还美滋滋地替人家养小妖。好妖怪，你真够狠，把我们都当傻瓜涮了。可惜呀，你万没想到这一班貌不惊人的孩子里有我这么一双火眼金睛。哼哼，有本事你就跟我斗吧，看最后谁赢。

我深知掌握秘密的人有多危险。他们都想除掉我。眼下暂时没事全在于我的身份没有暴露。我的冒失已经使两个小朋友丧了命，现在必须谨慎从事。我不能像小喇叭似的到处广播。小朋友中已混进了很多小妖，有些可以识别，譬如陈南燕，我知道她是只波斯猫变的。高洋，是个长臂猿。有些是我不认识的动物变的，这就很难办，说给谁也没人信，动物园里没这种动物，到公安局他们也不会承认。搞得不好，它们还会倒打一耙，说我诬赖它们。

必须要有证据，否则打不着狐狸还得惹一身骚。

我一直猜不出李阿姨是个什么精。她的身量摆在那儿，原来肯定、起码也要是只大型猛兽，变成人才有这个儿。但究竟是老虎、金钱豹还是大象，很难估计。有一次她刚洗完头，边走边打哈欠，有人叫她，她就那么大张着嘴、瞪着眼一回头。我恍然大悟：这活脱一个狮子甩头啊，狮子精没跑——很多石狮子都有这个造型。

这个发现加剧了我的恐惧，也彻底打消了我独自一人消灭妖怪的雄心。谁都知道一个人只身和狮子搏斗那叫白给。怪不得李阿姨吃那么多小孩还这么瘦，狮子的胃口大呀。如此一说，幸免的可能也很小。我算过，就算李阿姨一天吃一个孩子，比较节约，最后一个吃我，不到半年也就轮到我了。

这种日子很煎熬人的。生活在一头狮子嘴边，不能跑又不能说，等于是它饲养的口粮，不知道哪天它一舔舌头就把我吃了。我连饭也不爱吃了，不愿意显得胖。我看到方超在同龄孩子中突出的超重，吃饭时还那么不管不顾，就为他难过：还瞎吃呢，李阿姨下一顿饭准是你。毕竟是一奶同胞的兄弟，要喂狮子了，怎不叫人伤感？星期天回家，我看着方超就红眼圈，什么都让着他，吃饭时也紧着他吃，自己不怎么动筷子。看到他吃得快活，越发肥嫩可口，令人垂涎，不免垂下泪来。

方妈妈摸我额头并不发烧，再三问我：你有什么委屈说出来，跟爸爸妈妈还不能说吗？

我哽咽着指着方超说：他快死了。

方妈妈方爸爸都非常生气，一起叫：好好的你怎么咒起你哥哥来了。

方超全不在意，笑嘻嘻地雨点般下着筷子对他爸他妈说：方枪枪脑子坏了。

我心说：你们哪知道我的难处，想在保育院活下来太不容易了。

再一深想，我不由号啕大哭。

我决心用计谋使李阿姨想吃也没法吃我。我主动接近陈北燕，屈尊吃一些她的糖果，和她共用喝水杯和饭勺。我认为李阿姨永远不会吃她，因为她有肝炎，吃了她李阿姨也该传染了。我的如意算盘就是从她那儿得点肝炎，这样也许能活着离开保育院。陈北燕自从得肝炎吃激素变成个胖子之后，在保育院很受歧视，除了她姐有时跟她说说话，没人跟她玩，经常自己很寂寞地独自靠墙坐在小椅子上。汪若海给她起了个很形象的外号：大脸蛋子。大家都这么叫她，好像她是个日本姑娘。

大脸蛋子对方枪枪主动和她套近乎十分感激，差不多是以一种逢迎、言听计从的态度讨好他。我也确实需要一个听众，一个可以切磋、议论、证明我没疯确实很杰出很有预见性的崇拜者。大思想家都知道我的症结：再也没有比独享思想成果更令人烦躁的了。

我对大脸蛋子讲，我下面要对你讲的是一个天大的秘密，如果你说出去，那咱们俩就全完了，你有肝炎不吃你起码也得让人咬死。我就更别说了，死无葬身之地（不是原话）。

你不是你爸爸妈妈生的。

你怎么知道？

这不是秘密，谁都知道，我也不是我爸爸妈妈生的。

方枪枪想了想：别打岔，我要说的不是这事。还记得李阿姨要抓一个知道她是妖怪的人，结果把高洋抓走那次吗？

她抓错了，那个人是你。

你怎么知道？方枪枪真的吃惊了，对大脸蛋子刮目相看。

谁都知道。第二天你就到处跟别人说，我姐她们都觉得你特爱吹。

我绝对没跟任何一个人说过。你想可能吗——我就怕让人知道。

那我怎么知道的？但我信你——当时我还想：方枪枪这人太直了，要是我就不会这么到处说去，多悬啊。

方枪枪脸红了，心想自己真不是干大事的人，嘴快，存不住事儿。难道我那些思想都当流言蜚语散布过——那可太得罪人了。

你也知道李阿姨是狮子？

知道。狮子回头——你说的。

你还知道什么？方枪枪愁眉苦脸问，咱们班谁被李阿姨吃过你知道吗？

这我还真不知道，没听人说过。是你新想出来的吧？

方枪枪松了口气：对，是我新想的。你要再知道，我就不说了，没意思，不好玩了。

我不知道，你快说吧，谁被李阿姨吃过？

太多人啦，你姐、高洋……我把自己的怀疑对象都告诉了陈北燕，情况万分紧急，可是我没证据，没法汇报，发愁的就是这事。

可是我姐并不是波斯猫变的，这你可是纯粹瞎说。大脸蛋子同意我的其他猜测唯独反对这一条。

你有什么证据？

她没有尾巴。

尾巴？我豁然开朗：对呀，我怎么没想到这点。我们都知道尾巴最难变，孙悟空那么会变，尾巴还常常处理不好，照此类推，一般妖怪不管变得多像人，屁股上总会留着尾巴——这就是证据。

方枪枪激动地请教陈北燕：你说，咱们要是把全班小朋友的屁股都看一遍，就能闹清谁是什么变的了吧？

大脸蛋子一本正经说：我觉得只能这样，要不该冤枉好人了。

对对，方枪枪很兴奋，看过大伙的屁股，心里就有数了，就敢去警卫排报告，把暗藏在保育院小朋友中的妖怪一网打尽。

如果我这次立了功，有你的一半。方枪枪语无伦次地许愿。

我觉得李阿姨的屁股先不用看。大脸蛋子也来了劲儿，添油加醋出主意：她肯定有根大尾巴，缠在腰上。咱们把她留到最后，咱们把警卫排的人都叫来，拿枪包围了她，再逼她脱裤子——看她还有什么可说的。

方枪枪也变本加厉：光看不行，还要摸一下，好多妖怪的尾巴是看不见的。别回头让人家把咱们小孩骗了。现在从我做起，我先让你看、摸，证明我不是妖怪。

我倒不担心你是妖怪，只担心你嘴不牢，没看几个就被人都知道了。

我保证，我从现在起就是哑巴。

方枪枪和陈北燕鬼鬼祟祟溜进厕所，插上门。方枪枪脱了裤子，亮出屁股给陈北燕看：我没有吧？

陈北燕伸手小心翼翼摸了摸他的尾巴骨，说：证明了。

方枪枪被摸得很痒，咯咯笑。

陈北燕也褪下裤子，让方枪枪摸：我也不是吧？

方枪枪说：你不是。

第十一章

看屁股最佳场所是公共澡堂，放眼望去一览无余。院里宏伟建筑之一就是一座大澡堂，那是全院男女老少洗洗涮涮的地方。周五是女澡堂，周六是男澡堂，周四开放给保育院大班的孩子讲卫生。至于中班以下的孩子，只能回家坐澡盆，公共澡堂没他们的份儿。

洗澡的日子是孩子们的小狂欢节。可以玩水，游泳——澡堂里有一个注满热水的大池子，第一个看见的人会说这水清澈见底，最后一个爬上来的人回首四顾只能形容自己“刚从肉汤里捞出来”。那水蒸气袅袅，没有一百度，也接近七十度，人们成群结队下去说成“下饺子”极其贴切。如果一个外国人混杂其中，歇后语就叫做“涮羊肉”。太像一口准备煮什么的锅了。我一直认为北京话的“泡澡”是个口误，正确的说法应该是“煲澡”。每次站在这锅老汤前我都觉得自己是块生肉，要站在锅边一点点投入，煮熟一截儿再来一截儿，坐在开水里禁不住呻吟，轻轻划动手臂，蹲着在水里走动——如果你乐意把这称为一种泳姿的话。

那是一种饱含痛苦的享受。每寸皮肤都经受着意志的考验。疼才会轻松，麻木才能舒展，快感和痛楚都像针一样尖锐，同时鼓点般刺激着你，每一个都难以忍受，哪一个都难以割舍。较之电击、射精那等劈头盖脸猝不及防的震撼，这悲喜交加的感受更加客观，更大面积，更便于细细体味。

这时你可以仔细丈量你的耐受力，它像物体一样有形状，一纸薄或一砖厚，随便使用什么计时方法都能方便地计算出它消失的速度。那样你就了解自己是个什么人了，不必在日后受刑时装好汉，有些组织的机密能不打听尽量别打听，免得当叛徒组织受损失你自己也不好。我就是在这种热锅里失去将来做一个革命烈士的理想的。当我被烫得几乎失去知觉时，内心也不无悲痛地意识到，自己再不可能给党做交通员或领导一个城市的地下工作了。

每次都是兴冲冲、大义凛然地下水，悲观失落地爬上，第一感觉：凉；第二感觉：爽；接着忧心忡忡向其他孩子打听：苏军、美军哪家部队军纪好？

我发现不单是我，几乎所有男孩都对把自己脱得精光兴高采烈。能看到自己的身体这对本人也是难得的机会。这就像偷自己的钱，大人们给我们一些零钱，又不许我们花，那钱只能藏在储蓄罐里以数字的形式存在，现在这钱拿出来了——我们互相打量，看不出这身体有什么见不得人的：光溜溜的肉棍子，还没一棵树分杈多，也没结着可爱的花朵和珍稀的果实，假如把头砍了，没人认得出哪截身子是张三李四还是王二麻子。

比较可疑、鬼鬼祟祟的就是那个屁股。平时我们不大见得到它，无论是自己的还是别人的，总是一闪即逝，匆匆而过，在最热的天气人家都亮出来了它也深藏不露，像下水道总盖着盖子。

它也很拿得出手嘛，胖乎乎长得很体面，比脸平整，比后背光溜，比肚子也只多道沟，暴露在光天化日之下一点不寒碜。那时方枪枪还小，没开始发育，一些器官功能不明以为仅仅是个撒尿的出口，怎么观察也只发现屁股在人体上位置突出，把它当做核心机密，被它的表面襟怀坦白所迷惑，产生了一些错误的同情心理：这么动人的一段身体为什么总用布罩起来，让人家一年到头见不到阳光。又不是钻石镶的，人皆有之，大同小异，用物以稀为贵也解释不通。瞧把它捂的，多么苍白。

他深为自己乃至大家的屁股打抱不平。这只说明了他和我的无知，现在想来很惭愧。很简单，这不是屁股的问题，与它无关。单只一个屁股，我想就像马一样天天露着也无妨。关键是它还有个邻居，这邻居乃是天生罪犯，你必须从小就习惯将它单独监禁，否则日后你将有大麻烦。

人的身体长得如此不科学，百兽之中没一个这么不自重的，即便是同样用两只脚走路的鹅也不像我们那么无耻——把生殖器悬挂在身体正面。假如我们不采取一些隔离措施，那么，从开天辟地到如今，我们互相彼此连一句正经话也不会说。更谈不上发明创造，修铁路盖工厂，改善人民生活。

你可以认为屁股只是一个受害者，它的全部过错就是选错了位置，要是它长在肩膀上，它的一生就不会总给人装在裤裆里那么暗无天日。可怜的屁股，当它露出来时脸色多么晴朗，样子多么放松。

仅仅是光着，就让它感激，呈现出对环境相当适应，十分合拍的姿态，这就叫自在啊——该下垂下垂，该收缩收缩，该发凉发凉，该着风着风，本来属于你的形状、感觉现在都归于你，再也没有什么东西挡在你和温度之间。你会发现貌似无动于衷的它每一寸肌肤都是活的，都在呼吸，甚至——有一点傲慢。

方枪枪以一种即便算不得淫邪也绝称不上光明正大的目光盯着为数众多的屁股看，闷闷不乐地想：什么东西多了也没意思。顶让他不舒服的是居然大家的这些东西都跟自己的一样，并没有谁长着尾巴。当然，墙那边的女孩子的情况也不清楚，下结论为时尚早。但是，单就表面的雷同便足以令人还没着手工作先泄了气。我想，由于我的影响，他多少也觉得自己有点与众不同，这不同起码，也应该在身体打上一些记号。尿盆还有镶金边儿的呢，未必姓名只是脸的一个形容词。如果大家都这么不分彼此，那还要我干什么？我来到这个世上又有什么意义？那天，猛一下看到那么多互相模仿的屁股，对方枪枪只是一个小小的触动，日后他还将为自己无异于常人的身体陷入迷惘。

男孩子们来到更衣室，像将要下水的鸭群奋不顾身，一片聒噪，隔着不封顶的木板墙也可以听到的里间更衣室女孩子们的朗朗喧声。

汪若海第一个脱光衣服，像一匹摘了勒口卸了鞍子的马欢畅地活动着自己的身体，对大家宣布：我可以变成一个女的。

接着，他把小鸡鸡从后拉进两腿之间，这就使他从前面看上去只剩下一道浅槽儿，的确像个女孩。

男孩们一片欢笑，十分惊讶这一改装的显著效果，似乎他们真的看到了女孩子的身体。很多孩子仿效他，对把自己变成一个瘸腿女孩大为开心，这传染病一样迅速蔓延的兴奋也许已经有一点性意识在其中了。

高晋刚脱下裤子，感到尾巴骨被一只手轻轻按了一下，惊回首，方枪枪别有用心地朝他一笑。

摸我干吗？

摸你长没长尾巴。方枪枪公然说。扭着屁股走过去，又摸了把张宁生。

张宁生大叫：有人要流氓啦。

高晋一溜小跑撵上正要对高洋下手的方枪枪，照他屁股蛋子就是一巴掌，这一脆响使得男孩们发现了身体的另一妙处，一时间，男更衣室里像很多小口径步枪在射击，噼啪之声不绝于耳。在这混乱的场合中，方枪枪的屁股上被打上很多手印子，像穿了一条红裤衩。

李阿姨从里间更衣室出来，大声制止男孩们的胡闹，命令他们都进浴室。她穿了一件大背心和一条没膝大裤衩，胸前那一对大奶子触目惊心。她把男孩们都赶进位于第二间浴室的那口大汤锅内，自己像只锅盖立在锅沿儿上，手指大家喝道：

都低下头，谁也不许抬眼睛，互相监督——你，你，还有你。

烫啊——男孩们发自内心地呻吟叫唤，很多人的眼睛不老实地瞟来瞟去。

女孩子们像惊弓之鸟或漏网之鱼一组组三五成群跑过去，钻进最里面的浴室。她们大都用窄窄的毛巾围住自己的胯部跑过去便露出屁股。这种遮挡在和她们朝夕相处、坐卧不避的男孩看来有点故作姿态，就像参加追悼会，平时可以面对的熟人现在都要低下头，也使湿漉漉、到处充满水响的澡堂忽然变得不同寻常，弥漫着极其暧昧、针对性别的下流气氛。她们刻意掩饰的是什么？一定有人教导她们有些东西不能给男孩看，这个教导者想必是个白痴，因为谁都知道那前面什么也没有。或者那是她们的一个游戏，对男孩的一种模仿类似汪若海对她们的模仿。

方枪枪坐在热水里，一眼一眼看着经过前方的女孩子的屁股，心想这些与男孩没其他区别的屁股上也看不出什么好和特别之处。总浸泡在热水中使他十分不耐烦，真实的念头是：不要看了，我今天看的屁股够多的了。但仍忍不住一次次抬头，像是得了强迫症，连自己也感到沮丧和厌恶。

陈南燕从他眼前跑过去，这是他有所期待的一个目标。那只屁股瘦小结实，有两个凹陷像一对酒窝，在跑动时也纹丝不颤，分得很开，像两条大腿更浑圆粗壮的顶轴。

我没发现他当时有什么思想活动，满池热水已经把他的身体泡得十分麻痹，脑子也昏昏沉沉，即便有所感触大概也被瘴气般捂脸斥鼻的热浪冲淡了。我想他觉得这是个相当好看的屁股，非同一般，因为他记住了，像摄像机把这一画面记录在磁带上，只要他愿意就能将其一遍遍重放如同陈南燕刚跑过去。这是一个冷冷的印象，或者说是一个纯洁的烙印。假使说日后这一印象在他心目中有了一些淫秽的味道，并引发了什么，在当时至多也只算是被狂犬病狗咬了一口，猛看上去并没有什么症状。

一柱热水滋到他脸上，方枪枪扭头一看，张宁生高晋一干人挤在一起看着他吃吃笑。

真无聊。

他懒懒地想。

方枪枪会写自己名字了。一笔一画歪歪扭扭，但写出来心里总是痛快，知道这三个字就是自己，一想起自己，不是那张圆脸而是这三个字。这种简化有时还会产生错觉，以为又出现了第三个人——在自己笔下。

大一班的孩子明年就要上学了，阿姨提前给他们上一些小学一年级的课，教他们认汉字掌握 1+1=2 这种复杂的计算方式。有时下雨，不能出去玩，我们大二班的孩子也跟着蹭听几节大一班的课，赶上什么是什么，这就全凭各人造化了，有心的孩子可以由此早熟。

我照猫画虎学会了很多平时常说的话怎么写：桌子、椅子、吃饭、劳动什么的。还有一些蛮抽象的字眼：社会主义、共产党、国家、革命，因为总听，习以为常，也当做有实物形状的名词不假思索地认识了。写的时候脑中一概浮现出一尊高大魁梧的男人身影，以为这都是关于这男人的不同称呼。

知识的大门这就等于向我们开了条缝，新词汇瀑布般倾泻在我们这些孩子头上，从黑板、书、歌、阿姨和大孩子的嘴里一迸而出。那是一个神奇的过程，纷纷扬扬的世界被笔画繁复的文字重组，每一件形象分明的物体都有一个单线条的缩写，每一个动作、每一个念头都有命名，一提便知。那时我才知自己有多渺小，在人类活动中所占的份额之少，一些词完全与我无关，写出来望而生畏，每个字都认识，联在一起不明就里。有这个词存在，必是有那么一种行为。特别是一些动词，所指一定在每个人的能力内，为什么对我们来说那么陌生，我们到底还能干什么？这激起了我们极大的好奇心。

我们会唱的第一首长歌是《三大纪律八项注意》。那首歌，从第一句到最后一句通篇宣读十一条军纪，一句废话没有，完了就完了。据说这是毛主席当年为改造红军战士煞费苦心想出的高招：谱成流行歌曲。

李阿姨最爱听我们唱这首歌，一旦有人违反了纪律，她就让我们全体唱这首歌，违者锥心，闻者足戒，一服药治百家病。

这首歌很好听，曲调简单，歌词易懂，这不许那不许跟不让我们小孩干的事区别不大。只有一条，我们都没干过，也不知道那是个什么意思，所用动词十分抽象，第七条。

每当我们唱到“第七不许调戏妇女们”时，都把重音落在“调戏”这词上，边唱边用眼睛互相询问，意味深长地点头，微笑，都有点不好意思。很多女孩红了脸低下头，男孩也像自己真干了什么坏事似的，一种内疚油然而起。

唱完这歌，我们就怀着强烈的求知欲，坐在一起对这“第七条”东猜西猜。

我认定这是个单一的明确行为，像摔一跤、打一嘴巴那样只能用一个动作完成。这就很难猜了。打一下不对，骂一下也不对，这都有其他条规定了。抱一下呢——我问大家。

也不像。高洋说，必须妇女还得不高兴。你妈妈是妇女，你抱她一下，她挺高兴。

那撞一下呢？张燕生问，不打光撞。

大概吧。高洋是我们大二班里学问最大的，已经认了七百多字了，都能看报了，什么都懂，我们有问题问他，全有答案。我们也都信他，既然他说是，那八九不离十就是了。

走走，调戏妇女去。我们很兴奋地去找正在扔沙包的女孩，一个推一个往她们身上撞。

女孩们齐声骂我们讨厌，我们很得意，果然她们不高兴。对她们说：我们调戏你们呢。

杨丹号召女孩们：他们调戏咱们，咱们也调戏他们。

于是女孩们也成群结伙地冲过来撞我们。我们男一行女一行靠在墙上互相撞，彼此调戏，十分带劲，乐成一团。

大一班的张宁生高晋看着我们冷笑，相当不屑地教训我们：别无知了，你们那不叫调戏，还美哪。

怎么才叫调戏呢？我们这帮小孩走过去虚心向大一班的学长

请教。

那是看——懂吗？张宁生倨傲地说。

光看看就调戏了？我们嘻嘻笑起来，互相看：我调戏你了。

要不说你们这些小屁孩什么也不懂呢。张宁生对我们嗤之以鼻，我让你们瞎看了？得挑地方，看不让看的地方。看见那边马路牙子上坐着的那个小班阿姨了吗？她里边什么也没穿，我们刚才已经去调戏过她了，现在你们可以去。

我们假装打打闹闹经过那个阿姨身边，在她面前接二连三跌倒，往她白大褂底下迅速瞄了一眼，飞快爬起来跑了。除了她的两条大腿谁也没看见更多的东西，但都欣喜若狂。那种紧张、略有些羞耻、极怕被人逮住的滋味的确十分刺激，是违反军纪应该产生的感觉。还要强一些，更令人惶恐、欲罢不能，像明知道馒头烫手还要伸手拿，现在我知道那叫犯罪感。

犯罪感大概和冒险感差不多，都是一种能使人亢奋、有所创造的情绪，都有置常规公理于不顾，舍本逐末的特征。成年人也许能区别这两种东西的界限，而在儿童那里这两样往往是一回事，都给他们循规蹈矩的日常生活带来意外的快乐。

学会了如何调戏妇女，男孩们乐此不疲，经常像离了拐的断腿人猛地摔倒在女孩子的裙下。

女孩子们很快知道了男孩子在玩什么把戏，也变得扭捏，躲躲闪闪。那时这还不太令她们反感，毕竟不疼不痒，没什么损失，谁也不认为目光是一种侵犯，只是男孩们一副鬼鬼祟祟的样子，非得她们也显出一副受袭扰的样子。大家都认为这是一种新游戏，谁多想谁才心理不健康，下次就不带她玩了。当男孩像鬣狗一样从四面八方向她们悄悄靠近，她们背贴背站成一圈，很多人脸上带着微笑期待着，只要某个男孩一弯腰，她们立刻尖叫着大笑着像一群惊飞的麻雀一哄而散。

有的女孩向阿姨告状：阿姨，男孩调戏我。

阿姨也说：胡说，这个词怎么能瞎用。

我们都在“调戏”中找到了乐趣。男孩眼中，女孩子突然变得神秘、富于吸引力，像身藏宝物的小精灵，逮到一个就发大财了。女孩子也在男孩子的追逐下感到自己金贵，像桃酥那么娇脆，削了皮的鸭梨那么水灵。很多女孩都变得自信，自以为是，差不多的都端起架子，嗓门练得倍儿高，倍儿嗲，怎么也没怎么就朝你翻白眼，来一句：讨厌。见到玻璃、白铝，哪怕是一泡尿，凡能照出影儿的都要瞟上一眼，就像谁没瞧见似的。这都是我们捧起来接着给惯坏的。

最可怜的是谁也不去调戏白给都不要的。

陈北燕还屁颠屁颠往我跟前凑，跟我说谁长尾巴的事儿。我毫不客气地对她说：一边待着去，以后少理我。

陈北燕就拿哀怨的目光瞅我，走到哪儿一回头，准有她一个照面。真让人受不了。我很想去问问张宁生高洋这些专家，她这算不算调戏。

高洋宣布他要当众画一幅画，主题是陈南燕坐便盆。我们嚷给陈南燕听，她朝地上啐了一口咒道：画不像。

像怎么办？我们问她。

像就是流氓。陈南燕说。

于是高洋开始画，我们都围在旁边看。他先画陈南燕侧脸：鼻子、眼睛、嘴巴。几笔下去我们就很惊叹，因为他画得的确很传神，一眼就能认出那正是陈南燕而不是别的什么人。接着他画她的头发，那一对抓鬏，正是陈南燕平时梳的样子，我们都很佩服高洋，这家伙真是样样精通。他往下画陈南燕的肩膀、胳膊、腰，这都是穿着衣服的，一笔带过。最后，当他画出那道生动的圆弧时，我们都歇斯底里地笑了。

那个便盆也同样惟妙惟肖，被我们认出来了，是保育院小班用过的，这使画面更加可信、有说服力并引人回味。张宁生举起这张画给陈南燕看，穿戴严实的陈南燕立刻哭了。

这一哭超出我们的经验，使我们觉得调戏这件事果然不简单，并非一个无伤大雅的游戏，可以使一个骄傲的女孩子当众哭泣。我很激动，曾经出现过的那种犯罪感再次袭上心头。这才叫调戏呢。我隐隐感到触到了一个巨大无名的物体的边沿，它是什么我不清楚，但它的味我已经闻见了。

雷锋的故事本身很正经，但故事里有一个词令我大为震惊，那是他妈的事，她被地主“强奸”后上了吊。

强奸——什么意思？我被这词吓坏了。这显然也是一个针对妇女的行为，比“调戏”严重得多，有动手的意思，一动你就活不成，挨上了就只能上吊。这两个字写出来比听上去还要邪恶，那些充满暴力线条和无耻撇捺的笔画，仅仅看一眼就会后脊梁冒凉气，像挨了一拳那么难受。不用问，光这两个字搁在一起就有“狠狠对待”和“又损又缺德”的印象，想必是一种酷刑，但又不许用家伙，像钉竹签、灌辣椒水、坐电椅都是犯规。

我看着身边这些娇滴滴的女孩，俩手攥拳牙咬得咯咯响想着怎么残酷对待她们：掐她们？咬？使劲掰手指？

我实在想象不出一个男的怎么能赤手空拳活活逼死一个女的。

高洋对我们说：那就是调戏完再打她或者打完她又调戏。

那也不至于吧，我表示怀疑，我在厕所里打过于倩倩，她也就是哭一场。

我们去问张宁生：你知道吗——怎么强奸？

张宁生眼望远方，嘴叼草棍儿，一字一顿地说：那—是—要—生—小—孩—的。

我们当场傻掉，大张着嘴呆在那里，直到张宁生离去，才合拢嘴，立刻觉得嘴干得不行，咽吐沫都没有。

毫无疑问，他是对的。我们都看过电影《白毛女》，那里那个胖胖的穷人闺女喜儿也是给人强奸的，后来大着肚子推磨，在山里电闪雷鸣的黑夜生下个死孩子。

那么，高洋思索着转过脸问我，唐阿姨是给谁强奸的？

是啊，久已没来上班的唐阿姨也有个喜儿那样的大肚子，我们都知道那里装着一个小孩。这孩子很深沉，不吃不喝像个神仙，唐阿姨有时和他说话，从没听见他搭腔。唐阿姨也像喜儿一样满面愁容，懒于行走，经常一个人坐在窗下，眼中充满忧伤。

我和高洋分析了半天，张宁生不像，高晋也没那个胆儿，只能是老院长了，全保育院就他一个大男人，也就他有劲强奸唐阿姨，唐阿姨还不敢说。

我们分析的结果是，唐阿姨不一定是上吊自杀，而是像喜儿那样跑进西山当白毛女去了。因为解放已经好些年了，唐阿姨的觉悟肯定比雷锋他妈高，有反抗斗争的决心，她不能白在军训部保育院工作这么长时间。

我和高洋遥望西山那一脉在夕阳下格外阴沉的起伏廓际线，眼前仿佛出现白发披肩的唐阿姨奔走跳跃在山涧沟壑打猎摘果的身影。尽管我们都不太喜欢她，但看到她落到这步田地，心中还是很同情的，都盼她早点下山。

老院长经过我们身边，亲切地向我们问好。我和高洋仇恨地看着他，情不自禁做出手里有枪平端横扫的架势，弄得老院长莫名其妙。

他哪里知道这一刻我俩正心潮澎湃。

我想的比高洋还多一点，唐阿姨、包括喜儿，肚子里的孩子从哪儿生出来，如果不在肚子上拉一刀，显见的出处就是屁眼了。这可太恶心了，这使我对强奸这一秽行进一步感到丑恶和极其肮脏。

那么，我是不是从屁眼里拉出来的？这一想使我顿觉浑身上下不干净。一定不是的，因为方枪枪他爸妈结了婚。

结婚——结婚这就是说组织批准了，就是说你可以不自己生孩子，你可以到上级那儿去领个孩子。因为蚂蚁也是这样的，谁也不自己生，有个蚁后管生所有的小蚂蚁。沿着蚂蚁洞一直挖下去，就能找着她，她的个比谁都大，白里透黄，半透明。

他们无意发现了一些人生真相，都觉得受了恶性刺激。

现在所有小朋友都知道强奸是怎么回事了，电影里有演过，一个镜头：陈强老地主觍着脸扬着下巴嘿嘿笑着伸手去摸……

摸什么——不知道。下一个镜头喜儿肚子已经大了，飘了雪花。

张宁生也不知从哪本书或哪部电影趸来一句台词：摸摸你是粗布细布的。

我们在打闹时也互相模仿一下，扬起脸呆笑，边伸手扯人家裤子念念叨叨说：摸摸你是粗布细布的。这只是在男孩之间，没人真敢去强奸女孩。大家都小，不想要孩子。班里这拨女孩都挺娇的，进深山老林也活不到头发变白。我们是愿意和她们玩，有几个女孩也是大家都喜欢的，并不想把她们逼上绝路。

另外，这是犯罪啊。

“强奸”这个词在我们班流行开了。男女生的关系陡然变得紧张、对立。女孩似乎也很怕这个词，说也不能说，一听“强奸”就像已经被强奸了似的，又哭又闹，拳打脚踢，光是这个词，就感觉她受损失了。

一天午睡起来，十几个女孩的裤衩都被人用剪子铰断了。没人知道是谁干的，只知道她们被集体强奸加调戏了，那场面真是令人发指。那些女孩抱头痛哭，大家也都唉声叹气，觉得她们受到玷污，不纯洁了。

大家想这回她们死定了，谁也救不了她们，逃到月亮上也洗不清这一奇耻大辱，看她们的样子，也确实是不打算活了。这使大家万分难过，不好劝，也不好拦，这有点不成全人家的意思。作为一个班的小朋友，在书上电影上，此时似乎也只剩下日后徐图替死者报仇这一手了。

我不再羡慕、想当一个女孩。她们太容易死了，有很多理由阻止她们活下去。还是当一个男的好。一般来说，谁也别想用一个词伤害你。要整死你，必须用一些实在的方法：枪崩、炮轰、刀砍什么的。

当然这十几个女孩一个没死，不是不该死，而是脸皮厚——方枪枪这么认为。

| 第十二章 |

死，对我们来说司空见惯，每天我们都能听到、看到很多人在我们身边死去——在故事和电影上。所有的故事无论开头多么平淡，结尾一定是以杀人和被杀告终。这些故事讲的就是一个好孩子到了怎么变成一条好汉。董存瑞呀、黄继光啊、邱少云什么的。这些人从小在家放牛、打柴、种地，就爱帮助人，遇事豁得出去，那么丁点大就看出日后天不怕地不怕的性格。没过几年他就哭着喊着上了战场，一去就大显身手，好几次眼瞅着咱们都不行了，打不过人家，这哥儿几个冲上去了，炸碉堡的炸碉堡，堵枪眼的堵枪眼，邱少云稍差，光趴着不动来着——一举翻过手来，咱们又赢了。

他们死得惨，可说是粉身碎骨，但值，值疯了，咱们多打死多少敌人啊——战友们这一冲。我们很算得过这笔账：拼一个够本，拼俩赚一个。

要看多杀人，电影可比故事带劲得多。一仗打下来，漫山遍野都是死尸。随着冲锋号一吹，激昂的音乐就会响起，枪炮声都成了这部乐曲的音符，一点都不恐怖，只让人从心里往外痛快、过瘾。

尽管很多好人，让我们多少有点舍不得的漂亮小伙儿狂喊一声“为了新中国”就此消失，无影无踪，之后的庆功会再也见不着这人，一提他剧中人都有些难过，我也不认为他这就是死了。这离去另外有个叫法：牺牲。

有学问的孩子都知道“死”和“牺牲”完全是两回事。死，那是什么也不知道了，哪也去不了，就在倒下的地方腐烂，变成一摊泥，简称：嗝儿屁。全称：嗝儿屁着凉大海棠。

牺牲——意味着你被打中了，留下是不可能了，但你有个好去处，很远很远，具体在哪儿我也说不清，也许是天上，也许是空气中。但你别不爱去，那地方据说不错，死去的好人都奔那儿了。谁傻呀？都是为共产主义奋斗终身的。共产主义是什么？就是大家伙都吃穿不完，享用不尽。“土豆烧牛肉”——这也忒小瞧、埋汰共产主义和共产主义……者了。

而且，甭管你是否再不能回来，你这名算是出了，我们大伙都会怀念你。如果你还有其他一些东西带不走，那也不要紧，帽子、鞋、枪我们都会替你保管，给你搁玻璃柜里，加上你的照片、字迹，都贴墙上。把你编进故事，拍成电影，谱一支小曲儿，唱你，想你，一天八遍念叨你，男女老少泪汪汪，如此，你自己说，你算“一去永不回”吗？

最合算的是你再也不会死了，牺牲的时候是多大永远是多大，永垂不朽。

我也想去那儿，永远耷拉着哪儿都不坏。

大人把他们的希望编进我们唱的歌中，那心情殷切、迫不及待：

“吹起小喇叭，哒嘀哒嘀哒，打起小铜鼓，咚隆咚隆咚……勇敢杀敌人。”

“不怕敌人，不怕牺牲，顽强学习，坚持斗争，向着向着……未来勇敢前进。”

其实不用他们给我们打预防针，谁都知道这是好事，又露脸又没亏吃，我们何止是不怕牺牲，都有点盼着哪。

当好孩子—参军—杀敌—牺牲—永垂不朽。

我很明白大人急切想要我们走的路——没问题。

有问题的是敌人，他们还够不够我们这么杀的。

李阿姨告诉我们，敌人很多，普天下还有三分之二的劳动人民没解放，只怕杀不完呢。

她挂起一幅世界地图给我们看，除了我们自己那一块，周围都是敌人，李阿姨手那么一划，全世界都包括在内了。

好好，下一辈子也不用发愁失业了。

爸爸妈妈到底杀过多坏人，这是每个小朋友都关心的。尽管牺牲这事听上去不错，我们还是更钦佩光杀别人自己没事的人，那说明这些人武艺高强。

如果这些人恰巧是你的爸爸妈妈，你会感到无上荣光，在小朋友中也有面子。

张宁生之所以在小朋友中威信高，成了男孩的头儿，除了他打人最疼、骂人最狠这些以外，跟他爸爸杀坏人最多也有很大关系。他爸个子有门那么高，一进保育院头就撞灯泡。两只大手一手能抓五个馒头，两个手指就能掐住小孩腰把小孩举到半空，一看就是扛重机枪的叔叔。

他是全国著名的战斗英雄，打过平型关、塔山和海南岛。天津就是他第一个冲进去的，别人跟上来时已经叫他占领一多半了。这英雄光用刺刀就挑死一百多鬼子，二百多伪军，其他用枪打死的数也数不清。《上甘岭》那电影里的连长拍的其实就是他，这我们都知道，张宁生他妈就是那唱歌的卫生员，打完仗他们就结婚了。他还打下过一架鬼怪式美国飞机，用三八大盖眯眼那么一瞄，啪勾一声，就掉下来了，跟打鸟似的，活捉了美国飞行员，一个参加过第二次世界大战的老油子。

李作鹏遇见他也很客气。都是战友——张燕生老爱这么说。

杀人第二多是汪若海他爸。《打击侵略者》里奇袭白虎团那事就是他带人干的，在场的那些美国坦克、卡车都让他一把火烧了，不知多少大鼻子没跑出来，烤了羊肉串。当年抗日的时候，李向阳都是他手下，让干什么就干什么，一声不敢吱，都服他。

这人毛病就是脾气暴，跟小孩也瞪眼，谁进他家门都得喊报告，不喊掏枪就打。汪若海说，好几次子弹都擦着他脑瓜顶飞过去，差点削着他。给这么块料当儿子，等于玩命，一家人都不容易。

大伙说的这么热闹，每人的爹都跟赵云似的，方枪枪一想：我爸也别落后啊，也得动过真格的，要报个数，要不保育院的小朋友的爹排座次，他算老几呀。

方枪枪周末回家，和方超一起缠着他爸追问：你杀过人吗？杀过几个，够一百吗？

方际成同志支支吾吾，闪烁其词：怎么想起问这个？

小朋友的爸爸都杀过好几百，张宁生张燕生他爸都上了千。

他亲口说的——老张？

告诉我们吧，小哥儿俩一起央求，给我们讲一个你的战斗故事吧，要不我们在小朋友中都没得说了。

讲一个就讲一个。方际成被缠得没法，只好答应。他看上去一点不振奋，还有些需要费劲想的样子：讲哪出呢？

最打的。方枪枪方超搬了小板凳围绕方际成膝前，仰着无邪的脸蛋。

方际成娓娓叙来：最打的就得说四七年了。我们前脚进了大别山，敌人后脚就跟了上来，每天都得跑路，一歇下来枪就响了，队伍越走越短，跑不动的，生了病的就给敌人抓去，肉都打光了，就剩骨头了。

这是什么意思？方枪枪看了眼方超，方超也很纳闷，到底谁打谁，怎么净给人家追了，还打得只剩骨头。

方际成没发现小哥儿俩的困惑，沉浸在自己的回忆中：吃的也不好，没得吃，老百姓都跑光了。大别山穷啊，一下来那么多部队，老百姓说，我不跑就要饿死。

方际成说着说着精神焕发：国民党很蠢，人又多装备又好，就是撵不上我们。你们猜为什么？

谁要猜你们为什么跑得快，我们等着你转身打呢。方枪枪内心不满，一声不响。

方际成十分得意：因为我们掌握了他们的密码。他那里给部队下命令，我们这里同时就知道了，他下完命令，我们再下，就在他前一个村子宿营。我生病了，打摆子，有人提议把我留给老乡，什么留给老乡，就是留给国民党嘛。郭天民讲：抬着，部队到哪人抬到哪。四个连的警卫保护着我一个人在山里转。我是宝贝疙瘩，译密电码都靠我，全部队就我这么个初中生，哪里舍得——这么着拣了条命。所以你们要好好学习……

你胡说！方枪枪忍无可忍，站起来指着他爸：你造谣、污、污、污蔑。他气得口不择词，人也结巴了。

我怎么污污——蔑了？方际成笑着学他。

哪有光让敌人追的，你们一打他们不就消灭了，还用那么跑，也好意思。

谁让你一打就消灭了？敌人没手，没枪啊？枪比你还好，还多，不跑，只有死路一条；不跑，哪里出得来一个新中国，让你天天有饭吃我的乖儿子我很好意思……

方际成伸手去抱方枪枪，撅着嘴想亲他一口。

方枪枪一把甩开爸爸的手。这个人是越说越不像话了，合着堂堂新中国是马拉松比赛跑出来的，那么多敌人都是跑没的，谁腿长谁得胜利，这要不是胡说八道，那就没有什么可叫胡说八道的了。

那么你呢——方枪枪转身问在一边看书听着他们对话笑的妈妈：你参加革命这么些年也净跑了？

我哪有你爸爸他们那么走运，他妈妈放下书笑着说，我是想跑也跑不了。腿再快你能跑得过美国飞机吗？我们那是现代化战争，不像你爸爸他们还能看见人，飞机一来，方圆几公里就炸平了。我去朝鲜三年，只见过一个美国人，在天上，开着架 F-86，对着我就俯冲下来。我躺在一间茅草房里，也生着病，肺炎，心里说，你千万别扫射呀，蓝眼睛我都看见了，碧蓝碧蓝的，嘴还在动，大概嚼着口香糖。这小子手摁在按钮上没发射，冲下来看我一眼就飞走了——差点你就没妈了。

你们，方枪枪指着父母气急败坏地说，你们都干吗了，不是跑就是生病。

这对父母可是让方枪枪失了望。万没想到两人身体都那么不好，一到节骨眼就生病。敌人一来，跑的跑，装死的装死，这和电影上演的实在太不一样了。我怎么那么倒霉，爸爸妈妈都是胆小鬼，一个敌人都没打死过，星期一怎么去见其他小朋友。

方枪枪在被窝里呜呜咽咽哭出声，被子都湿了。

躺在旁边被窝里的方超安慰他：别信他们的，他们是故意这么说的。

可他们自己都承认了。

那是他们杀的少，不好意思跟你说。方超开导弟弟，你想啊，八百万国民党，五十多万日本人，二百来万伪军，加三十几万美军，七十万南朝鲜人，这有多少了？

方枪枪掰着手指数来数去数不清。

一千一百多万。这还没算红军打死的。这么多打死的，解放军才有多少人？

不知道。方枪枪完全被这些天文数字弄晕了。

三百万——这是书上说的。三百万杀一千一百万，平均一人杀几个——你算吧。

算不出来。

知道你也算不出来，告你吧：一人七个，三七一千一。所以，我早知道他们杀过多少人了，一人七个，加起来十四。

少是少点，总比没有强。方枪枪好受了点，翻了个身望着窗外夜空中的月亮静静地想：等我将来遇见敌人，一步也不跑，把他们都打死。一千一百万都是我打死的，我是大英雄，元帅，骑着马回 29 号，都给我鼓掌，羡慕我……他就那么手托着腮睡着了。

第二天，死了一个元帅。从城里源源不断开来黑色的小卧车，一辆接一辆缓缓驶过 29 号门前的马路。有人说，毛主席周总理坐在那些拉着帘的小卧车里，剩下的九大元帅、十大将什么的也都坐在其中的车里，死去的元帅躺在一辆车中。

方枪枪挤在大人腿下露出个头，看着从天边排到天边的黑色长龙，羡慕地想：赶明儿我也躺在小卧车里回来，让路边挤满人看我。

第三天，他想当老侯，举着手榴弹骗一炮楼伪军：我就是李向阳。

第四天他想当王成，被敌人包围在山头上，身背步话机，又扫机枪又扔爆破筒，一边拉弦一边咬牙切齿地说：我让你们上，让你们上。

第五天高洋刚睡着就被他捅醒了。他伏在床栏上苦闷地对高洋说：我怎么想怎么觉得李阿姨是特务。

谁？高洋一下没醒过梦来，迷迷怔怔地问。

大鸭梨。方枪枪又扒拉了几下高洋，把他彻底搞醒。

你没觉得她像吗？特务都长她那么难看，又凶。《铁道卫士》里那个女特务王曼丽小姐，说话、动作和李阿姨多像啊，贼头贼脑那劲儿也一样，就是个儿矮点。

高洋睡眼惺忪想了一会儿，说：可能，马小飞被捉的时候她跑了，这几年又长高了。

特务要化装那可太容易了。方枪枪沉思道：她要是呢，就一定会有手枪，也许是左轮。

我知道了。高洋一骨碌爬起来，嘴贴着方枪枪耳朵小声说：我在中班就听人说咱们保育院有个女特务，假装当阿姨，有一次午睡她擦枪，被一个小朋友看见，就被她弄进锅炉房掐死了，这案一直没破。

你一说我也想起来了。方枪枪也捏着嗓子不发亮音儿大开大合着嘴说：肯定是李阿姨干的。那时候咱们小，都没发现她，所以她才一直带咱们班。

现在你打算怎么办，报告去？

我想自己逮她——你敢吗？

敢倒是敢，就怕她掏枪。

不怕，想办法，一下按住她，让她来不及摸枪。

两个小孩正互相咬耳朵，算计李阿姨，只听寝室门一响，李阿姨打着手电进来了，明晃晃的光柱四下一摇，直朝这边射来：那是谁还不睡觉，快回自己床去。

方枪枪哧溜钻床底下，蹬腿扭臀往自己床那儿爬。高洋也连忙躺下闭眼不动，他感到手电的光柱照到他脸上，眼前一片光明。李阿姨照了一会儿他，又去照别处。

她把光柱照进方枪枪的床，这孩子睡得正香。

李阿姨关了手电，带上门转身出去。

高洋在一张张床下爬行，半道上碰见向他爬来的方枪枪：是你吗？他小声问。

是我。方枪枪爬过来亮出手中一条塑料跳绳：我找了条绳子，试了，挺结实，勒死人没问题。

高洋拿过跳绳比画着，想象着：咱们拴个活扣，等李阿姨睡了，套她头上，一勒，再一齐骑她脖子上，估计她就痰了。

最好先来一拳封了她的眼。

你提醒的很对。这样吧。我套她你封眼。

张燕生爬过来：你们说的我都听见，带我一个吧。

行。方枪枪掉头往外爬，让我侦察一下李阿姨睡了没。

爬到门边最后一张床，两只手揪着他背心肩带把他拖了出来。

张宁生高晋光着膀子站在方枪枪面前。张宁生摇着头对他说：别露怯了，特务不是这样捉法的。

方枪枪一回头，所有小朋友都从自己床上坐了起来，黑压压一片人头，每张脸上都有两个闪闪发亮的磷点，宛若繁星突然落入室内。

寝室门吱呀开了，这一响如同胡琴调弦也拨动了方枪枪的心，几乎使他呻吟出声。

敢死队出发了。男孩子猫跃般一个接一个从门里扑出来，一接地便立即匍匐前进，呈扇面向李阿姨床铺摸去。张宁生爬在第一个，紧跟着他的是高晋，接下来是方超，再后面是高洋、张燕生、汪若海，然后才是方枪枪。

保育院大班的精锐都出动了。

方枪枪很激动，第一次战役终于打响了。可恶的、一贯伪装进步的李阿姨就要束手就擒被他们这些小孩就地正法了。他们将是全国小朋友学习的榜样，还没到上学年龄就破纪录捉了个特务，今后的小人书将记载他们这一壮举。小人书封皮会写上故事的名字：智擒女特务。第一页画着一个圆圆脸的小朋友摸头思索，下面写道：可爱的保育院大二班小朋友方枪枪有一天忽然产生了怀疑……

噗——

爬在他前面的汪若海放了一个极为细长高低拐弯的屁，打断了方枪枪的遐思，准确地说，打断了他的血管、神经、呼吸和爬行能力。全体小朋友也都短暂地被吓昏了，行为，意识统统中断，一秒钟之后才活过来。每个人无比痛恨汪若海，边爬边发狠，等弄死完李阿姨第二个就弄死你。

可耻——李阿姨突然大声说了句梦话。

可怜的孩子们一下绷断了最后一根神经，眨眼之间人都不见了。

惊魂甫定，敢死队员们才发现自己……们此刻水泄不通地挤在门后——寝室门后，用尽力气顶着门，谁也想不起从敌前匍匐到这一姿势的中间过程。

几个女孩子已经跳出窗外，这时在外面小声焦急地问：怎么啦怎么啦。

窗台上也站满了警觉的女孩子，随便一声响动都可能引发更大规模的跳跃运动。

爬在第一的张宁生被关在门外，既推不开又不敢喊，只好挠门，一下下刺耳的刮指甲声，更加重了寝室内的恐怖气氛。

是我，我，张宁生。他对着门缝吹气般地呢喃。

高晋用力拉开一道门缝，放他溜进来。

张宁生无声大骂：胆小鬼！逃兵！

高晋一把捂住他嘴：小声点。

张宁生余怒未消，从高晋指缝间断断续续地说：我都扑……去了，你们没了。

李阿姨醒了吗？

正在喝水。

一听这话，刚还了魂的孩子们又都趴下了。

孩子们从地上门缝看见李阿姨开了盏台灯站在床头端着大茶缸子仰头喝水，庞大的身影映在墙上，如同老魔鬼现了原形。

方枪枪又昏了过去。

清白的、无辜的、睡得晕头转向的李阿姨晃荡着两只罩在背心里的大奶子，闭着眼睛走进厕所撒尿。

这一泡尿撒得很长——孩子们趴在地上默数：一、二……十七。

李阿姨闭着眼睛从厕所出来，撞了一把小椅子也没睁眼。离床还有一步之遥，她纵身把自己扔了上去，一头栽在床上，吧唧着嘴发出一些近乎吞咽的含混音，很快打起呼噜。

没有一个孩子再充好汉了，他们的力气都在对付这些恐惧的声音中用光了。

现在，只有去去去报告了。张宁生摇摇晃晃爬起来，带头走向窗户。

二班长背着五六式半自动步枪在东马路上慢吞吞地走，夜里的空气清凉，路旁的果树花丛散发出一阵阵浓郁的香气，二班长口干舌燥很想趁黑摸进果园摘个桃吃。还是在家里看青好，全村的庄稼随便摘，运气好还能套条狗吃。这时他听到扑通扑通连续重物砸地声，头皮一紧，枪已下肩，循声望去，只见月下一所大房子的窗上一片片黑影往下跳，地上无数黑影向杨树林狂奔。

哪一个？二班长声音很低，但在寂静的夜里传出很远，听上去十分威严。

那些黑影突然不见了，眼前又是空旷建筑，婆娑树影。

二班长咔地打开刺刀哗啦推弹上膛，这两响在静夜里惊天动地。他荷枪实弹深一脚浅一脚向杨树林挺进，心里想着各种可能出现的突发事件，紧张复习近身肉搏的一些招数。

二班长光顾搜索树前树后，一脚踩高，只听一声惨叫，心中一激灵，低手回枪，但见刺刀尖前出现一张圆圆的孩子脸，这小脸在黑暗中五官透明，盯着枪尖快速眨眼像是不停翻白眼。再一看周围，满地孩子仰着雪白的脸朝他眨眼，二班长浑身一阵肉麻。

都起来！二班长一声怒喝。孩子一弓腰，二班长腿抬过膝——他这才发现自己右脚还蹬在这该死的孩子后背上。

李阿姨渴、热、肌肉酸楚，施展不开，而此刻正需要她大显身手——她被汹涌的大河波涛裹胁夹带顺流而下。她喊、叫，竭力把头露出水面呼吸氧气。刚才她和她那班孩子在过河摆渡时翻船落水，湍急的河水把孩子们一下冲散，一颗颗小小的人头在波浪之中若隐若现。李阿姨急得跺脚：这要淹死几个，怎么得了，必须营救，我死也不能死一个孩子。高尚的情感充满着李阿姨全身。有人在岸上喊：哪一个？李阿姨小声喊：我、我、是我。那人转身走了，李阿姨流下绝望的眼泪。方枪枪从她身边漂过，她伸手去抓，一把抓空，汪若海又从她身边漂过，她又没抓住。她大哭起来，游了几步，忽然看见方枪枪没冲走，正躺在一个旋涡上打转，喜出望外，扑过去一把捞住他……

这时，她醒了，看见满屋华灯齐放，自己紧握老院长的双手半仰着身子以一种非常别扭、非常荒唐的姿态恳切地面对着他，好像她在临终托付，又好像对人家感激不尽——这都是哪儿和哪儿啊？

李阿姨羞得满脸潮红，甩掉老院长的手，钻回被窝。她发现警卫排的二班长也背着枪站在老院长身边，饶有兴趣地瞅着她。

这是怎么回事！老娘睡得好好的，一老一少两个大男人前来开灯参观。李阿姨正要发作，老院长先开了口：

小李不要怕，小李不要慌，我们是有事前来，很急，很突然，否则我们也不会这么晚闯进来——你是起来听啊还是躺着听？

躺着。李阿姨把被角拉到下巴处遮严自己。

那你就躺着，我们坐下。老院长拉着二班长坐。二班长：我还是站着吧。

老院长自己坐在小李床上，侧着身子，以其一贯的和蔼慈祥望着小李，如果不是在深夜，小李会以为这是领导真诚的关心。

怎么说呢？你的工作我一向是满意的，敢于负责，敢于管理，小孩子嘛，就要严格要求，点滴培养，原则对的……

老院长语无伦次，挠着花白的头发看着二班长：还是你说吧。

我刚才巡逻经过你们门前，遇到一群孩子向我报案，说是发现了一个特务，让我去抓……二班长也说不下去了，望着老院长直咽唾沫，喘息。

后来呢？小李倒是听出些兴趣，催着问。

后来他就来找我。老院长困难地吐字，带着孩子。

再后来呢？

再后来，再后来我们就到了这里。老院长不住地看二班长，二班长看自己的鞋，两人谁也不敢看小李。

那些孩子是哪个班的？小李倒很平静。

你们班的。

特务呢？特务是谁？

老院长看着小李，眼里露出由衷的歉意。不对，他是在忍着什么，李阿姨又去看二班长，他背对着她两个肩膀微微抽动。

接着，李阿姨毫无精神准备，老院长和二班长同时爆发大笑。这笑声来得如此突兀、持久，这二人也觉得不合时宜，不好意思，又停不下来，于是付出极大毅力像好干部焦裕禄那样捂着肝区，脸上流露出痛苦表情。

李阿姨先是受到他们感染，也莫名愉快跟着笑，笑了一回明白了，羞愤交加，披上白大褂，一撩被子站到地上，手指哆嗦着从上到下系着扣子。

老院长忙上前拦她：小李，你要冷静，务必冷静。孩子们也是警惕性高，没恶意……说着又哈哈笑起来。

李阿姨绕着老院长走，一个劲儿说：我找他们去，问他们，谁，凭什么，从哪点，怎么就看出我是特务。

二班长也帮着拦、堵、劝：我们都没信，都知道你是好人。

谁向你报的案谁给我栽的赃？今天你一定要告诉我，这可事关我的政治生命你要对我负责二班长——躲开。李阿姨撞开老院长，箭步冲向寝室。

她一脚踢开寝室门，拉亮灯没头没脑地狂喊：全体起床。

再回脸睚眦俱裂：人呢？

同志！老院长一指她：你这副吃人的样子我是小朋友也要怕。

李阿姨鼻涕眼泪顿时一齐下来：这不是埋汰人嘛，这不是埋汰人嘛。

第二天清晨，第一道阳光照进院长办公室时，李阿姨思想通了。经过老院长的彻夜长谈，她明白做革命工作总要受些委屈这道理。孩子嘛，就是会干出些匪夷所思的事说些不着四六的话，他们要都有组织部公安部那水平才叫怪呢，神经正常的人谁会跟他们认真。

老院长让李阿姨拢拢头，洗把脸，把哭红的眼睛用凉毛巾冷敷一下，鼓励了她一番，许了一些愿，亲自陪她回到班上。

孩子们迎着霞光战战兢兢望着本以为除掉的特务又回到了他们中间，听老院长兴冲冲地训话：

你们的李阿姨不是特务。这个我调查了，她的档案我看过，出身很苦，解放前拣煤核，解放后当工人，对党感情很深。特务组织不会要她的。你们不要以为长得难看就是坏蛋，那是在电影里，穷人挨饿受冻怎么会长得好看？你们的爸爸妈妈就都长得好看吗？我长得也不好看，要说当坏蛋我比李阿姨还有资格，你们应该先怀疑我才对。

老院长讲到这儿，孩子们都笑了，气氛变得轻松。

老院长扭头对李阿姨说：我不是说你不好看，是说这事，打比方。

李阿姨小声说：懂，我懂。

李阿姨只对大家说了一句：没想到小朋友们觉悟都这么高……就红了眼圈，再也说不下去，捂着鼻嘴，朝大家再三摆手，也不知什么意思，是算啦还是解散，也许两个意思都有。那份委屈，羞羞答答，满腹心事欲言又止，小朋友们瞧着也不忍，人人自愧，深感对不起李阿姨。

那天上午，一切很好，很祥和，师慈生孝，李阿姨温言软语，小朋友乖顺听驯。

中午师生都睡了一个很长的午觉，寝室内外一片静谧，知了在窗外声声入梦。

下午，大家玩得友爱、规矩——团结、紧张、严肃、活泼。李阿姨想起昨晚自己也暗暗好笑，这些孩子其实可爱，讲给爱人听老头一定笑得人仰马翻。也怪自己缺乏幽默感，当场哭了不好意思，应该索性装几天特务，吓吓他们，也玩了也树立了国防观念。

一声令下，孩子们都到外面排队，准备散步。李阿姨在屋里转来转去，帮助动作慢的小朋友收拾玩具。走到方枪枪跟前，一眼看到他背后清晰的鞋印子，还琢磨了片刻，等想到这是二班长的军用胶鞋踩的花纹，顿时失去控制，感到自己像个点着捻儿的

“二踢脚”第一响在脑门内爆炸了，第二响，之后就什么也不知道了。

方枪枪记得的也不多，只见李阿姨大步流星奔向自己，说时迟那时快，飞起一脚正中自己胸膛。也看见天也看见地看见四周每一堵墙和一扇扇窗户。

没有疼痛的感觉，也不害怕，只有那迫在眉睫骤然巨大的皮鞋底子上弯弯深刻的纹路和李阿姨眼中野蛮的眼神使他终生难忘。

第十三章

翠微小学因路得名。和它同名的还有一所中学，一片商场。毛泽东有一句优美的诗：帝子乘风下翠微。常给方枪枪幻想：两个悲伤的皇帝女儿来到我们这一带，踯躅彷徨，像小学生一样不敢过马路，最后哭死在路边，埋葬她们的那片树林就叫公主坟。经毛主席这么一番感叹，翠微小学也像是有来历的，不是随便什么人胡乱起的名字。

方枪枪舔着冰棍随父母在翠微路商场闲逛时，屡屡不经意地走过那小学的门口。小学门前有新华书店、黑白铁门市部、土产日用杂货商店和一间巨大无比的公共厕所。星期天这儿是熙攘喧闹的商店街僻静的一角，只有厕所静静散发的臭味和校门口那几株高大杨树的哗哗叶响。站在新华书店台阶上能看见校门内那块写着字的白粉影壁，字是繁体、竖行、红油漆涂得龙飞凤舞，方枪枪认不全，只读得出头尾：好好……向上。

有时，方枪枪溜进无人看管的大门，走到影壁前端详那几个字。他绕着影壁走，发现影壁背后也写满字，同样是繁体、竖行，字体瘦硬，显见不是一个人的笔墨。方枪枪仰着头使劲辨认，穷肠搜肚也只认出并列的四个“……毛主席的……”,这已使他满足。

当他转身，便看到一部分校园，那是一所很大的红砖堆砌的院落：一排排一模一样的红砖平房；很长的红砖墙；微微拱起的红砖甬道铺在地上拐向四面八方。无人的中午，这院子也像是在沸腾，很多窗户在闪烁，阳光密集坠落都能看到那针尖大小的形状，掉在地上像砸进一行行金光闪闪的铜钉。这毫无内容然而热烈的景象使人莫名地感到振奋，油然而起一些向往，像无聊的人路过一所热闹的医院，很想住进去当几天病号。

翠微小学是方枪枪将要上的学校。29号的孩子到学龄大都要进这所小学念书。有一种说法，这小学最早是29号、通信兵和警卫一师三个院联合建的子弟小学。历届学生除了这三个院的孩子，只有一个牛奶公司经理的儿子和一个翠微路商场书记的女儿。这使方枪枪对这小学很觉亲昵，似乎它是29号的一个分号，一块海外领地，而他自己则如早许了人的黄花闺女，一想起“翠微”二字就像听见了爱人的名字，怦怦心跳，红着脸幻想未来的日子。

上学——这对方枪枪意味着一身制服，一个身份，农民有了城市户口，从此是个正经人：学生。再不是什么“小朋友”。

这很不一样。去年，大一班的小朋友都成了“学生”。他们穿上了白衬衫蓝裤子的制服，每人都有了一个帆布书包。本来都是玩得很好的朋友，突然之间就有了差别。他们无一不显得傲慢，忙忙碌碌，跟“小朋友”说话也是一副屈尊降驾的样子。有的干脆就不理人了，好像“小朋友”都不配和他站在一起似的。方枪枪很伤心但也服气，因为“学生”就是显得高“小朋友”一等。

有一次，唐阿姨领着方枪枪他们去北门外马路上看大汽车，正碰上翠微小学的学生从商场里出来。那是一个平常的日子，不知为什么这些学生那么郑重其事，摆着全副仪仗招摇过市。

最先看到的是一面从百货商场和蔬菜大棚之间飘出的鲜艳校旗，接着看到旗下一个胖小子一手叉腰一手挥舞着闪亮的仪仗杆神气活现走出来，他后面是一排排挎着小队鼓的漂亮女孩子，一排排孕妇一般挺着大队鼓的高大男孩，一排排手持铜号的少年号手。他们队形整齐，服饰统一，手里的鼓号光彩夺目，像宣传画上走下的人物，行进在杂乱的街上十分好看。每走出一段路，他们便一齐发作，鼓号齐鸣，造成整个地界儿沸反盈天的气氛，行人过客纷纷驻足。

刚一听到那阵高亢、明澈、有如婴儿响亮啼哭的铜号音，方枪枪的心就被他们夺去了。

接着，在小队鼓一阵阵晴天骤雨般的鼓点声中，学生的大队人马源源不断走出来。他们打着一面面火炬金星红旗，人人上白下蓝脖子扎着红领巾，徒手，很纯良，有纪律，相当尊严。一定要比喻的话，就像一支简装的拿破仑时代的法国军队。

在这么一支有着古老仪仗、旌旗、鼓乐、清一色着装的大军面前，歪戴大壳帽、腰扎皮带、斜插玩具手枪，自以为武装到牙齿的方枪枪活像个小丑。自己也觉得很业余，没品位，差着不止一个档次。很多 29 号的大小孩子焕然不同地在队伍里走过。他看到张宁生高晋方超陈南燕时尤为眼热、不愤、神驰意迷。

带我玩吧，他站在马路边无声地恳求，让我也能这么红装素裹，严肃、认真、凡人不理，一齐摆臂、抬脚、昂首阔步——咱们都很牛逼。

他想要那身白蓝制服，要那根红带子。像所有心智未开的人，他产生了一种数量崇拜，慕大狂情节，只要是多的、大的，就是好的。这么想的同时伴生一股自甘轻贱的冲动：急于抹杀自己，委地雌伏，套上脖圈，忠心耿耿，屁颠颠跟在后面，让扑谁扑谁让咬谁咬谁。

那类特别想归类，特别想表现表现，露一手，让人一眼相中的念头特别强烈，强烈得接近痛苦，如果他有足够的表达能力，他会把这惮侃成一个伟大的召唤。

所以，读书识字，十分次要，要紧的是赶快跟大伙搞在一起，当个有组织的人，有自外于人的装束、铁的纪律、无数同志和一面可以全心全意向其敬礼的华丽旗帜。

那天，他在小学生队伍里还看到一些奇怪的女人，她们也穿着少先队的队服，系着红领巾，腰身很粗，烫着短发，混在纯洁的孩子们中间，显得老谋深算。他猜到这些女人大概是传说中的那种叫“老师”的人物。有关她们，人们的议论很多，常常是一面倒地说好话，除了党和人民就属她们高尚。一说像干妈：絮絮叨叨，爱管闲事，时不时给孩子一些好处；一说是魔术师：小孩子被她们黑布一蒙，再变出来性情大异，再也不会淘气，有的变成一块砖有的变成螺丝钉有的变成房梁柱，社会主义建设都用得上；一说手很巧，尤其会种菜，又当阳光又当雨露又当肥料又当蜜蜂，也叫“辛勤的园丁”。这诸多说法引得方枪枪天真幻想：她们是活神仙。

方枪枪毕恭毕敬地仰望着经过他身边的老师，不知哪一个将是自己的日后恩人。这些相貌平平的妇女看上去并不那么神奇，也毫无热爱农业生产的迹象。老实讲，她们脸上有一种方枪枪十分熟悉的神态：敝帚自珍、假客气、眼睛朝天——和保育院那些比较生猛的阿姨常见的表情并无什么不同。方枪枪一下反应过来，明白一个大家从来不提却始终明摆着的事实：说一千道一万，老师是学生的上级，长官，管你的人。

这就对了。这就是为什么凡经过老师手的人一提她们就激动，就结巴，只好唱，或者押韵，好好说都不适合表达对她们的看法。

这没什么不好，其实倒简单了，更符合方枪枪那个年龄的孩子的理解力。你说老师他不知道是什么，你说这是排长！他立刻知道她是谁了。

有一种观念在方枪枪头脑中很顽固，也不知是从何而来，想不起受过何人故意灌输，人之初就盲目坚信：人是不可以独立存在的。都要仰仗、依赖更强大的一个人。人被人管，层层听命乃是天经地义，小孩也不该置身事外。尤其是小孩，父母所生只是一种植物，花啊草啊什么的，必须经过很多很多年，很多很多人管，才能“长大成人”。

有人管是一种福气，说明你在社会之中。

社会——那是家之外众人行走的大街，很热闹。被闪在外面，一想就痛不欲生。

原来是排长啊，方枪枪心里一块石头落地：那就好办了，没什么新鲜的，你下令我执行，听你话就是了——很好相处。

千万，千万你对我要严厉，别给我好脸，免得我错会了意，错表了情。我这人贱，不勒着点，容易蹬鼻子上脸。最怕当头儿的两副面孔，平时慈眉善目，平易近人，说翻脸就翻脸，一点过渡没有。什么爱呀，关怀呀，谁要你来献媚？咱们也不真是一家子，该怎么样就怎么样。我愿意老师都像日本小队长，沉着脸挎着刀，一说话就瞪眼，张嘴就是八格牙鲁——我和同学永远立正，俯首帖耳，挨着耳光也姿势不变，一口一个嗨依。那才省事，谁跟谁也别来假招子，你总是那么酷，我也知道怎么进步。

方枪枪心中对老师暗暗提着殷切期望，一路走回保育院，端着，神情步履都很庄严。到了晚上，生完孩子心情一直不错的唐阿姨受逼不过，悄悄走到方枪枪身边，问他：

你哪儿不舒服？

方枪枪一下变成驼背，最后一点力气也用光了，张了张嘴，没发出声音。

九月的一个好天气，方枪枪心绪不宁地随队走在上学的路上，沉重的新书包一下下拍打着他的右胯像是一只满含嘱托的大手。朝阳把枫树成行的翠微路照得十分亮堂，一个树影也没有，好像那是一条前途远大的金光大道。书包内的铅笔盒发出轻微的哗啦声如同坚果开裂不断分着他的神。

路西走着很多通信兵院的孩子，三五成群，沿着自家院墙行走。他们看上去很整洁，男孩子很温和，女孩子不少楚楚动人。

29 号这一侧也有很多自行上学结伴而走的孩子。他们看到方枪枪这一班有保育院阿姨押送排队上学的孩子，便露出很优越的样子，一些男孩子齐声朝他们喊：俘虏班俘虏班。

方枪枪闻声便害臊地低下头，很收敛地走，真如做了俘虏一般。同队孩子有不好意思的，也有无所谓假装没听见的。无所谓的是方超陈南燕那些大孩子，老俘虏兵，一往无前走自己的路。

他们都是家里没大人和大兄姊的孩子，入学后仍要留在保育院，混编成一个附属班，从一年级到四年级。这是丢脸的事，如同会自己撒尿了还裹尿布。喊他们“俘虏班”最起劲的也正是他们的老朋友，那些刚刚退园的孩子。高洋张燕生和汪若海几乎是撵着方枪枪喊，方枪枪低着头也能把他们脸上幸灾乐祸的表情看得一清二楚。

唐阿姨对这些孩子的起哄置若罔闻，给他们充分的言论自由，甚至还对这切中要害的谐音笑了一下。你可以发觉她其实也不那么刻板，对孩子们无伤大雅的玩笑也能够欣赏。

一进翠微路商场那条小街，就看到大批小学生从每一条巷口、拐角走来，校门口更是人山人海，彩旗飘扬，好像还有大喇叭放着欢快的童声歌唱。很多老师站在校门口迎接孩子，她们没穿那天那身冒领天真的少先队服，显得朴实、更值得信赖一些。戴红领巾的孩子进校门时纷纷扬起手臂向她们行礼，远远看去波浪滚滚。刚才还在人群中东张西望显得有些茫然的唐阿姨不见了。紧紧抱团走在一起的附属班孩子也散了。周围全是脑门晶亮五官模糊的陌生孩子，挤挤挨挨吵吵嚷嚷，一眼一眼横七竖八瞅起来带有小动物那种警觉和审视。

方枪枪走丢了。绕过那座白豆腐般写着一片字的影壁，眼前是更大群川流不息的孩子。他随着人走，每到一处都觉得是刚刚经过，穿过一排房子，那里的孩子就大一截儿。后来他看见一个红墙环绕的操场，有水泥砌的孤零零的主席台和一根飘着国旗的旗杆，那儿有两排独立的房子，进出的都是高大冷漠的少男少女。身边的人不知什么时候都没了，他心里发虚，赶紧掉头往回走。走着走着跑起来，整个院子都空了，回去的路上一个人没有，跑到影壁，校门口也空空落落，似乎刚才那番热闹喧嚣的场面是个幻觉，并没真实出现过。

有一刹那，方枪枪眼睁睁经历了他小时候常做的那个噩梦：光天化日之下，四周的景物和蓝天向他很有质量地挤过来，离得很远都能感到它们沉甸甸的分量。只是一刹那，这颇具压迫感的空虚消逝了，他听到人声远远近近地传来，看到房子上一扇扇敞开的窗户内一张张真实的人脸。红甬路远处走来一个人，那是个五大三粗的男老师，一脸青胡子楂，穿着白球鞋，快乐地哼着歌儿，一双明亮的眼睛一路友好地瞅着方枪枪，似乎还向他使了逗趣的眼神。方枪枪笑了，没来由地感到满心欢喜，心里也像拭去灰尘的镜子一下明白了。

他经过一排房子，看见陈南燕坐在一个窗口，方超坐在她身边。另一个班里，他看见张宁生和一个好看的女孩子坐在起。在一年级那排房子外，他看到高洋张燕生汪若海坐在不同的房间里，每人身旁坐着一个陌生的女孩。

循着每间教室门上的木牌号码，他走到那一排最后一个房间，那木牌上用毛笔写着：一年级六班。

方枪枪一走进房间顿觉室内昏暗阴凉，一个年轻妇女迎上来轻声问他的名字，让他跟着她走到后排的一个座位。那是一张柚黄色的十分宽大的双联桌椅，另一半已经坐着一个梳齐肩双辫的女孩。这女孩上身前倾，盯着斜下来的桌面一动不动，好像一个热切迎上去的动作做了一半。她的鼻子很尖，像一个指示，你很容易陷入对这尖儿滴下东西的等待之中。她脸皮也薄，方枪枪坐下时无意碰了一下她光裸的胳膊，那上面的血飞快地流了过去。我认出她是通信兵那群好看的小姑娘中的一个。

房间里还有很多人，男孩女孩，一对对坐着，他们那么安静，如果不是渐渐看见你根本料不到是在人群中。方枪枪看见陈北燕坐在右前方，她瘦如面条，紧张不安地和一个头发蓬乱的男孩坐在一起。在他入坐之后还有孩子陆续进来，在门口耀眼地一晃，被领进人群，安插在我们中间。我看到于倩倩、许逊这些熟悉的面孔。

房门被关上了，也许是太阳移动了位置，朝南的那一排窗户明显亮了起来。年轻妇女在黑板上写了个大大的“朱”字，告诉我们这是她的姓。然后她拿着一个写着我们名字的本子点名，念到谁就要站起来。她静静仔细地看这个孩子，似乎要把这孩子永远记住。

我们也仔细地看着她，似乎要在那张脸上找到什么特别的东西。

朱老师的脸的确洋溢着与众不同的气质：黑皮肤，金鱼眼，朝天鼻，厚嘴唇。很像六一儿童节台上那些满脸涂鞋油弯着腰唱“西方来的老爷们骑在我们的脖上头”的黑孩子长大以后。这倒算不得神奇，但也引人遐想，感觉她来自遥远的地方。方枪枪知道我们国家很大，不知是否也和非洲接壤。

她的打扮也是我不熟悉的一种风格：一身薄薄的料子，熨得笔挺，暗暗透出一些颜色，走动转体也无一丝皱褶波及，像书本里夹得过久的蝴蝶。风吹来她的卷发也从不飘动，牢牢硬硬开放在脑后，你会以为那不是真正的头发，是装饰在人头像周围的一堆乌木雕花。我注意过她的脚——方枪枪有毛病，看人总是先看脚——那是两只尖尖的露出大半个脚背的高跟鞋。很轻盈，有重点，走起路像无线电发报机滴答作响。

她说话含混，似乎那两片厚厚的粉色嘴唇妨碍了她发音。我不是说她有口音，是指有一些字词遗漏了，被挡住了，听那样不完整的句子十分吃力，有一种使不上劲的感觉。渐渐地，你就跟不上她，感到被她推在一个距离之外，心情也随之变得黯淡。

我没料到真正的老师是这样的，那和方枪枪听到、猜测的全然不同。我做好全部思想准备去面对一个上来就张牙舞爪、十分兴奋、有话语强迫症的人，去受她一个袭击，一顿棒喝，就是给方枪枪来个大背挎我也不稀奇。我真的相信方枪枪有很大缺陷，不是他们说的那种好孩子，而且单凭自己努力毫无希望改变。这要靠老师，靠她们假以辞色，实行一些强制手段。我是很虔诚的，很有抱负，希望通过学校管教，使方枪枪达到一种境界：所有字都认识；一身好拳脚，谁都白打；觉悟特别高，心眼特别多，中华人民共和国交给他领导也出不了什么乱子，属他和毛主席关系最好。

她不可以这样对待我们的，这样雅致、这样从容不迫、文质彬彬、这样温良恭俭让——让人热脸贴了个冷屁股。

当时我真是不知如何描述自己和方枪枪对这位朱老师的感觉，一年以后“文化大革命”爆发我才找到准确的词，她是“不革命的”。没有什么过硬、可以起诉的证据，完全是一己印象。这女子教了方枪枪三四年，我对她只有第一天的印象。她的容貌、衣着、姿势似乎从没改变，手捧一册书站在有时幽暗有时明亮的讲台上，低着头喃喃出声，我们远远坐着像看一个影子似的目瞪口呆望着她。每天铃响就现身，一遍一遍重复自己，要让她消失，只有等下次铃响。

她是教语文还是教算术，我也忘了，那么多日子上她的课，她也一定传授了一些基础知识给方枪枪。但我没感觉她有过什么意味深长的影响，几乎可以说两不相干。有一个场面在我记忆中像昨天才发生一样清晰，也许那很代表她对我们的态度：

刚下完雨的阴天，在 29 号院墙外的翠微路上，她走在被雨水冲刷得十分黑亮的柏油马路上，方枪枪和许逊在满地开了花似的红胶泥土路面上一步一粘脚地走；她是刚送完放学的路队回校，他们俩是犯错被留校私逃回家。她和他们迎面相遇，对他们视而不见，毫无反应，以她那个人种特有的步态，前挺后撅，发着报一步一步跨着走过去。那条路上只有他们三个人，天光把她的脸部照得黑白分明，我看不出她那时有多少心理活动，依旧是平淡、自我和消极。方枪枪和许逊好像很得意，很不怕和她的相遇，有点公然流窜的意思。

方枪枪分析她是怕高跟鞋被胶泥粘掉而不敢前来追击。

朱老师什么时候离开方枪枪他们班的，我也没在意。那个时候很多人都会突然失踪，班上的同学也经常大批转学，空出很多座位，有的过两年新开学又出现了，有的再也没回来。

很长时间，一提到“资产阶级派头”、“事不关己高高挂起”、“明知不对少说为佳”这些词句，我就想到朱老师厚厚紧闭的嘴唇、纹丝不动的卷发、如同洒在窗外些许灯光的眼神。这老师给我留下的就是这些干巴巴的概念。

那一天，我们还在那个红墙环绕的操场举行了一个开学典礼。我见到了台上的校长，他是一名前少校，穿着一身人字呢的老式黄军装，瘦瘦的个子，面前有扩音器仍声嘶力竭的样子。他的名字和我们部部长张宗逊只差一个字，叫张宗仁，依我糊涂之见，他几乎、差不多、大有可能该是那上将的弟弟。哥哥管大人，弟弟管小孩，这安排很搭调。

作为一个小孩，初出茅庐便有一个真正的少校当领导，方枪枪很知足。少校，那差不多是个团长。一个小学，趁个团长，大家出去笑傲江湖。

翠微小学在我们那一带不是好学校。名气远在“育英”、“十一”之下，也比不了海军的“七一”空军的“育红”总后的“六一”

这些大院自己办的子弟小学。其实我也没去过那些学校做比较，只是执著认为一所学校的好坏全在于它的学生是否都来自一个山头，我当那是纯洁，高人一等的标志。

我们已经很将就了，三个院的孩子混在一起上学。到方枪枪入学时，翠微小学已面向社会开放招生，同学一半来自周边的地方人家，出身可疑：什么“黄楼”的，一座大楼孤零零立在路边，也没围墙，无人站岗，底下一层还卖粮食；还有“羊坊店”的，一听就是纺羊毛的店，家家养羊也未可知。这些孩子的涌入，使“翠微”在整个地区愈发普通，真是绿色很少，用兵痞的话说：一支杂牌。

多亏有少校，才捞回一点面子。

少校同志在红旗飘飘画像林立的台上像个大英雄对我们——他的部下慷慨陈词。台下高年级少先队组成的华丽阵容使这场面很像一次军队校阅。我说过方枪枪有慕大情结，崇拜军队或近似军队的人群，遇到就犯贱，抖擞精神，摆出一副数他最效忠的样子，还替别人着急，比谁都瞧不上自己这排光秃秃、乱哄哄的一年级新生。

方枪枪卖弄自己的立正姿势，高傲地瞟着身旁的同学，觉得自己很精锐，别人都是乌合之众，特盼有宪兵前来纠正。

少校在台上说得很热闹，都不是他自己的话，而是一套公共用语，主要由林彪的话组成。林元帅是民间艺人，有编段子和顺口溜的机智。庞驳深奥的毛泽东思想经他一归纳，也就剩三言两语。“林老师”开一代风气。没有他，那个时代会少许多热闹。

方枪枪听着少校滔滔不绝的发言，一句没听懂又似乎心中没什么疑问。那语言就是那么奇妙，无知的人也能够听得津津有味。那种夸张，任意使用最高级别的形容词，像口哨一样简单明亮的短句，听上几句人的情绪就变得饱满、欣快，不再注意话的内容，被声音铿锵有致的节奏迷住，只要对仗工整，在韵上，耳朵就很满意，内心就是佩服。

这种语言刚从保育院出来的孩子都不生疏，大体和儿歌一个路子，都是没什么正经话要讲，只图嘴巴快活。我们的世界很单纯，没任何思想要交流，人与人关系也很明了，语言作为工具就废了，只是当做一个身体习惯延续下来，如同我们都不在树上住了，但看见树仍情不自禁要抱抱它，爬两下试试。

少校开学第一天站在台上就没再下来，像朱一样只给我留下单一印象。我只在台上见到他出现，一身屎黄，永远在演愤怒且激烈的哑剧，一个不属于他的洪亮声音雷声一般从我们头顶滚滚而过。我在那个红墙环绕的操场开过太多的大会，很多时候一想起方枪枪的小学时光就觉得净开会了。也许那一天的会并没有后来的那些会那么花哨，校长也未必狐假虎威地穿军装。但对我都一样，我分不清“文化大革命”前和“文化大革命”中大会的区别，都是声势浩大，场面闹猛，学着大人物的口气用儿童语言说话，对小孩来说很娱乐。

那天剩下的一件事就是：我知道了方枪枪同座女孩的名字：吴迪。

| 第十四章 |

第一天放学见到院里高年级的女孩她们就问：你当了什么干部?

方枪枪说：语文课代表。

陈南燕说：那不算干部，就管收收作业，第一批入队不一定有你。

第二天放学见到院里高年级男孩他们问：你是你们班几王?

三王。方枪枪说。

才三王！张宁生告诉方枪枪，我弟和高洋都是他们班大王，汪若海也是二王。

开学之初，少先队还没在一年级建队。老师临时指定了几个班干部，负责上课喊起立，全班排队时整队。那完全是以貌取人，像选妃子一样谁长得好看，讨人喜欢，再有点伶俐劲儿就挑谁。朱老师的目光在方枪枪脸上停了一下，一刹那方枪枪脸热心跳，逼真地想到日后自己在全班面前发号施令的情景，告诫自己一定要果敢、沉稳、勇于负责、不留情面，谁不听话就命令他出队，再不听令就揍他——都想到了——朱老师叫陈北燕站起来，宣布她当班长。

她不行！方枪枪在底下焦急地嘀咕。实在没听众，就对吴迪说：她嗓子还没蚊子声大呢，在我们保育院外号“蔫鬼”。

吴迪背着手一声不响。片刻，怕怕地看他一眼。

反正我不听她的，方枪枪悻悻地扭着身子，你也不许听她的。

朱老师要挑副班长了。方枪枪又神采奕奕坐直坐好，笑微微死盯着朱老师。他真的觉得自己长得不错，像不太正经的女人想利用自己的姿色捞取一些好处。

可惜朱老师不识货，看上去并不以为他美，很喜欢地看着吴迪，想了想说：那就你当吧吴迪。

方枪枪卖淫不成，由媚生嗔，怨恨地望着朱老师，心里念叨着：行，行，桌底下踢了吴迪一脚。

吴迪姿势不变，慢慢哭丧着脸说：又不是我愿意的。

方枪枪盯着老师，小声唧唧喳喳地说：那你也得罪我了。

方枪枪，朱老师点他的名，你当语文课代表。

方枪枪弯腰站了一下又坐下，想不领情，不那么容易被收买，但还是偷着乐了，面部豁然开朗，抿着嘴傲然四顾。

“三王”，这是男生里的一种辈分，是靠身体条件和尚武精神决定的一种权力排名，相当于黑道上的三哥。这也是方枪枪因为错觉、歪打正着赶上的一趟末班车。他有几分尚武，但那永远是在假想中，没人针对他动手的情况下。他比他自己愿意承认的还要软弱一些，不是有教养、文明程度高，而是真正的胆怯、女孩子气、怕疼。别人轻轻挥舞一下拳头，内心就受到严重惊吓，立刻想到无条件投降，只是由于吓呆了，反应慢，或是还没来得及好意思说出讨饶的话，被人认为坚强、面不改色心不跳。

“大王”——是陈北燕同座的那个头发蓬乱的男孩，黄楼的，叫马青。开学第二天上午头一堂课课间，老师不在教室，这孩子就站起来对全体男生宣称：我是大王。

然后挨个走到每个男生座位前，用手捅他们脑门问：承认吗？

说承认就放过去，后脑勺上扇一个脑瓢儿；不吭声的也算默认，也给一个脑瓢儿。

当他走到警卫师的一个叫杨重的孩子座位前，这粗壮的孩子挺身而出乒乒乓乓和他打成一团。这时你可以看出马青是个打架老手，那都不像小孩的打法，一拳一拳照人打去的是半专业的直拳。他还会一点摔跤，扫堂腿德和勒什么的。一个绊儿就把比他高半头的杨重撂在水泥地上，死死压上去，捣米捣蒜一般，很快就听到杨重被闷住的呜呜哭声。

马青爬起来，宣布杨重是“二王”。

他走到方枪枪座位旁，方枪枪已经站起来，如临大敌，思想激烈斗争究竟是勇敢留下来还是一窜跑出去。决定跑了，还没动身，想最后看一眼，看看女孩子们是否都在看自己——脸上挨了剧疼的一拳。也许是他的姿势摆的太模棱两可，还缺那关键的一转身才能理解为跑；也许他太矜持，表情过于空洞因而像是无畏。总而言之，马青误会了，以为他是反抗，径直给了他一击。这一拳打的他像撞了墙，方枪枪蒙了，本能地抡起胳膊，想要推墙，看上去像是还手。第二拳是个酸鼻儿，鼻涕眼泪一齐下来，眼前一片朦胧，什么也看不清，又是本能地扶住桌面，正好马青上来使绊儿，于是没倒。马青抱着他后腰，左绊右绊，方枪枪两手死抓着桌子，歪了又挺直，斜了又扶正，频频拉动沉重的四联张座位。

在桌椅擦地、翻斗桌盖来回劈啪作响和坐在里面惊恐万状的吴迪的尖叫声中，方枪枪眼泪成行屹立不倒，像是宁死不屈很有骨气的样子。

这时上课铃响了，马青松开方枪枪跑回自己座位。方枪枪劫后余生，只觉浑身酸痛，就手坐下，有心大哭一场，又拘着老师已经上了讲台，只好强颜欢笑，背手认真听讲。

下一堂课间，老师刚走出教室，方枪枪原地连身都没起伸臂抱住桌子，歪头盯着马青，那意思是说任你千条计我只有老主意。

马青很开面儿，对一副执拗相的方枪枪说：我不打你了，你去打杨重，你们俩争二王。

杨重离开座位，站到讲台前的空地看着方枪枪：你来。

方枪枪依旧扒着桌子，呆头呆脑地说：我没劲儿了。

从此，他在大伙心目中就是三王，那是他用一顿皮肉之苦换来的。他对同院孩子提起这事倒也有点苦尽甜来的沾沾自喜。

一年级的功课很简单，对保育院出来的孩子更是容易掌握，一些基本的运算法则和常见字都学过，只要细心，考试时拿个双百小菜一碟。方枪枪和一些女生经常并列第一，排名不分前后。他很喜欢语文课本上的课文，一个星期就把那本书看完了。那些课文通篇传授一些小聪明小窍门：乌鸦如何喝到瓶子里的水；司马光怎么救出淹在一口缸里的小朋友。这很合方枪枪的秉性，他就是一个爱耍小聪明的人。这些堂而皇之印在书上的内容更使他觉得小聪明是一个受人赏识的品质。有一篇课文隐隐触动了他的情感，一个叫孔融的小孩在全家吃梨时只吃了一个最小的。作为一个小孩他很同情那个小孩，他知道小孩孔融想吃那个最大的，只是不敢，不管他乐意与否他只能吃那个最小的。这与其说是一种美德不如说是令人伤心的现实：没有人让比自己小的小孩。你要想吃到大一点的梨，只有自己先变大，不管哪部分大——都行。

他用老师用剩的粉笔头在合二为一的课桌上给自己画出一多半，在椅子上也画了一道足可容纳两个大胖子屁股的线。他正告吴迪在任何情况下都不许越界，谁也不许碰谁“人不犯我我不犯人”。在这块宽绰的私人地盘上，他可以歪着、趴着、盘腿坐着，怎么舒服怎么来。吴迪只能挺着、收着、斜着身子以一种遮遮掩掩的姿势写作业，尽管这样写字时仍不免胳膊肘越过边界。方枪枪的乐趣就是等到她正要下笔出其不意撞一下她的肘部，使那个字的笔画突然转折。

他经常检查吴迪的铅笔盒，把这视为自己的特权，总觉得她的东西比自己的好。吴迪有过一块暗绿色像果冻一样半透明的香橡皮，被她视为珍宝，总也舍不得擦，十分精心地让这块橡皮保持着完整和香气四溢。这女孩上课时唯一的小动作就是低头拿着这块橡皮在自己鼻子下悄悄嗅来嗅去，脸上露出陶醉的神态。

趁她陶醉之际，方枪枪会劈手从她鼻前夺去那橡皮，放在自己鼻下使劲闻。橡皮散发的浓郁化学香气使他飘飘欲仙而且不止一次想吃了它。有时他会撮起自己上唇托住那橡皮，表演给幽怨望着他的吴迪看。橡皮滑落下来，他就会和吴迪一起抢那橡皮，两只手噼噼啪啪互相打对方的手背。吴迪抢到了，就把橡皮紧紧攥在手心里，方枪枪拿过那只骨节伶仃的小拳头放在自己大腿上一根一根掰她手指。吴迪的手指像一群滑溜溜的小鱼在他掌心欢蹦乱跳，总也抓不住人家，有时他就牢牢攥住一只停下来听一会儿课，这时吴迪也不动，和他一起安静地听讲，老师转身写黑板，他们又动起来。

方枪枪急了会掰疼吴迪，吴迪也不出声，一脸严肃和坚忍，那模样会让方枪枪想起小时候的陈北燕，他们同床他掐她时她也是这么一副面孔。吴迪的韧带很长，食指和小指都能反着撅成九十度。方枪枪再往下撅，吴迪的嘴角就会颤抖，眉毛一跳一跳，眼睛变得水汪汪，方枪枪心也就一下软了，放弃争夺松开她。吴迪就会深深低下头，一堂课都在抚摸那只被方枪枪握过的手。

只有一次她当真哭了。方枪枪抢到橡皮并且把它塞进鼻孔里。她一下呆了，盯着那块沾了鼻涕亮晶晶变成翠绿的橡皮眼泪流出眼眶。这时坐在前面的陈北燕忽然回头大声说：你们别闹了。

全班视线都集中在他俩身上，朱老师也停止讲课，望着他俩。过了一会儿，朱老师继续讲课，方枪枪和吴迪仍羞红着脸，久久不能从同谋共犯的感受中解脱出来。

后来，那块绿色的香橡皮不见了。方枪枪走到哪儿吴迪就跟到哪儿，放学回家也一路跟到 29 号西门，也不哭也不声张，只说一句话：还我。

方枪枪再三跟她解释：我没拿，真没拿。你都让我闻我还拿它干吗？

方枪枪掏出自己所有衣兜裤兜，把书包倒光高举双手：你搜我，你搜我行吗？

吴迪不动，只是重复说：还我。

朱老师出面解决问题，两个孩子都哭了，都坚持，一个说：拿了。一个说：没拿。你一句，我一句，没完没了，显得词汇都很贫乏。方枪枪稍稍变化了一下陈述：你冤枉我了。那位跟着说：我没冤枉。接着又是没完没了的重复。全班同学都逗乐了，一对一跟着学舌：拿了——没拿。你冤枉我了——我没冤枉。好几天大家一见面就是这两句话，几乎成了一年级六班的典故。有一次，朱老师上课前无意问了一句：板擦谁拿了？

全班立刻一起回答：没拿——你冤枉我了。

朱老师也不禁莞尔一笑。

你们也觉得我真拿了吴迪的橡皮？下课时男生聚在一起聊天，方枪枪凑过去试探地替自己辩解，想得到一些同情。

那你哭什么？马青轻蔑地望着他说，你为什么不打她？

我打她了，我推她、掐她、我……方枪枪茫然地凝视着远方。

没看见。马青脸伸到方枪枪脸前轻轻摇动，笑道，那也不叫打。

你们等着吧，方枪枪撸胳膊挽袖子气势汹汹地说，我这就让你们看。

一帮男生笑嘻嘻地嘴里喊着：看打架喽。眉飞色舞跟着他来到吴迪座位前。

吴迪正在和从前面位子回过头的陈北燕对题，不知道一群男生为什么忽然来到自己面前，漠然地抬头看了他们一眼。那视线并没有落在方枪枪身上，只是一扫而过。方枪枪还是被这平静的目光挡了一下，像夏天街头老太太推的冰棍车掀开棉被那一刹，被一股凉意冰镇了一下。这一犹豫使他的动作中断了，意图也暴露了，一种软弱的情感占了上风，他实在不是这块料：坦然地走到毫无防备的对手面前，冷不丁出手，劈面一记重拳。尽管这对手只是个女生，一个常受他欺负，根本无还手之力的小姑娘，他还是感到一种畏惧，因蓄意侵犯他人引致自己发生的不安全感。

这时陈北燕叫起来：你要干吗方枪枪！

这一叫使方枪枪羞愤难当。强烈的羞耻感使他差不多以为自己是正义的，正义的事业不容耽搁，于是他大义凛然地伸出手，给那坐着的小姑娘光嫩的脸蛋上凶恶的一巴掌。吴迪哭着从座位的另一边跑出去，方枪枪也一下变得敏捷，踩着桌子追上去。

这一手很老练，很像真正的坏蛋的做法——他迅速伸腿在正交替奔跑的吴迪的两只脚间踢了一下。吴迪张开两手向前扑倒，像一阵乱着的风突然停了，四周安静。她的膝盖手肘都擦破了，一脸土，哭得很不好看。

方枪枪走过去看，觉得自己终于清白了。听到旁边有男生啧啧赞叹“三王真厉害”，心里很受用，飘飘然，甚或觉得自己真会武了，走回自己座位时架着膀子一副练过的样子。

朱老师严厉批评了他。吴迪爸爸也到学校来了。那是个戴着眼镜文质彬彬的知识分子模样的军人，可以看出女儿的鼻子、嘴和皮肤遗传自他。

问题的解决是各打五十大板：打女同学不对；随便怀疑同学拿了自己东西也不对。

这个爸爸一看也是个懦弱的好好先生。方枪枪向吴迪道歉后，他也要吴迪向方枪枪道歉。我想我应该用“迫使”这个词。吴迪向方枪枪说“对不起”时委屈极了，我无法形容她那时脸上的神态。

数年以后，方枪枪家搬离 29 号院，在挪动床时方枪枪看见一块绿色橡皮。他忘了这东西的来历，吴迪也已转学到不知什么地方去了。他以为那是自己的遗物，拣起来闻闻，绿橡皮已经不香了，只有一股呛鼻的尘土味儿。

一年级小学生方枪枪感受到了做一个学生和当保育院小朋友的不一样。很多时候不能再依自己的心愿不假思索地行事了。譬如你不能又喜欢一个女孩又用欺负她的方式跟她玩。那种复杂的情感表达方式是不被周围人所接受的。要么你就跟她好像哥们儿一样，要么你就对她坏像地主压迫丫鬟，必须有个态度像大白天一样清楚。你不能想一套，做一套，心理是连贯的而行为是暧昧的。在这儿，没人关注你的想法，只注重你的行为也叫表现，不管你想什么，只看你怎么干。大家只凭这点评价一个人。

朱老师经常对全班同学讲：你们都不是小孩了。你们要学会对自己的一言一行负责，不能老拿“不是故意的”请求别人原谅。老师看一个同学的好坏就是看他的行为，良好的行为代表良好的动机，不好的行为就是你有不好的动机——雷锋同志能够那么满腔热情地为人民服务就是因为他有一颗火热的心“对同志像春天般的温暖”。

就我的印象，朱老师所言不是她个人发明，而是当时的官方观点：动机效果一致论。

都不是小孩了——这提法令人激动，那等于是要求一个人一贯正确，如果做不到，就一贯要两面派。我相信没有哪个孩子心理能和行为同步，除非你不老实，在某些时刻隐藏自我，那才有可能使自己像个大人——完美的人。那也不难，不与人的本性抵触，或者说那本来就是人性中的一部分。

我叫它伪善，伪善的说法这叫“积极要求进步”。

方枪枪希望自己具有如下高贵的品质：聪明、勇敢、忠诚。比较可怕的是他假装自己已经具备了这些品质，处处严格要求自己——更恰当地说是到处兴风作浪。

聪明——就是显派、咬尖、逞能。属我学习第一好，老师提的问题全能答，而且只有我配答，别人都是笨蛋。

每次课堂上老师有提问，他就把手举到天上，肩膀越过耳朵，直到欠起屁股全身趴在桌上，向前斜着身子如同一枚将要向老师发射过去的火箭嘴里连声恳求：老师，老师……

很多次老师让他答了，也有很多次让别人答了。没让他答时他就很不高兴，撅着嘴坐下摔桌子打板凳。别人回答正确他就朝天翻白眼，稍有不对他便回嗔作喜，先老师一步大声批驳：错了！接着嘲笑人家，欢快得胜地向老师举手：老师老师我会答。

连老师也不得不向他解释：我知道你会答，咱们多让一些没你掌握得那么快的同学回答。好像他和老师一样懂，上课的目的只是教教别的那些不开壶的孩子。

久而久之，班里有些同学回答课堂提问时面向的不是老师而是方同学，答一句在他脸上察言观色一番。他也学会了皱眉和微笑这两种很老到很装孙子的否定和肯定的表达法。

语文课代表负责收发作业的权力使他有机会接触到全班同学的作业本，这使他的嫉妒心和鄙薄心同时大发作，一方面他很难接受确实有很多孩子字迹比他工整页面比他干净，一方面他瞧不起那些不如他的人。

开始，这只是一个情报工作，做到心中有数，该跟谁比该把谁不放在眼里。渐渐，他习惯性地不安分起来。有一次朱老师生病，两天没来上课，那些作业本就堆在方枪枪的课桌抽斗里。闲来无事他拣起翻阅，千篇一律，看得生闷，不由自主信笔批改，该给5分的给5分，该给2分的画个鸭子。没想到这工作给他带来快乐，有一种创作感，轻而易举就使现实迎合了自己。

批完作业，他还沉浸在快感中，忘了自己是谁，大模大样把作业发了下去。发完溜回座位，才恍然大悟，感到紧张，意识到自己胆大包天，做了件越轨的事。

那是该你干的吗？他在内心大声责备自己——他还不习惯自己决定自己同时支配集体，这种当了“主子”的感觉使他忐忑而不是自得。

什么也没发生，同学们一如往常地看到自己的得分或大声遗憾或喜出望外，他们甚至都没注意到这是方枪枪的手笔或者以为顺理成章：语文老师不在语文课代表代为批改作业——还有比这更自然的吗？

一些认为自己分低了的同学找方枪枪改分，方枪枪痛快地给他们都改了5分。同学们欢天喜地，方枪枪也踌躇满志，这似乎意味着同学们认可了他的新权力。

干的不坏老方——他在内心大声表扬自己，想象那是老师的赞语：没看出你还真有两下子。

朱老师回班上课看到方枪枪批改的作业，只是用鼻子哼了一声，冷笑两下，一句表态的话也没说。

不说话就是默认了。方枪枪鼓舞自己：立功的时候到了。

于是，那成了一个惯例，只要朱老师生病请假他就主动出马给全班同学批改作业。

只有陈北燕对他的行径提出抗议：不要脸，真拿自己当根葱了。

全班被他用5分贿赂了的孩子都支持他，吵吵嚷嚷地说：就让三王判吧。

我这是临时负责，朱老师回来我还让给她。方枪枪又腼腆又自豪，对大家许愿：我保证不瞎判，让大家信得过。

有段时间，他真的使全班同学都信得过，都高兴，都觉得语文课不用好好学。老得5分都烦了。有舆论要求他判一些4分以示大家还是有区别的。

后来，情形大变。随着拥戴面的扩大和权力的合法化，一种庄严感降临到方枪枪身上，他像一切心灵纯洁的人一旦屁股坐稳就渴望正义，雁过留声，当清官——那意味着严格要求别人、威重恩薄和有错必纠。

他很苦恼，也很果决，对全班同学发表讲话：我觉得咱们不能再这样下去了，都得5分。那不反映咱班有些同学的真实水平，可不可以不那么判了，多少严一点……

同意。没等他讲完，全班同学就一齐用拍桌子跺地板表示支持。他留给同学们的印象是那么没原则，标准低下，就是稍稍提高一点又有什么可怕的？只有大王二王这俩文盲不希望有任何改变，高叫道：我们俩必须老得5分。

好好好，你们俩老得5分。方枪枪一口答应，问大伙：其他同学还有什么要求，没要求我就改了，到时候你们可别怨我。

同意——同学们又是一阵喧嚣，喝了蜜似的个个咧嘴大笑。

经过几天恶毒想象，方枪枪煞有介事地公布了“翠小一年级六班语文作业判分新规定”。他提高了判分的标准，必须是打字机才有可能得5分。另一项主要改革在加大了惩罚的力度，增加了一些新条款——当他想出这些坏主意时禁不住自个先乐翻了。

写错一个字罚抄两百遍（朱老师只要求一百，他涨了一百）。

字面擦脏了，罚抄整页纸（朱老师对此没要求，这是他的发明）。

得了3分的一律罚站，每分十分钟，少1分加十分钟（这更是闻所未闻）。

第一次按照这个新规定判完作业发下去后，全班大哗。平时成绩好一向得5分的同学这时大惊失色地发现自己再努力也只能得4分甚至3分，因为没人能像打字机一笔写对所有中国字，更别说像它那么工整了。那些平时学习成绩就不怎么样，总是得3分2分的同学更惨了，就认识零了，从头到尾看不见一个比它更大的数目。

这可是你们同意的，现在不许反对了。3分以下的同学都站起来。方枪枪神气活现地发号施令，叫大王二王：谁不站起来，你们俩得 5 分的去拖他起来。

大王二王分头行动，连打带骂，班里同学怨声载道，一站就是一片。

从此，六班在上语文自习课时总有一多半人是站着的。不知道的人路过六班，会以为这班椅子不够或者学生纪律不好。

一些同学如此习惯站着，一到语文课就自动站起来。有的坐着的人实在受不了周围林立的站立者形成的包围圈——那像落在陷阱里——也干脆站着。

很多人学会站着写作业，手练得很长，眼睛都成了下斜眼。

那天，他终于逮到陈北燕的一个错，“家”字没画出那个提钩，当即判了 3 分，撂下笔喝令陈北燕站起来。

陈北燕不肯从命，还说：你有什么权力罚我——我是班长。

方枪枪拍了桌子，亲自过去拖她。陈北燕岿然不动，他把两手插入她的腋下，等于抱她起来。一松手她又坐下。如是再三，方枪枪只得抱着她站在那儿，膝盖顶着她两腿，陈北燕仍是坐着的姿势，只不过是凌空坐在方枪枪腿上。全班同学都觉得有趣，一片笑声。

陈北燕也笑了，坚持她那个象征性的坐着姿态。

方枪枪也坚持不放下她——大半个身子悬空像是个热心肠甘愿给人当坐垫，一边嚣张地、困难地举起一个手指气喘吁吁宣称：

上语文课就得全听课代表的。

那手指放下来时他感到一阵欣慰，那是篡党夺权分子成功后的感受。

这次他干得太过火了，也不太走运，忘了年级已经给他们班派了一班李紫秋老师来代课，此时正逢李老师进门。李老师推门进屋发现全班的同学都站着，有两个还摞在一起，姿势十分不雅。

干吗哪，你们干吗都站着——还有那二位，你们在干什么？

因为他们没有完成作业。方枪枪慌忙从陈北燕身下闪出来，擦着满头大汗说。

全班都没完成作业？李老师难以置信说，怀疑地望着方枪枪：你是干吗的，班干部？

语文课代表。方枪枪谦逊地回答。

班干部在哪？李老师问。

陈北燕举手。

把全班作业拿上来。

方枪枪和陈北燕交手，像善于运掌的八卦高手几个回合把她挡在一尺开外，转身从自己课桌内拿出全班作业，双手捧着，毕恭毕敬送到李老师的讲台上。搁下还不走，美滋滋地站在李老师身边歪着头和她一起看。

那些作业本都被一支脏铅笔批得乱七八糟，胡乱写着评语：差，很差。只有最上面那本大言不惭地通篇写着：好，很好——优！

这是谁批的？李老师颤抖着嘴唇问。

我。方枪枪两手趴在讲台沿，一脚在后敲着地，还不知趣，丑表功：朱老师不在，我代她批的。

全班同学都看清了，李老师是想把那沓作业本摔在方枪枪脸上，那动作做了一半在方枪枪鼻子尖前近在咫尺停住了，没碰着方枪枪。

方枪枪还是踉跄了一下，后退了半步，一脸吃惊。

回你座位去！李老师像演说中的女革命家一挥手臂，直指下方，头激昂地那么一甩。

你批的？李老师一边摆手让大家坐下，一边显然在寻找措辞以表达自己的感想，她实在是难以择言，丰富的中文一下都失踪了，脑子被第一感想牢牢占据，停了几秒钟后，脱口而出的还是那一句最先想到的大白话：你算干吗地的！

勇敢——那就是在全班同学幸灾乐祸的目光下，一步一步正常地走回自己座位，脸上没有泪水，嘴角挂着微笑。不管多没心情，这笑容是必须的。那是一剂良药，可以在五步之内治愈你的心头创伤，这样当你坐下时会真觉得好受多了，真觉得自己在笑。有时自己的笑容也会感染自己，尽管那在通常、在旁观者看来应该叫无耻。

第十五章

方枪枪恋爱了。他爱上全校少先队的大头目，年轻的辅导员胡老师。这位胡老师她有一副少儿节目主持人般的标致的娃娃脸，短小玲珑的身材，总是穿着束腰的队服系着红领巾脚下一双白球鞋在校园里朝气蓬勃地走动，说起话来尖着嗓子，拿腔拿调，既嘹亮又童声童气。这是一个幼稚化的大姑娘。那种天真无邪的成熟、老练刻意的活泼对孩子发散出一股近乎催眠般的魔力，好像这是上天送给孩子的一件礼物：一个模仿他们、学他们说话、却有着比他们更聪明头脑的玩具娃娃。

人人都想网罗好看的女人进自己家，与她们产生亲密的关系。方枪枪也不例外，他想当胡老师的孩子，那样他就有把握得到美女永不改变的青睐，人人羡慕，那他就与美同在了。想想也是喜人的，全校最好看的老师和我有那么一层特殊的关系，别人都想获得她的好感，我在一旁默默地不为众人察觉地坐享其成。我们娘儿俩守口如瓶，谁都不知道我是她的秘密的孩子。我妈对我也不特别好，跳着班地专门跑到一年级六班批评我，对我要求格外严，别人都看不下去了，但我知道那没事儿。直到有一天，这事被不知哪个快嘴传了出去（必须传给大家知道，否则也没意思）。我再到学校，发现大家看我的眼神变了，我成了全校名人。这思想与其说是爱美，不如说是不劳而获。这么想时他完全把自个亲爹亲妈抛到九霄云外只顾自己。父母在他心目中不是一种不可更动的关系，更像一笔银行存款，是钱就需要增值，他常拿这笔存款去交换他认为更宝贵的东西。

那真是与以往不同的感受。大的、成年女人的好看和小的、女孩子的好看给人截然相反的刺激。好看的女孩使人亲近，总要想方设法去欺负一下人家，惹得人家尖叫、大哭，才表达得出自己的喜爱。好看的女人，一见之下便感到畏缩、慑服，人家还没看你一低头先躲开了，远远站在人群之外才敢放胆无比深情地望着人家。心中立誓：从此发奋，完成伟业，不单枪匹马解放了台湾不叫她知道自己的存在。那时候，多年以后，伟大的将军方枪枪前来视察“翠小”，校长老师们都立正站成一排迎接他，将军只向胡老师伸出手，握着她的手问：是小胡吧。她会多么受宠若惊啊。

上队课的日子，是方枪枪的幸福时光。上课铃一响，他的脸就红了，不得不低着头，假装漫不经心地玩什么或者干脆趴在桌上装睡以示他对胡老师根本不在乎。胡老师进来后，陈北燕喊起立，全班同学刷地站起来，只有他，慢慢腾腾，摇摇晃晃，站起来也是三道弯，扭脸看着窗外一副心不在焉的样子——他以为这才像娇子见了妈。

那是他的特权，别人这样他可不依。

胡老师来上队课是要让孩子们了解少先队怎么来的。那不光是为了好看、好玩心血来潮给孩子搞的化装舞会。早年间，谁也说不清哪位起的头，一帮孩子自个或经过教唆就组织起来了。他们大都是些农村的穷孩子，配备有古老的红缨枪，想着自己是个正经八百的军事团体，给自己起了个名：儿童团。战争年代这个团封锁了各村的路口，检查过往旅客，将可疑人士扭送驻军和民兵队，有点像咱们今天那些见义勇为的好汉子。很多坏人被他们抓住，个别过分热心闹得欢的团员也出过事，被携带手枪的流窜犯击毙。不管怎么说，他们给军队省了心，少站不少岗，也成就了“人民战争”这一说法。男女老少齐参战使我们并不总是兵强马壮的军队托了底。你可以说我们的军队对人民战争抱有一种信念，再添多少坦克大炮，开起战来没有妇女儿童助阵也有点含糊。所以，到今天也不想小孩解散，还叫自己的孩子按军队进行编制，另起了一个名，明点他们一有事时的位置：少年先锋队。

组织上太重视咱们了——方枪枪一帮小孩听到此处，百目交流，心中豪迈：请祖国放心，一旦天下有难，全瞧我们这帮孩子啦。

胡老师讲课很煽情，很有年轻姑娘那种善于营造情调，神秘兮兮，几句话后就扯得很远的特点。

她举着一条红领巾问大家：它为什么是红的。那当然是染坊工人用红颜色染的。

不对。她说，那是烈士鲜血染红的。

为什么它是三角形？其实谁也没见过有人拿一块大方巾或大圆巾扎脖子上。

她有学问，说这是红旗的一角。

这可明白了。红领巾是无数革命先烈血溅上去的，也是个纪念，记着我们今天这日子来得不易。

我们跟着胡老师懂了什么叫象征。那意思就是挨着点边儿就拉到一块堆儿，把可能发生的事说成就这么干的。

听胡老师的意思，我们有点孤立，外国人都不喜欢我们。咱们国家有些事还没干利索，好些地主资本家都没消灭光，给人家跑了，在一个叫台湾的海岛上天天磨刀，准备有一天杀回来。世界各地我们有一些哥们儿，都还不太成势，帮不上我们还净盼着我们拉他们一把。

按胡老师所言，我们这儿是个好地方，人间天堂也叫大肥肉。帝国主义、修正主义、反动派这仨人都想吃。过去是人家叼在嘴里的东西，现在自个掉下来了人家不乐意。

胡老师另一番话我听着有点不高兴。她说我们其实并不想惹事，想跟人家搞好关系，和平共处。人家不答应，非要我们好看。用胡老师文绉绉的话讲叫：在中国复辟资本主义。

首先，谁不想惹事了这点要说清楚。好像我们怕谁似的。我们——和毛主席怕过谁呀？

再说这复辟资本主义：

资本主义——那就是小孩不许上学，不许吃饭，都去放牛、擦皮鞋、卖火柴。

复辟——那就是地主资本家这些大胖子都回来，从党中央到革命人民“千万颗人头落地”谁也甭得好儿。

这我们就更不干了。合着我们没招你没惹你老实巴交待在自己国家里，你们还要进来收拾我们，这也忒拿豆包不当干粮了。

胡老师的讲述叫我们很生气。我们容易吗？毛主席容易吗？领导大伙打了那么久，全国人民才当了自个家的主人，除了毛主席的话谁的也可以不听。

接着，我明白胡老师的意思了，左不过是一死，小孩也要准备豁出去，有需要的话，一齐上，打丫挺的。

红旗需要不断有鲜血漂染才会老那么红的，早晚轮到我们，说穿了就是排队去死。这很光荣，程序也有点复杂，要从小从现在起就开始排，一步步挨上去：少先队，共青团，最后是共产党。入了党，那就算进了敢死队。资本主义复辟，老百姓还能投降，有一线生机，党员——万难幸免。

我是肯定想死的，这也是方枪枪的想法。我们俩都不愿被人从 42 楼那套两居室的住宅赶出来，流落街头，放牛——我只见过切成小块的牛。爸爸妈妈都是党员，打败了最轻也是无期徒刑，关在监牢里也见不着。敌人来了，还不得先平复兴路这一带的解放军大院。29 号的大人都得抓起来，国民党兵站岗，我们也不让进了。翠微小学估计也得清洗，校长抓起来，老师隔一个枪毙一个，我们都开除，全校就剩黄楼和羊坊店的。

这么一想，方枪枪差点哭出来。绝不能让资本主义复辟！解放军打光了，少先队上，战到最后一人一枪。防线就设在公主坟，敌人从城里方向进攻，大人孩子一起抵抗，各院的机枪都搬出来，码成一片，上来一个连，扫倒一个连，上来一个营，扫倒一个营。那么多当过兵的肯定不少神枪手。后来敌人增兵了。坦克装甲车开过来了。我爸张宁生陈南燕他爸张宗逊什么的都牺牲了。我也急了，一掀帽檐，抱起炸药包塞到大王马青怀里，对他说：党考验你的时候到了。二王杨重也打红眼了，爬过来说：让我也去吧。我和胡老师交换了一下眼神：那你也去吧。

轰！轰！敌人的坦克被炸毁了，马青杨重也和我们永别了。胡老师眼中含满热泪，我的眼中也同样含着热泪，但是我说：现在不是哭的时候。

你嘟嘟囔囔自己说什么呢，别人都在写入队申请你为什么不动笔？胡老师走到方枪枪桌前敲他的桌子。

方枪枪抬头凶狠地看了眼胡老师，还沉浸在自己的想象之中，信口说：反正我是不会投降的。

投降谁呀？胡老师问。

投降敌人。旁边的吴迪说，他在想打仗呢。

胡老师笑：我们都不会投降的。现在敌人还没打过来，快写申请吧，下课要收，别胡思乱想了。

胡老师摸摸方枪枪脑袋，向前走去。方枪枪看着她裙子下摆露出的两截儿晃来晃去的鼓溜溜的小腿肚子，一股忠义之情涌上心头：我是不会让你落到敌人手里的。赶明儿咱俩被包围了——你负伤了跑不动，我本来能跑但不跑——只剩两颗子弹，一颗给你，一颗我用，先打死你，最后一枪最后一枪再打死我自己。

方枪枪想完了。本来最后一枪还应该斟酌斟酌，但没时间了，该干正事了，他捅捅吴迪：看看你的申请怎么写的？

吴迪把从方格本上撕下的一页纸递给方枪枪：我也不会写，只写了两句：红领巾是红旗的一角，是用烈士鲜血染红的。

我也是，只想到这两句。陈北燕回头。

上课不许回头。方枪枪严肃地说。

德行。陈北燕白他一眼。

吴迪探过头：看看你写的。

不让看。方枪枪用手盖住纸，埋头一笔一画地写，都是心里话：

红领巾是红旗的一角，是用烈士鲜血染红的。为了防止资本主义复辟，不受二遍苦，不遭二茬罪，红色江山永不变色，铁打江山万年牢，我决心为共产主义事业奋斗终身。因此，我志愿加入中国共产主义少年先锋队。

从写完到交上去，方枪枪都被一种陌生的情绪所控制，有点像骄傲，但没有看不起人；有点想死，但又不害怕；觉得自己很大，又像是全卖给了谁。这感觉我管它叫找不着北。

那天晚上，方枪枪真的做了个29号被占领的梦。来到不知是哪国的部队，戴着钢盔蹬着短靴手里端着卡宾枪。全院枪声响成一片，办公区、保育院大楼都着了大火。李阿姨老院长和大部分小朋友都被俘了，用绳子拴成一大溜糖葫芦似的低着头一个挨一个走。敌人很多，也很凶，他没敢像白日梦中那么英勇地战斗，而是像一只老鼠在烧成废墟的保育院一堵堵断墙下东躲西藏。他手里拿着一只驳壳枪，射程有限，子弹像水一样浇在敌兵身上弯弯曲曲，效果也不理想，被浇了半天的敌兵也不痛痛快快死去，只好以为他们死了，反正我打中你了。后来他被一个大黑个子敌兵用卡宾枪指住了。他吓哭了，真的怕了，打心眼里不想死，跟人家商量：这次你放了我下次我也放你。看这人不好商量，心一横，举起双手：我投降，投降还不成吗。我真不是共产党，只是个少先队，也是他们逼我入的。敌人真不是东西，要不说他们坏呢，我这么求他们，他们还是给了我当胸一梭子，打得方枪枪满身穿孔。他是既丢了人也没保住命，满腔怨恨躺在地上。被子弹打中的感觉真是火辣辣的疼。方枪枪这份后悔呀，好好的我打什么仗啊！我小孩敌人来了最多抓去受受教育，哪就都给杀光了，总得留几个人给他们干活。早知今日，放牛也是好的。这下瞎了，彻底玩完。正在极度痛苦极不甘心之际，他发现自己没死，还能喘气，不由大喜过望：原来子弹打不死我，太好了太好了。方枪枪卧在自己的梦境中窃窃私美：我怎么这么神啊，有这么一特异功能我也就没什么好怕的了。这时他已经醒了，仍谨慎地合眼装死，心情还在杀场上，生怕搞错了被敌人发现补一枪得不偿失。他深谋远虑地想到保密，到学校也不能泄露出去，免得大家觉得他怪，敌人跟他打时也会格外较真儿，千方百计弄死他。

当他彻底醒过来，十分感谢生活，那股劫后余生死而复活的庆幸劲儿久久难以消失。

接着，他想起自己曾经投降过那事儿，懊悔不已，恨得只想抽自己一顿嘴巴子，那么张狂在班里欺男霸女的一个三王，关键时刻掉了链子，不管怎么说都是挺现的。他想再有枪口指着我，我还会不会求饶。想了半天，答案是：还会。

一个梦使我看到了自己的本来面目：挺怕死的一个人。

第一批入队名单公布下来，没有方枪枪。陈北燕吴迪等一干班干部榜上有名。入队仪式很隆重，升了国旗，有鼓号队捧场。被批准入队的孩子站在前排，辅导班的高年级同学跑上来一对一地给小同学系上红领巾。我们班的辅导班是五年级六班，在一起过过两次队日，大孩子带小孩子玩，神哨一些大道理和扯淡的事，算是革命领路人。

张宁生张燕生的二哥张明是这个班的少先队中队长，很高大很敦厚的一个少年，一见方枪枪就问：你是 29 号的吧，跟我小弟弟是保育院一个班的。

方枪枪点头。

他又说：我跟你爸爸打过乒乓球，他老赢我。

说完他笑了，笑容极其灿烂，方枪枪也笑了。一是听到了父亲的消息，觉得那个人生动了一些，活在自己周围；二是觉得在少先队里有了人，一个高年级的中队长认识自己，那说明我跟少先队也不是素无瓜葛，也跟其中一些干部走得近。舍此，仅仅一个大男孩这么老朋友似的和自己讲话也使他感到脸上有光。

现在，这个少年在给吴迪系红领巾，之后，二人笑眼相望，互致队礼。方枪枪再不能说自己跟他最好了，人家俩人都系着红领巾，更像是一伙的。

方枪枪偏脸踮脚往别的班看，高洋张燕生也戴上红领巾，正在向两个高年级辅导班的女生行礼。那两个女生中有一个也是29号的，保育院李阿姨的女儿，也姓李，叫李白玲，像她妈一样是个大高个。方枪枪在学校操场看见过她打篮球，胸脯已经发育了，在场上跑起来一颠一颠的，外号叫“拍子”。

授完红领巾，这些新入队的孩子又集体宣了誓，另外站了个队，被胡老师领着单独去过队日。其他没入队的孩子就解散了。方枪枪以为胡老师会对他们讲讲话，鼓励鼓励他们。根本没那回事，她头也不回地带着新队员走了，撇下方枪枪他们像菜店挑剩下的堆儿菜。班级老师走过来告诉他们没事了，可以提前放学。

方枪枪回到保育院附属班。一溜房间空空荡荡，窗影一个个照在地上，方枪枪他们几个提前回来的孩子散到各个房间也都不出声像整栋房子依旧没有人。

那是职工平房区挨着院墙最后的一排，两头砌墙，围成一个单独的小院。十几间房子都打通了门，形成一条长长的走廊，从这一头可以看到另一头。每个小房间或者叫小隔扇里沿墙架着凹字形通铺，里边几间女孩住，外面几间住男孩。很难说住在这种格局的房子里是什么滋味，有点像住在过道里，经常有人来来往往，躺在铺上就可以跟过路的男孩或者女孩聊天。平时一天到晚都回荡着远处传来的脚步声和很多说话声的回音，这些声音会一直跟进你的梦里，使你经常处于分不清梦境和现实的边缘状态。

孩子们上下午都在学校，唐阿姨就靠着窗户打毛衣，一边走针一边打哈欠，打着打着就歪在那儿睡一会儿。有时她去飞机楼串门，有时回家转一圈，有时干脆爬上随便哪个孩子的铺蒙头睡一整觉。方枪枪有一次放学第一个回来，都快下午四点了，唐阿姨还在睡，盖着方枪枪的被子，鞋也没脱，蹬在床沿儿上。方枪枪在她脚边闷坐半天，她才如梦方醒，张着嘴流着哈喇子，受了惊似的问：啊，你们都回来了。几点了？

都快五点了。方枪枪跪上床叠着自己被子，闻闻被里。

我觉得没睡多一会儿。唐阿姨扭着笨重的身躯下床，走出去还一路打着哈欠。自从她生完孩子后就没瘦下来，老像还揣着一肚子东西似的，胳膊腿也见粗，原来一个营养不良的小姑娘现在整个一个胖大妈。倒是生完孩子脾气好了，不那么总跟大伙过不去了。也是，自己有了孩子也该积点德，有几个像李阿姨那么没人性的。再说，我们也大了，觉悟都高了，在这个附属班也有点临时寄养的意思，你再浑闹，也没人吃你这套。一二年级的孩子嚼情起来也是一套一套，在大是大非问题上唐阿姨已然说不过我们，比她七八岁时懂得多多了。这样，唐阿姨也时常培养自己的脸上有点笑模样，看得出她有心跟孩子们和平共处。

我不恨胡老师，方枪枪躺在铺上想，我要是她也不会同意方枪枪第一批入队，应该注意影响，尽管她——她他妈当然不是我妈——我别在这儿乱想美事了。方枪枪郁闷地翻了个身，抠出鼻涕抹在墙上，继续寻找理由，以安慰自己这是个正当的挫折。

虽然那件事进行得很秘密，秘密到只发生在梦中，但性质是一样的，还算叛变。作为一个在梦中叛变过革命的人，也算历史有了污点，没资格像那些清白的女生第一批入队。那也很不明智，因为冲在第一虽然立功的机会多，同样叛变的机会也多。我别再考验自己了，事实已经证明我受不了和敌人面对面给人拿枪顶着那份惊恐。一次没打死，二次不可能再有那种好运了。谁能证明自己老是防弹背心，谁敢冒这个险？

可是我不想脱离革命队伍。方枪枪脸捂着被子大声哽咽，一口口吞咽，喉咙咯咯作响。

也只有找份司令部的工作了。躲在后面，看看地图，打打电话，举着望远镜看同志们冲锋，等山头拿下来，敌人死光了，再骑着马上去，又英明又坚毅。也许我的才华就适合在后边指挥大家。可一枪没放从没表现过人家能选我给大伙当首长吗？这么一想，又很绝望。

再说一部队在前边打的都是陈北燕吴迪这些女兵，男的都是司令，这部队打得过谁呀？司令部最后给人端了也不是没可能。那时会更糟，我这么大官给人逮住，再轻饶不了。我要遭多大罪啊！想不叛变也不可能——只怕叛了变也难逃一死，顿顿暴打，手下党员都招出来了依法审判还是枪毙。

怎么这么难？方枪枪被自己的思路逼进了死胡同，泪干在脸上，呆呆地望着天花板，脑子里萦绕着两句心声：其实不想留，其实不想走……来回打转，再不能思想。

远处门一响有人进来。那是唐阿姨。她大概是在哪儿玩够了，踩着点儿回班。听着她嘴里嗑着瓜子，哼着小曲，嗯嗯呀呀地往里走。

她没想到班里有人，看到方枪枪哆嗦了一下，手捧瓜子，张着星星点点的嘴唇，一时无言。

你回来啦。她噎着似的问，接着一个接一个地打起嗝儿。

方枪枪思想仍处于瘫痪状态，身体也不受支配，眼神空洞望着她，脑子里仍是那两句矛盾的车轱辘话：其实不想留，其实不想走……

都回来了——呃，唐阿姨伸脖往里边房间看，还是就你一个——呃？

其实不想走，其实不想留……

你们今天不是入队吗——呃？她盯着方枪枪脖子，恍然大悟，没入上——呃，还有谁——呃，没入上？

她开心地往里边走，看到谁就叫谁的名字：

许逊——呃。

于倩倩——呃。

杨丹——呃。

唐阿姨转了出来，嗝儿也不打了，掰着手指头数：入了五个，还有七个不是。

方枪枪也终于摆脱了那两句恼人的鬼话，转动着眼珠，长出一口气。

为什么？唐阿姨拿出那股家妇劲儿，热心地凑到方枪枪跟前，你不也是班干部，一直说都有希望。

于倩倩哭哭啼啼蹭出来，靠着墙框子：他的申请是我们班最好的，胡老师还当着我们全班念来着呢。

怎么回事？唐阿姨一屁股坐炕上，盘着腿，兴致勃勃，你应该多找老师汇报思想。

她们……她们不听刘主席的话。方枪枪想着说她们先发展女生，一脱口说成这样，自己也不知哪儿跟哪儿，刘主席说要搞全民队，所有小孩都可以入，她们不听，她们不对。

刘主席说过这话吗——刘少奇主席？唐阿姨屁股为轴，搬着腿车转身去看墙上和毛主席画像并排贴着的隆鼻大眼的刘主席。

不信你问高洋，他说的。我就信了，所以不急了，反正都能入，就不表现了，哪想她们还分拨，要不我也是第一批——都是高洋害的。

方枪枪顺嘴说，沿着语言的惯性说一句想下句，说到最后也说圆了。自己也信了自己的话，柳暗花明地猛醒：原来我吃亏吃在这儿了。

这就不是别的问题，还得说我老实。方枪枪心里登时充满真实的委屈：今后再不相信别人了。

| 第十六章 |

那一年我七岁，还没读完小学一年级。世界在我眼里只是公共汽车一站地：公主坟——翠微路。我以为天下都是一个挨一个的大兵营，男人都是军人，女人都是老师和医生，小孩长大了也都要参军。

我是少先队员、班旗手、学习委员、副中队长、三王。学习成绩优异。

我不爱自己的父母，家庭观念也很淡漠，习惯集体生活，自己洗脸，自己刷牙，自己抢饭吃。你可以说我很独立，很会察言辨色，打自己小算盘。

我的偶像是胡老师。梦中情人是陈南燕陈北燕姐妹和吴迪。但我一次也没有勃起，前一个只是单相思，后三个都曾追打。

没人跟我过不去，我也没有迫在眉睫的难事。除了李阿姨那一脚让我吃过大亏，我的一切危险和生死考验都发生在梦和想象当中。梦中的历险丰富了我的感情，使我变得少年老成、色厉内荏。

我信仰共产主义，那东西很具体，是一个类似购物中心的大厦，有形形色色的饭馆、超市和游乐场。每天黄昏放学，看到铺满金光的复兴路向东西两端无限延伸，就想那大厦正在这条路某一头搭建，我这辈子肯定赶得上建成开业。

那年从始至终，我的家乡公主坟一带都是一派无动于衷的太平盛世景象。

那时全球还没有温室效应这一说，北京的冬天很冷，大雪纷飞，我们经常踩着没膝的雪去上学。教室里没暖气，只有一个烧着烧着就会自动熄灭的煤球炉子，我坐在后面穿着棉鞋也冻得要不停跺脚。从那时起我的后脚跟就年年长冻疮。教室窗户上结着厚厚的冰霜，屋外房檐上垂挂着长剑般晶亮透明的冰溜子，我们常常掰掉冰溜子的尖儿当冰棍吃。

我的耳朵也长了冻疮，最想有的就是穆仁智那种能套在耳朵上的毛皮护耳。我有一顶“坦克帽”。那是民品厂仿军品生产的童帽。说是坦克帽是儿童的误称，那帽子额头有两个铁皮风镜装饰更像战斗机飞行员的帽子。这帽子冒充皮帽，其实是人造革，里面一层栽绒，戴上倒不难看，好像懂点技术似的，只是一点不保暖。

我的棉袄是件花棉袄。说它花，是指补得五色斑斓，不是真有一朵朵美丽的花。那是我哥哥穿小的。我的罩衣和裤子也是我哥哥穿小的，袖口裤腿接了一圈圈颜色相近的布像铅笔的橡皮头，领子膝盖屁股这些老摩擦的地方还一块块钉针脚密实的大补丁，搁今天不用化装直接就可以上街要饭，准有人给。印象里穿过的唯一新衣服是一件三个口袋的灯芯绒上衣，颜色忘掉了，有一粒粒硕大的有机玻璃扣子。那布很结实，摸爬滚打也不破，可以发给侦察连的战士当作训服。我想这大概是当年刮起的一股穷风。

衣衫褴褛破破烂烂成为一种美德化身。这本来是报纸扯的一个蛋，但那年头，全国人民为了紧跟什么都照过了弄。你袜子破，我浑身上下没一件整衣裳，看谁穷得过谁。时尚嘛，以贫骄人。我这已经很奢侈了，还有罩衣里边还穿裤衩背心。我见过惨的。玉渊潭湖边有一所罗道庄小学，学生都是四季青人民公社社员的孩子，一到冬天他们就空心光板只穿一件黑棉袄，放学出来黑压压一片像群落了地的黑老鸹。每当读到毛主席那一著名诗句“黑手高悬霸主鞭”，我眼前就会浮现出罗道庄小学同学们的身影。知道的是放学，不知道的还以为暴动了。

鞋子，春秋天主要是布鞋和球鞋。布鞋俗称“懒汉鞋”，大约因为不用系带，蹬上就走。布鞋有灯芯绒和布面两种，鞋底又有塑料底和轮胎底之分，塑料底还有白塑料和红塑料的区别。最受小孩青睐的布面白塑料底，那很衬脚，又瘦又扁，鸭子嘴似的。那些大一点的，已知风情的，不那么正经的孩子更爱穿“白边儿懒”。那就像今天妓女酷爱的黑丝袜，走在街上有一种求爱的暗示。

球鞋基本上是军用球鞋。半大的男孩穿着它打球、上学、跑路，很多人连袜子也不穿，所以臭脚很多，夏天教室里的公害就是阵阵袭来的军用球鞋沤出的臭脚丫子味儿。能和“军球”有一拼的是一款“回力”球鞋。那是高级名牌，男孩子梦寐以求的东西。“文化大革命”时社会秩序大乱，这款鞋和军帽一样是小流氓抢劫的主要目标。经常看到某帅哥穿着“回力”神气地出去了，回来光着脚，鞋让人扒了。

和衣服一样，很少看得到谁穿新鞋，那时做鞋的好像都改行补鞋了。孩子们的脚上永远补着一块块犹如无知圆眼睛的皮子，磨歪的鞋后跟钉着铁掌，走起路来像马队经过。

皮鞋只有坏孩子才穿。流行的是所谓“三接头”，三块皮子缝的，牛背上的皮缝在鞋尖，牛肚子牛逼皮缝在鞋腰和鞋帮上，后来形容徒有其表的人物常说是“牛逼皮做的”。这款式也是源自军用品。最高级最令人肃然起敬的是“将靴”，发给将军的半高腰靴子。这东西很珍贵，理论上只应将门才有，那也不过千十双。社会公认，穿这鞋的人要么是高干子弟，要不就是大流氓，只有这两种人才有路子弄着。这鞋对一个人地位的肯定是今天任何一种名牌服装比不了的，相当于一辆加长卡迪。校官靴头不那么扁不那么尖，意思就差多了，像金戒指，俗且滥，穿上也就是一奥迪。

时代的变化正是从服装的变化显现出一些迹象，使人回想起来似乎早有先兆。春天的风沙像往年一样遮天蔽日地从西北高原刮来，解放军像大地的草一夜之间由黄变绿。他们换发了新军装。与过去那种温暖的黄比新上身的这码翠绿显得格外娇艳、晃眼、透着新鲜，像是夏天整整一个季节提前到来，时间关系跳了一下，人眼心理上都很难立刻习惯这种颜色的嬗替，都不像过去我们熟悉的那支正规军，而是另一支新开来的民兵。

这时我才发现他们的军衔早已都被褫夺了。帽子上不再有蓝底嵌金“五星啤酒”盖儿似的圆帽徽，领章上也不再缀着能分出阶级的银星，男女老少一律三块红。不知道都怎么想的，把兵这么打扮，这些人是要去打仗的，远看一片柳树林子，近看一帮邮差，谁还怕他们？再说，那时十里八店城里乡下就剩当兵的穿得还有点人模样。这么大国家，这么多人口，纯为面子，也得有摆设，有门脸。不能一国人都跟土鳖似的。

军队的换装，为日后的流行创造了条件。军装风靡全国固然有新兴起的红卫兵寄托他们可怜的忠诚和嗜血愿望的原因，但在我们那儿，那也没什么象征，只是各家各户节省布票的便宜之计。

都是好东西啊，那么结实的咔叽布，还有黄呢、马裤呢、哔叽、柞蚕丝，压箱底太可惜。真正的流行是普遍的贫困和短缺，小孩一旦蹿个儿只好捡父母的衣服穿。很多工人家庭的孩子一年四季穿他们父亲的工作服。那是一种非常结实的粗蓝布，可以鱼目混珠冒充牛仔布,这里叫“劳动布”的。小职员的孩子有穿中山装的，样子十分煞有介事。

学校五六年级很多男生穿了军装来上学，挽着袖子，免进去整幅下摆，仍显得肥大，瘦小的人全身正面只有四个兜。不少旧军装的肩膀和领子还有刚摘下肩章和领章痕迹，那一小长方块比别处新。他们的表情还不是很自信，被人盯着看还有些羞涩。就这样，他们也显示出了一种力量。全校做操时，一眼望去也是一大片，黄灿灿的，无端就有些热烈的印象。

那年我大部分时间在读书。我读了张天翼的童话《大林和小林》、《宝葫芦的秘密》；笛福的《鲁滨孙漂流记》；格林童话和安徒生童话的一些片段。书是借吴迪和附属班里那些高年级同学的。看完我爱给班里别的同学讲，记不住的地方就随便发挥，同学们都觉得我是个知识渊博的人。

格林和安徒生的童话我觉得太残酷，小红帽就那么给狼外婆吃了，卖火柴的小女孩就那么给活活馋死了，我不明白他们这么写是什么意思，主题在哪儿？那种悲伤是我拒绝的情感，与我硬朗的追求不符，只觉窝囊。相形之下，我更喜欢张天翼那类明显在于教育，明辨是非，只有好人坏人，感情淡漠的东西。那和我们课堂上一贯学的意不在怡情，只诉诸理性的东西一个路子。故事中那些超人性的内容：兄弟相残，有钱＝堕落，我也不在乎，当它是必要的戏剧性安排，倒也不去费心想其中的微言大义。

老实说，张老师的童话很多时候我是当菜谱看的。我在发育，非常容易饿，特别留意大林他们那些坏家伙都吃进肚了什么好东西。那个可以随时变出一桌酒席的“宝葫芦”我很念念不忘，明知那不值得追求也情不自禁心向往之。张燕生他们三班那个矮胖戴眼镜的班主任外号就叫“猫老师”。每当听到有小孩在喊：猫老师爱吃鱼，一天只吃一块鸡蛋糕，一块鸡蛋糕……我便想这“一块鸡蛋糕”望眼欲穿。

和那些坏人比，我吃得太简单了。鸡鸭鱼肉基本不认识，更别提山珍海味，我压根不知道那是在说什么。每天每天的白菜豆腐也不利于培养一个小孩的男子气概，那会使他软弱、不开眼、逢请必到。谁愿意来这世上走一遭吗没吃过吗没喝过白不呲咧的跟羊一辈子似的。吃一顿好饭是我幸福概念中无比重要的一环。这在某种程度上降低了我的人品，更不乐意宁死不屈，很希望被敌人抓到，都不用使美人计，只要“鸠山设宴和我交朋友”，这朋友没准我就交了——动了打入敌人内部的心。

张老师的童话给我大约是这么个影响：坏蛋净吃好的。要吃好的，只有当坏蛋。充分理解有些人铁了心当坏蛋的苦衷。

《鲁滨孙漂流记》给我的印象就是这人太倒霉了。给我一万两黄金，我也不坐船海上漂去。

那天下午我正在给全班同学讲故事。这些日子下午老师总是去开会，又不许我们放学，作业做完了，我就被公推到讲台前讲我新读过的故事书，也是群众自娱自乐的一种。

我正讲到鲁滨孙走进一个山洞，听到里面传来巨大的喘息声，头发吓得“一下都竖起来了”。我把头发弄乱，借坐在前排的杨重的军帽虚顶的头上，对大家说：就这样儿。

朱老师走进来，打断了我的叙述，叫大家马上集合，到警卫师礼堂听传达重要文件。

我记得自己还问朱老师：还回来吗？

朱老师说不回来了，叫我们都带上书包。

很多同学一边收拾书包一边隔着座位问我：谁呀？谁在里边？

当时我是知道答案的，但到今天也忘了，怎么也想不起来谁在山洞里了。

那天下午阳光很强，走出教室脸上就出汗了。操场上乱哄哄的都是小孩的说话声。体育老师嘴里叼着哨子一阵紧似一阵地吹。

一面面队旗迎风飘扬，在辽阔的蓝天下像是自动行走有生命的东西。一眼看到连绵的山坡栽满松树像是大地之嘴长出的连毛胡须。有潮湿微腥的气息随风吹来，那是山坡后八一湖水的味道，光闻闻心中也会生出一小片清凉。

校墙外的小路暴土扬烟，一行行人头挤得满满的，都是后脑勺。下雨天汽车轱辘碾出的辙印干成一道道硬沟，一脚一片疙瘩包，心里膈应。两边是墙和墙窄窄的影子，一些垂着毛茸茸穗子的青草长在墙脚阴影里。一个女生的鞋被踩掉了，一溜孩子挤成手风琴，发出一连串不谐之音。

警卫师和我们小学一墙之隔，走到那里并不太远。冬天的时候，我们经常到这个院的礼堂过队日听报告看电影，心理上把那儿当做我们学校的专用礼堂。

那是一片无人地带，只有礼堂一座建筑像座城堡孤零零立在很多路交汇处的空地上。很多杨树柳树远远围成圈高高大大地站着，很多知了在叫。礼堂前小广场的方砖地在烈日下泛着白晃晃的光，踩上去就感到眼晕脚板发烫。这个师一向这么安静，不知道部队都藏在哪里，总觉得应该看到很多兵在练武才是。杨重一进他们院就神气，指着远处一座露出窗户的楼说那是他家。你们家有枪吗同学问。光有手枪他说。能到你家看看吗同学恳求。我妈不让他干脆拒绝。

一团团吊扇在阴郁的高空旋转，那一片穹顶都模糊了，看不清图案和灯罩的形状。一个圆突然有了轮廓，叶片忽隐忽现，清晰了，沉重了，分成三枝，稳当地停住了。很多小手从座位伸出，指着半空，说：停了。

舞台上很明亮，人脸像涂了油彩浓眉大眼。讲台上镌刻的那个八一军徽颜色古旧，校长坐在后面只露出一颗小脑袋瓜，像个侏儒。他的声音很撞耳，从前后左右分裂着传来，好像他有三头六臂。每一个字都清楚，但合在一起听不懂。胡老师很鲜艳地拎着暖瓶从侧幕条出来，前去给他倒水，像京戏中脚步轻盈的小花旦。

坐在一头的朱老师在批改作业，架着腿在搁在膝上的一摞作业本上飞快打着红钩。

我们这一排同学都睡着了，整齐地低着头，像是集体默哀。我也是一个哈欠接一个哈欠，东张西望，后槽牙和嗓子眼都给人家看到了。

坐在前面的陈南燕打着哈欠回头看，皱眉挤眼十分难看。

我大概是睡着了，因为我出了礼堂门，站在太阳地手搭凉棚四下张望。我来到八一湖边，下水游泳，居然不学也会，像爬在一个大气囊上动手动脚。陈南燕也在水里，站着不敢游，我对她说：你瞧我你瞧我。心里觉得自己聪明，什么都不学就会。只是不凉快，后背还是晒得滚烫。这样就失去游泳的意义了。

我一下醒了，满嘴哈喇子，只觉满屋人都在嚷嚷，声浪刚歇，也不知道他们在喊什么。胡老师一脸幸福地站在台中央，歌唱家似的挽着手端在胸前。镇静了一下，觉得肋骨疼，狰狞着嘴脸问身边的陈北燕：你捅我腰了？

朱老师让的。陈北燕说。

我去看朱老师，只见她闭眼抿着厚嘴唇使劲一摇头，像是撒尿时打的那种激灵。

同学们都醒着，看着台上。校长也站着，男女声二重唱似的与胡老师并排，同样喜形于色的样子。

胡老师忽然又喊：共产党万岁！

这下懂了。我也连忙捏紧小拳头，举过头顶，埋头低吼：共产党万岁。

伟大的、战无不胜的毛泽东思想万岁！

我们一定要把毛主席亲手发动的、伟大的无产阶级文化大革命誓死进行到底！

这可要人命了，我们哪有能耐把这么长的口号一口气连贯下来，其中还有没听过的新词。于是大家七嘴八舌自己断句，像集体背诵课文，有点大舌头，中间乱成一片，句尾一齐高上去：

我们一定要，把毛主席亲手发动，的伟大，的无产阶级，文化大革命，事事进行到底——

不达目的誓不罢休！

喊到后来更是一头雾水，只求发音上尽量一致。反正一两千人，嗡嗡一片，含糊其辞也没人在意。

接下来是唱。胡老师两手放在空中，垫着脚尖，木偶一般僵硬在那儿，音乐一起，上身一惊活了起来，有力地来回摆着双手，像是教鼓掌，又像是要抱谁，手中间有一老粗的东西使她合不拢手。

我们腆着小肚子顶着前排的椅子背，托着丹田，摇头晃脑放声高歌：大海航行靠舵手，万物生长靠太阳，雨露滋润禾苗壮，干革命靠的是毛泽东思想……

边唱边互相笑，笑的是台上的校长。他也打拍子，单手，一把一抓像是有个苍蝇在他眼前飞。胡老师年轻妇女，活泼点正常。他半大老头子，在台上载歌载舞有点像出怪。他离麦克风又近，偶尔一句突然放大，所有音都不在调上，像是横窜出一句旁白，引出台下同学一片笑声。

"文化大革命"——好哇，听上去像是一场别开生面的文艺大会演。文化——那不就是歌舞表演嘛；大——就是全体、都来；革命——就是新、头一遭，老的、旧的不要。这下文工团该忙了。

你跟着瞎高兴什么——我真想朝台上美得屁颠颠有点老不正经的校长大吼一声。节目还没开始呢，你就乐成这样——装的吧？

你说什么？我扭头问陈北燕，听见她在一旁嘟囔。

我说毛主席怎么那么了不起，陈北燕在一片歌声中大声对我说，所有主意都是他出的。

那当然，我对陈北燕不屑对毛主席很佩服地说，他多份儿啊。

鱼儿离不开水呀，瓜儿离不开秧……我哼着小曲往外挤，扒拉着同学的腿。

哪儿去？朱老师边唱边横出一条大腿挡住我。

一号，我指指自己下边，憋不住了。

朱老师放了我，我边走边唱，走过没人的前厅，走进一股骚气和药水味的厕所，站到小便台上，解开裤扣，边等边拼着力气很抒情地唱完最后一句：……毛泽东思想是不落的太阳。

这才不再吭声，低头集中注意力尿尿。

出来了，它们一窝蜂出来了，我感到幸福。

这泡尿很长，没了，又冒出新的一股，断线，接茬儿又续上，只要放松放松再放松，它就一二三四二二三四接着三二三四四二三四。这时旁边便坑间一阵水响，站起一个胖大中年妇女，目视前方坦然自若地提裤子。我慌了，又走不开，扭着身子说：这，这这不是男厕所吗？

这是女厕所。中年妇女开了小门出来，低头退步好像怕丢了什么一路逡巡着往外走。

我也没尿了，跑到门口看牌子，分明写着男厕所，心中愤愤不平，追着那妇女喊：你进男厕所。

那妇女稳稳当当迈着鹅步，头也不回望着天说：这儿不分男女。

他妈的！我心情败坏，这警卫师也太乱了，还有没有王法。

全校同学一哄而出，所有门大开，无数孩子在奔跑，像是礼堂塌了顶。我随着人流出了礼堂。外面仍是满地孩子，急急作鸟兽散。我看到我们班的同学也分成仨一群俩一伙向四面八方逃去。我在台阶上找陈北燕，她应该拿着我的书包。29号的孩子经过我身边不是扇我一脑瓢就是弹我一脑崩儿。我和他们打，红领巾被揪散了。飞起一脚踢在高洋的屁股上，落地未稳被张燕生下了一绊，趺趺撞撞两手几乎挨地一头顶到正下台阶的李白玲后臀尖。

“讨厌！”她骂。刚要踢我，认出我是同院的孩子，一扭腰走了。

你回院吗？刚刚走出来的陈南燕问我。

我等你妹她拿着我书包呢。

那我们先走了。她和杨彤并肩而行，老是右脚在前，快速搓步一级级下。等在树荫下的杨丹迎上来，跟她拉着手，三人一起走了。

方超和张宁生从另外一个门出来，没看见我，三蹿两蹦，袋鼠一般跃着，简直飞走了。

于倩倩和许逊出来，知道我在等陈北燕，陪我一起等。

我说不用。他们说没事，愿意。

陈北燕和吴迪一起出来，十字交叉背着她的和我的书包，像个女卫生员。

等你半天，她见我就嚷嚷，也不回来，以为你掉茅坑里了。

你就替我背着吧，算我赶了一匹马，嘚儿驾喔吁长得像驴。

陈北燕把书包带从后猛地套我脖子上，差点我一口气憋死。

杀人啦，我喊，有人暗害革命干部。

你替我背。我把书包套许逊脖子上，他把书包扔地上。

我盯着于倩倩，一转脸把书包套吴迪头上，跑开指着她说：不带扔的。

可是我只能替你背到你们院门口，吴迪也把书包十字交叉背着，一手托着一边走着说，怎么那么沉啊。

我们五人边玩边走，走走四周就没人了。路边的柏树丛又高又密，视线也都给挡住了。回头看，礼堂也不见了，京西宾馆倒像是很近。

这是哪儿啊？大家觉得有点迷路，但天还很亮，也不害怕，管它是哪儿，朝前走吧。

怎么这么臭，什么味儿这是。又走了不远，前边出现了一排排低矮的平房，空气中充满腥臭的气味，还有一些奇怪的声音，像是什么东西在哼哼，且数量众多，很放肆很无耻的一大帮。

陈北燕吧嗒吧嗒书包拍着胯跑在前面，率先爬上一个高坡。我认为那是一个粪堆。

猪。她一声尖叫。

我们一齐奔驰，个个眼中都有狂喜的神情。

在一间间一半覆瓦一半露天有点一室一厅意思的圈里，我们看到肉片和丸子生前的模样，也是一张张生动、五官俱全的脸，脚小点，脖子短点，身体胖点，走路不太抬头。也是一大片居民区，像我们一样过着集体生活。每家里有母亲、孩子和一些成年亲友，大部分是黑人，也有不少白人，大家和睦相处。

畜生们在吃饭，也不知算哪顿。它们头挨头挤在槽子前，吃得很专心，吧唧吧唧一片山响，小尾巴在浑圆的大屁股上甩来甩去，看得出来，这是它们的欢乐时光。可是槽子里并没有什么有营养的佳肴美味，只是一些腐败的灰白色臭烘烘的汤汤水水，连粥都算不上，这可不是打发一个胖子相称的伙食。我没想到猪居然这么好养、随和、无怨无悔，认真地过每一分钟。它们的粪就拉在屋里，有干有稀，猪腿和蹄子在上面踩来踩去，一些吃饱喝足的家伙直接就睡在屎里，袒胸露怀，放浪形骸，瞧那德行还挺开朗，小眼睛里一副及时行乐得意劲儿。

猪们的超然作风使我们觉得很逗乐，几乎有点爱上了这些没脸没皮的东西，觉得它们天真厚道。

明儿就吃了你们，我们指着最肥的几只大猪喊。

它们根本没把我们放在眼里，照旧哼哼唧唧地散步、进食、晒太阳。我们拣石子儿往它们身上扔，砸它们，它们也躲，也不高兴，尖声嘶叫，但还是一眼不看我们，你可以说它们也有一点自尊心。

我们一路打过去，女孩也奋勇投掷，打得一圈猪叫，骚动不宁。我们不许它们这么安逸，见不得好人一生平安。

一个穿着雨靴、挂着皮围裙看着比猪也没干净到哪儿去的兵闻声跑出来，手里拎着起粪的铁锨，大叫大嚷：你们欺负它干什么？

它招你们了？

我们就跑，边跑边继续往圈里扔石子，嘴里大喊：臭，真臭！

那个饲养员仍在后面喊：抓住他们剁手。

我们穿杨渡柳，一直跑到马路边才停住脚，心情无比兴奋，好像历了次险，大大开了眼，见识到了一种异国风情。那时红日西沉，天上也出了晚霞，我们发现已经过了公主坟环岛，对面就是京西宾馆。京西宾馆好几层亮了灯，马路上既无车也无人，像荒原一样辽阔沉寂。那也不过一站路，我们却也走的怕了，连跑带颠。于倩倩和吴迪要撒尿，恳请我们等她们，我和许逊嘴里说等，边走边退。她们并排蹲在地上，很凄惨地喊着我们：等一等等一等。一声声带着颤音的呼叫在分分钟变暗的天空下清越地传进我的耳朵。

我们走到 29 号北门，向站岗的战士求情让我们进去。吴迪见我们要抛弃她，急得想哭。我们带她一起进了我们院，陪她走到西门，站在那儿看着她独个穿过翠微路，暮霭中她小小的身影一直在树之间飞跑。

烈日炎炎下悠闲自得的猪群是那天最鲜明的印象。日后一想或聊那天，情不自禁冠名以“看猪那天”。

| 第十七章 |

先是有了声音。当我们坐在教室里进行期末考试复习，需要集中注意力分析“妈妈买了10个苹果哥哥吃了4个苹果妹妹吃了3个苹果他们一共吃了多少苹果还剩多少苹果”这类绕脖子的应用题时，就会感到这世界不再安静，多了无数嘈嘈切切。过去我坐在自己的座位上只能听到窗外树上知了麻痹知觉的长鸣和偶尔驶过的一辆汽车的喇叭响。市声的唯一策源地是翠微路商场，那个方向到下午会有一大片乱哄哄、不明真相的声浪。现在这声浪来自四面八方，仿佛海水在远处决了堤，一波波涌来，水面上飞着大群蜜蜂，嗡嗡作响，感觉海拔都高了，坐着不动大地也在摇晃，空气颤抖，有一股强大的浮力向上托举你。

那是人们在大声说话，远远近近全城的男人女人都在一齐大声嚷嚷。很多声音通过高音喇叭传出来，很多高音喇叭一齐喊叫，远在郊外坐在一所房子里的孩子开着窗户就听到一片庞大无边的噪声。

接着是一些巨大的字出现在路边，红色的、白色的、黑色的，刷在一堵堵围墙和临街店铺的橱窗之间。隔着马路也很醒目，往任何方向随便看一眼都会有几个火暴的字眼跳入眼帘：坚决拥护……坚决打倒……炮轰……血战到底……什么的。

第一批看到的红卫兵是翠微中学的。我正在上学路上，他们从翠微路北口校门冒出来，男男女女几百号人，黄糊糊一大片，有步行的，有骑自行车的，一人一身黄军装，戴着军帽，扎着皮带，脚下一色白球鞋，左胳膊上套着一拃宽的红袖标，印着新鲜的三个黄字。走在街上的小学生都停住脚看他们，翠微路商场的一些售货员也戴着蓝套袖跑出来看，还有路对过黄楼的一些推着婴儿车的老太太聚在路边指指戳戳。

他们看上去很温和，也很沉默，自顾自地走路眼睛盯着前方，女孩子挺着胸脯帽檐朝天好像知道自己很好看所以有点骄傲。我身边一个歪戴白帽子一看就有点不正经的男售货员突然振臂高呼：向翠微中学的红卫兵战友致敬！我们都觉得此人滑稽，抿着嘴笑吟吟地看那些红卫兵作何反应。他们也像是有点不好意思，憨笑往这边看，有几个女孩也尖着嗓子握拳高喊：向首都革命群众致敬！

两下里都是闻所未闻的称呼，红卫兵也罢了，一身军装也有个意思；这位卖大葱的一贯缺斤短两净看他和革命群众吵架着实不是那么回事儿，高抬了。

“首都革命群众”咧着大嘴呵呵乐，拳打脚踢逼着周围小孩跟他一起喊：向红卫兵学习。我们都跑开了，就看他一个人在那儿热情地狂喊。

走到复兴路口，红卫兵队伍突然加快了，步行的人纷纷跳上自行车前梁或者后架，一个驮一个蹬了起来。只见自行车如密集的流矢在路口嗖嗖掠过，一簇簇人斜倾着身子姿态优美地滑翔，摆正之后个个弯着腰拼命向城里方向蹬去。

一眨眼工夫，自行车队消逝得无影无踪。街上聚起的一小群一小群人也慢慢散去，翠微路又恢复了往日的平静。

我感到有大事已经发生，但大事发生在城里，只闻其声不见其形，很难想象那究竟是些什么大事。

看那些标语似乎城里打起来了。有人反对毛主席。

标语上提到三个人名字：邓拓吴晗廖沫沙。都是一村的，晚上爱说梦话。还有个日本人：彭罗陆杨。不知是哪庙的和尚。胆儿也太大了。真想成立资产阶级司令部也应该去华盛顿呀。

有一天我们正在上课，突然传来一阵喧哗。只见当过我们辅导班的五年级那班的学生揪着他们班老师张敏吵吵嚷嚷从窗外经过。张老师走在前面，李白玲揪着她后脖领子。张老师边走边努力想回头说什么，脸上的无奈、温顺是我从没在一个老师脸上看见过的。这老师一向也是个精明强干的，说话像打机关枪，又快又脆，很让人敬畏的。现在她成了孙子，刚一张口就遭到七八只手指到脸上，一片斥骂。同学们的样子都很愤怒，脸红脖子粗，只有小偷被当众擒住才会引起周围群众这般情绪。

快看，他们打她了。我发现我在激动地尖叫，嗓子都岔了音。我们班的同学像船体突然倾斜呼啦都跑到靠窗的这边往外张望。

李白玲一个耳切子扇到张敏老师的嘴上，张老师捂着脸想蹲下去，被张明和另一个大个男生合力提起。他们拎的是她的头发，再一拽，她的脸就露出来仰上去，李白玲又是一个耳刮子，打得脆，摔小玻璃片似的声音我们都听见了。校长和体育老师都出现了，奇怪的是他们两个平时最威武的男人此刻也显得怯懦，拉一把正在打老师的学生都不敢，只是劝，来来回回拦阻往上冲的学生。体育老师那样子还有点嬉皮笑脸的。

要文斗不要武斗嘛！校长大吼一声。他也不知被谁一把推搡出人群，踉跄几步好像是直扑我们而来，满脸通红眼中突然流露出恐惧，这在有时爱吹守过上甘岭的一校之长身上是很不寻常的。

我回头看了眼朱老师，她没看窗外，低头在想什么，手拿粉笔在讲台上画来画去。今年夏天，她一变十分土气，穿着一字领的白布汗衫，肥裤腿的蓝布裤子，膝盖上也打了两个补丁，那很配她。外班的同学都跟我们班的同学私下传，她家是印尼华侨，那可以解释她为什么像黑人。华侨，就是资产阶级。到处找资产阶级，没想到自己的老师就是，这叫我且惊且喜，老忍不住想问她：你们家生产什么呀？

张敏老师的罪名很快就传遍了全校，中午放学我们都知道了。她说毛主席鼻子和嘴是通着的。太反动了，大家都很气愤。毛主席怎么会和我们一样？

有一天，在我们学校门口那个大厕所里发现了一具死尸。我们闻讯赶到那儿死尸已经给抬到马路边的树荫下，盖着一张凉席。并没有多少人围观，那人孤零零横躺在地上，头垂在马路牙子下，是个后仰的姿势。我们用脚扒拉开盖着的凉席，看到一个脸很小，长着一撮小胡子的中年男人。他戴着蓝工人帽，上身穿着劳动布工作服，眉头紧锁，好像临死还在思考问题。不是很可怕，脸色也正常，跟一个睡熟的人没什么两样。只是有蚂蚁，一小队蚂蚁在他的鼻孔中爬进爬出，猛然明白死与生的区别：不再有呼吸了。听旁边的人议论，这人是自杀，在厕所里上吊。没人知道他是哪儿的，为什么想不开。这人他长得不出众，但也远谈不上邪恶，再普通不过的一个人了。

期末考试提前了。大家还没复习完就开始考了，学习不好的同学怨声载道。朱老师安慰大家：都会让你们及格的。考卷发下来果然很简单，考题也比上学期少。考试的时候很多同学还是抄，朱老师看见也不管。那学期我们几乎全班都得了双百，最差的也是九十多分。

考完试我们全校上街游了一次行，为何而游忘记了，总之很隆重。游行前一天下午我们各班的旗手还和校鼓乐队一起练了队，胡老师还是那么朝气蓬勃地叼着哨子一边自己踏步走一边给我们吹着步点儿。第二天去学校集合，突然又说不打少先队旗了，红领巾也不让戴了，说少先队“修”了，整个组织被取缔了。我理解这“修”的含义就是跟苏联一样，苏联什么样我可不知道，好像是都吃土豆烧牛肉。为什么吃土豆烧牛肉不好，那我也说不上，真正的马克思主义者不该挑食。

问题是我们也没尝过这道西餐是什么滋味，也糊里糊涂“修”了，大家都觉得冤，一边从脖子上往下扯红领巾，一边围着胡老师哭丧着问：咱们都修了？那还让不让我们跟着毛主席干革命了？

没你们的事，胡老师说，也没我的事，修的是上边。

上边是谁呀，我们认识吗？

你们不认识，我也不认识。甭缠我了，以后咱们都听毛主席的话就完了。

胡老师脸黄黄的，十分贫血的样子。摘了红领巾她也一下变老了，皱纹都出来了，原来她那个粉脸也是红布托的。

那天我们那一带的小学都出来了，马路两边走的都是支持毛主席的小孩儿。我看到的校旗有“育英”、“培英”、“六一”、“十一”、“五一”，都是各院的子弟小学，一看校名就知道一个路数，没什么想象力。

他们都是从西边过来的，走了很远的路，到了翠微路已经筋疲力尽，鼓也打不动了，号也吹不响了，喊口号也是稀稀拉拉，很多小孩一瘸一拐，还有低年级女生边走边哭。哪还像来给毛主席撑腰，倒像给社会添乱的。

过了公主坟环岛，看到海军的七一小学。他们非常阔气，每个孩子一身新式的灰军装，连老师也穿着军装，远远看去一片汪洋。海军就是爱臭显，好像谁不是军属似的。我们学校和七一小学并排行进时大家都觉得压抑。我在队列中小声嘀咕：灰老鼠。他们看到我们中穿军装的就骂：黄鼠狼。沿途两校孩子互相用胳膊肘捣来捣去，谁也不示弱。也许是着装整齐，七一小学的女孩显得彼此相像，都白，都好看，像一个妈生的——我感到自己非常嫉妒那些七一小学的男孩。

快到军事博物馆时我们看到一支仍然穿少先队队服的小学生，队旗上写着罗道庄小学。

打倒罗道庄小学！罗道庄小学滚回去！

我们纷纷举起拳头向他们喊口号，大声嘲笑他们：土鳖。

我看到那些队服洗得发黄，上下缀满补丁的农村孩子眼中闪过惶恐瑟缩。没走多远，他们头如刺猬面颊瘦削的老师就带着他们离开大街，匆匆拐向八一湖边。

那之后，上街游行成为我生活方式的一部分。学校放暑假了。老师好像巴不得我们早点滚蛋似的暑假作业也没留就把我们统统打发走了。但到晚上，他们又不得不把我们召回去，参加庆祝毛主席最新指示发表的游行。那是人人有份的夜生活，她们不能不叫上我们一起过。流行的说法那叫“大喜的日子”，也真像是什么人结婚，各大院里敲锣打鼓放鞭炮。有一次我给海军大院的一挂鞭数着，数到九百九十九我拉了一泡屎偷了一盘向日葵瓜子都嗑完了还在响——那得是一米多高的大个儿在那儿举着啊。

那时太阳一落山，广播电台就开始一遍遍预告：今天晚上有重要广播。

播音员的语气那样庄严、沉重、悲愤难耐，就像斯大林。在不止一部苏联影片中他用这样的腔调通过广播向正在休闲玩耍的苏联人民宣布：德国法西斯昨天夜里越过了我国西部边境。也许我们这个播音员就是给斯大林配音的那位。一听到这个声音我就冷得牙齿打嘚嘚，头皮也突然短了遮不住大脑一阵阵发紧，以为接着会宣布：第三次世界大战爆发——妈拉巴子我被他吓死了多少细胞啊。

我家楼下一棵大槐树枝丫上就架着一具高音喇叭。每到晚上八点，我们小孩就围在树下仰着脖子听那棵树上传出来的声音，心中凄恻，想着自己的好日子再有几分钟就到头了。那一团黑云般的树冠又奏乐又说话，好像它有一种通灵能力，传达出天旨神谕。我们的生活都被它捏在手心里，它说继续过我们就继续过，它说结束我们就找一茅坑一头扎死得了。

那棵树说：你们要关心国家大事。

它又说：要斗私批修。

有时那棵树话密，啰啰嗦嗦一大堆，听得我们晕头转向，只知道它懂医：人的身体有动脉、静脉，通过心脏进行血液循环，呼出二氧化碳，吸进新鲜氧气……

有时这棵树话又很少，造半天气氛，就俩字：多思。感觉想法挺多，挺深刻，话一出嘴，咔嚓——掉闸了。

都没什么要紧的。白天、心平气和跟大伙说也来得及。

夜夜走在大街上，我感到自己在成长，从不懂事变得懂事，人不告我血液是通过心脏循环我真一直以为是通过肛门进行循环的呢。

有时，大树几天没话，我们倍儿失落，就像到日子月经没来，浮躁且糟心。估计大脑皮层已经产生一个兴奋灶了。

喜欢那种动辄倾巢出动全体上街没白没黑的旧风俗。上海话：闹轧猛。波音飞机广告词：使（世界）各地的人们欢聚一堂。可以看到形形色色的衣服、锣鼓、彩旗、画像、书法和演出，各界群众一起说说笑笑，到处看风景看美人儿。中国林子那么大，平时哪那么容易就都见着了，应该挑日子大家出来走走，什么鸟都亮亮牌子，比比嗓子。我的身体这样好，一贯不锻炼也不生病，和小时候经年累月跟大伙一起猛逛大街有关系，不留神健了身。

老是觉得今天的社会没有过去热闹，中华民族好多优良传统都没继承下来。我觉得咱们应该规定全国大中城市每年拿出一天，大家都放下手里的营生，上街分门别类走一走，彼此见上一面，各路红军互相拥抱一下。了解了解隔壁楼里住的是老王还是老张；那位穿西服戴“金捞儿”的是大款呢还是骗子；这位搽脂抹粉儿长发披肩的是鸡呀还是演员；本地“愤青儿”和外地民工到底有什么区别——就叫“全国见面日”吧。

那个暑假方枪枪的姥姥死了。就是那个挺惯他的，又瘦又高梳着发爪隔三岔五到北京住一阵子的小脚老太太。方枪枪他妈带着他和方超回了趟沈阳。夜里上的火车，夜里的站，在一家小旅馆睡了半宿，天亮坐三轮到了姥爷家，路上娘儿仨啃了一只烧鸡，味道鲜美。

没看到死人，姥姥早在北京烧成了灰，装在盒子里带了回来。这使方枪枪没什么丧亲之痛，只觉得是远远地串了一次门。姥爷老姨见到他们也是笑眯眯的，一家人围着桌子吃这吃那。姥爷家是一间很大的屋子，地板地，四周很多又矮又窄的长方窗户，像是一间花房。又做客厅又做卧室又做餐厅，摆了无数桌椅床柜仍有宽敞的空间可以跑来跑去，捉迷藏再合适不过。

沈阳人很多，房子一幢挨一幢，有些老楼的样式是方枪枪在北京没见过的。姥爷家门口就有一家电影院，一条街都是商店，一跑一躲就钻进人家店铺里了，看售货员给顾客扯布称糕点十分有趣，比翠微路商场热闹多了。

奶奶家也在沈阳。那是个脸上皱纹更多腰都直不起来的老太太。跟她住在一起的是方枪枪的二叔，也是个军人，比他哥方枪枪他爸要高出一头还多。方枪枪和老太太不亲，老觉得她只是二叔的妈，待了一会儿就不耐烦，想快点回姥爷家玩去。他想象不出爸爸还有父母那种情景，这么多年他爸一直独往独来，像是石头缝里蹦出来的人，以至方枪枪想到他可能也有父母也认为那俩老人早死了。

回北京的火车是白天开的。方枪枪看到大地和电线杆子居然会往后走，甚至像一个奇大无比的圆盘缓缓转动。餐车上的白桌布给他留下很深的印象，感觉火车上的人日子过得很讲究。火车的晃动似乎没公共汽车那么厉害，只觉得脚下震颤，脚心发麻，坐着坐着还是恶心了，吐了他妈一手绢。

方枪枪的爸爸变得十分暴躁。放暑假在家的方枪枪眼睁睁看着他由一个原本尚属亲切的人逐日、一步步变成一个蛮不讲理的凶汉。他人黑了，也没多晒太阳，只是不笑了，眼光黯淡，表情的阴郁可以使色素沉着这是方枪枪的新发现。接着他胖了，总是撅着嘴，嘟噜着俩腮帮子。然后他变得苛刻，不许方枪枪和方超下楼，当他下班时必须看到这哥儿俩在家，尽管天还亮，楼下还有很多小孩在玩，方枪枪和方超再三恳求，仍然毫无所动。然后他不爱说话，日常生活用语退化成简单的象声词：嗯、哼、嗳。然后他大叫大嚷，谁也没惹他自己就急了，大骂俩孩子，把桌子椅子拍得震天动地，有时还打人。过去他是有点怕老婆的，老婆一张嘴他就闭嘴，现在他也朝老婆嚷，激动起来还摸腰，似乎要掏枪毙了她。夜里两个人关起门来嘀嘀咕咕，方枪枪起来上厕所常能看到那屋的灯光从门下泄漏出来。有时他也蹑手蹑脚过去偷听，经常方际成嗓门突然提高方枪枪登时屁滚尿流一路逃窜。

开始方枪枪只是觉得自己坏，他爸嫉恶如仇，后来也隐隐觉得他爸是故意找茬儿拿孩子撒气。可是没法说，也不敢指出这一点。显然他的爸爸有烦恼，那也使方枪枪闷闷不乐。在这一片大好形势下，为什么他显得那么不高兴？

那个时候社会上已经开始流言蜚语漫天飞。小孩见面的话题也主要是：听说了吗，中央又揪出一个。

翠微小学的教导主任据说是张作霖的六姨太。家住我们院的田登云老师是三青团。我们新学了一词儿：揭老底战斗队。那词给人的联想是翻箱倒柜，你膝盖摔破了结了一个痂，他上来就把这片痂撕走了。

爸爸妈妈那间白天总锁着门的卧室，引起了方枪枪浓厚的兴趣，没事就爱蹲在那儿扒着钥匙眼儿往里窥视。从那惊叹号般的缝隙中可以看到大立柜的一线镜子，沙发转椅铺着蕾丝花边的一侧扶手和洒着阳光的一半床栏格。断断续续的家具什物，受到限制的视角令人遐想，看不到的都是秘密。

一天傍晚，方枪枪他爸换了便衣领着他们进城。这不是逛公园的时间，商店也都该下班了。他们一路换车，越走越远。经过天安门，看见漫天飞舞的燕子；也遥遥听到了北京站大钟像八音盒一般叮叮奏出的《东方红》乐曲。城里的天空密布电网，翘着两根长辫子的果绿色电车开动起来十分安静，也没有令人难受的汽油味儿。城里的街都很窄，一家家院门就开在当街，都是静悄悄的青灰色，街口有一两家灯光昏暗的小店，橱窗里摆着花花绿绿的烟酒。他走过长长的胡同。沿路的墙壁灰泥剥落，露出里边的一块块青砖。那些砖也破损不堪，坑坑洼洼像被人凿过。他们不停地拐弯，每拐一个弯，前面就会出现一条更长更残破的胡同。一个出来倒垃圾的花白头发的老太太看了方枪枪一眼，吓得他心都停跳了，他认为这是个鬼，老太太和小人书上画的白骨精变的老太太一模一样。

那好像是妖怪变出来的一所大花园。有假山、猴子和开败的一池沉甸甸垂着头的碗大的花朵。四下房舍重重叠叠，只有几个窗户透出灯光，半明半暗。一辆黑色的吉普车停在敞着门的车库前。

我看到一个花白头发，很慈祥的老头儿坐在一张皮沙发上，旁边一盏纱罩台灯，隔着很远轻声说话。那个客厅有很多这样的沙发和台灯，沙发与沙发之间还有一些柱子，挡着人的视线。我觉得他很像刘少奇。也是那个岁数，那样的背头，也有一笑就隆起的两块颧骨，大眼睛高鼻梁，坐着也显出两条腿很长。方枪枪他爸管他叫姑父，让方枪枪管他叫姑老爷。老爷这称呼给人感觉怪怪的，叫起来立刻觉得低人一等。方枪枪看到他爸一直挺着腰板坐着，很严肃很恭谨地说着什么。他又看了眼他妈，只看到个背影，凑得很近地和一个庄严的中年女人叽叽呱呱说笑，头发和肩膀乱晃，日后那使他想到花枝乱颤这个词。

方枪枪上厕所时在一间套一间迷宫般的房子内迷了路。他走进一间屋子，那里有一桌饭菜，一些年轻男女奇怪地站在餐桌旁，也不开灯也不吃，面向墙壁，一种蓝莹莹的、不停闪动的光映在他们脸上，使他们人人脸色苍白——那是墙角一架黑色电视投射出来的光。

另一个傍晚，方枪枪从城里坐车回来。他刚在民族文化宫看了一个西藏的展览。那些展柜里摆着很多头骨做的碗，挖眼睛的石头帽子，从人腿上抽出来的筋，还有一整张被剥下来的小孩皮，摊开了钉在墙上，像一只大蝙蝠。

回到家后，他累得上床就睡了。醒来眼前一片漆黑，爸爸妈妈和方超在外屋吃饭，门虚掩着，传来碗匙相碰和人的低语声。楼下还有很多人在说话，外面吃饭的人显得很近，他忽然觉得悲伤，就哭了。

| 第十八章 |

到处是他。几十吨的、一两多的、戴八角帽的、梳背头的、正对大街的、迈向人间的、老得睁不开眼的、年轻腼腆像个大姑娘的、全须全尾儿的、笑的、沉思的、夹烟卷的、拿雨伞的、扬臂召唤的、掰手算账的、裹军大衣的、套蓝大褂的、戳在大门口的、别在胸脯上的、彩色的、全素的、大理石的、白水泥的、石膏的、砖头的、瓷的、铝的、塑料的还有海绵的。走到哪儿，他都和你在一起，好像自然界的一部分。

那就像掀开了粪井的盖子，所有的龌龊都亮了出来。我们到处去看大字报。我们院礼堂、一食堂那一角有一些，办公区有一些，“文化大革命”开始，办公区警卫得也不那么森严了，小孩也能进出。有时，我们还到翠微小学和翠微中学去看，那儿的大字报更是铺天盖地，每一尺墙都糊满了，楼道、院内拉着一道道铁丝像晾衣服一样挂着直垂到地的大字报，整个院子变成用纸墙隔离的曲回迷宫。

烈日炎炎之下我一次次感到震惊。我发现罪恶离自己那样近，就在那些看上去一本正经威武不屈的大人之中。他们撒谎、背叛、占别人便宜，个个都是卑鄙小人和无耻之徒。尤其令人痛恨的是他们多次结婚。第一个娶的老太婆挺好，都是老干部，工资都挺高的，一定要离，换个年轻级别低的。我们院小孩的妈没有几个是大房，净是后娶的。我当然不懂结婚之后两个人在一起主要干什么，直觉上感到那里有一种下流的勾当，什么纯洁的东西被玷污了。也许是大字报提到此类事所用的轻蔑或义愤填膺的字句影响了我，我以为那属于犯罪。坦白讲，我发觉自己被这类事吸引住了，受到一种下贱的情绪支配。看到白纸黑字写的涉及男女关系的细节我十分不适，情感一点点波动，像被狗舔了，越不适越想再来一下。对自己的反应很生气，很厌恶，又无法平复心情的紊乱，于是大怒，于是升腾起强烈的道德观念：和女的好就是动物，最低一等动物。这些人都该死！以后坚决不结婚，一直跟着毛主席干革命。

每个星期都有外面地方的造反派开着卡车冲我们院西门想揪院里在地方单位工作的家属。警卫排的战士拦着不让他们进，他们就堵在门口和前去劝阻的管理科干部激烈辩论。双方都拿着红宝书，胃疼似的捧在胸前，各自引用毛主席语录针锋相对地对骂，不时一齐振臂高呼毛主席万岁。警卫战士有纪律，叫做打不还手骂不还口。一般只是徒手组成人墙。毕竟那也不关他们的事，他们也不是太起劲，造反派豁出去一冲就冲开个口子。这时，我们小孩就飞跑回各楼叫大孩。这些大孩都是红卫兵，打人也不犯法，戴着红箍下楼见外人就打。前来滋扰的造反派大都是文教系统的小知识分子，体格孱弱，架着眼镜，很多人是中年人，被打得脸红脖子粗还挣扎着昂首讲理。有时大孩们一直把他们追杀出院，小孩们也跟在后面起哄呐喊射弹弓砍砖头，远远看去也是颇有声势的好几百口子，浩浩荡荡追到翠微路口，才散了队形，后队改前队，一路狂奔，争先恐后逃回院里。

我们院都靠小孩保卫了。那使院里孩子油然而起一种使命在身的责任感。也就产生了很强的地盘概念。见到外院孩子进院就要去截，百般盘查，动辄群起追打。很多来走亲戚串门做客的小孩都挨了打。就是从那时起，我们院孩子开始和海军的孩子打群架。我们老要到他们院看演出、澡堂锅炉坏了要到他们院洗澡、看热闹玩玩什么的，他们也认为这是一种冒犯和侵略。

翠微路口天天都有几百辆自行车聚在那里，车座拔得很高，露出一截儿铿亮的不锈钢管，很多车都拆了后支架，车把安了转铃，一根或红或绿的钢丝锁弯弯曲曲蛇一样架在上面。那些人都穿着松松垮垮的黄军装，戴着呢子军帽，很宽的红绸子袖标随随便便套在小手臂上，被挽起的袖口遮住大部分，只露出无字的一圈边儿。他们一脚支地，歪着肩膀驼着背扎着大堆儿聊天说笑，几乎人手一支烟，边说边有烟雾从嘴里鼻孔中散出；有人骑车带人在拐小圈；有人孤独傲慢且怀恶意地盯着过路的人；有时会有两个、三个穿军装的女孩子站在他们中间和他们说话，那时一些人脸上就笑嘻嘻的；不时，会飞车而来又一群同样打扮的人，新到的就会和原来在那儿的纷纷握手，说一些很豪爽的话。有一个人总是独自走来，戴着布军帽，很黑，脸上很多壮疙瘩，很沉稳的样子，一路走去，谁都认识，他们叫他“小保”。

看见这些人，方枪枪之辈就会互相使个眼色，捅捅肋骨，很敬仰地小声说：“三校”的。那是翠微、育英、太平路三所中学的红卫兵搞的所谓“三校联防”。我们那一带最狂的红卫兵组织。这几百号人只是翠微中学的一小撮。真正的大队人马是从西边过来，黄酽酽，明晃晃，铺天压地，使我总觉得那曾是在下午临近黄昏看到的景象。不能尽书那种壮观的场面，只记得受到震撼的心情，觉得他们很辉煌，进行着伟大的事业——他们去冲公安部。

有时清晨，也能看到一些妖娆的男女现役军人一卡车一卡车地从街上疾驶而过，沿途乱喊乱叫，狂呼口号。他们有一个很响亮的名称：三军冲派。

一些魁梧黝黑的大个子军人从礼堂怒气冲冲地出来，边走边吼，纷纷往一辆卡车上爬。他们是驻在长辛店靶场的“三项队”的人，经常来院里灯光篮球场和机关年轻干部打篮球。他们中有几个是历届“社会主义国家友军比赛”全能和射击、障碍、投弹各单项的冠军得主，可说是武艺超群。他们在和什么人吵架，上了车立在后挡板旁还连比画带挥手扯着脖子嚷。卫生科的两个女兵勾肩搭背慢慢从礼堂里踱出来，站在台阶上骂他们，嗓门也放得很开，又尖又脆。卡车开动了，他们和她们还在不依不饶地对骂。

我也不记得是哪边骂哪边的，只觉得这话很上口，一下就记牢了：河边无青草，饿死保皇驴。

孙中将摘了领章帽徽，敲打着一面很响的铜锣，沿着大操场西边的马路边走边喊：打倒老孙。

我们在操场另一边桃树掩映的马路上迈着正步跟在他儿子身后，一齐有节奏地喊：大腚、大腚。

他儿子突然笑着转身做追赶状，我们也笑着一哄而散。

大批外地的红卫兵住进了我们院，在俱乐部、礼堂、食堂凡是有空地的房子内席地而卧，每人一张草席，吃饭的时候就到一食堂领两个馒头一碗白开水。他们穿的军装很多是自己染的，色儿很不正，像青苹果。正经军装也多是仅两个上兜的士兵服。有人自己在下面开了两个兜，还是能看出来，因为士兵服上兜盖有扣眼，而干部服则是藏在里面的扣袢。

他们很憨厚，个个都是朴实的农家子弟的模样，口音很侉，见到去找他们玩的小孩就问：你爸是什么官？你们院都是团长吧？

我们一边在他们的地铺上躺下起来折腾，一边告诉他们：我们院还有好多军长呢。

白天，他们就坐我们院卡车走了，晚上回来都很幸福，眼中闪烁着生理满足之后尚未平复的激动和惬意。经常还有一个人处于歇斯底里状态，跳着脚又笑又叫，眼角冒出一片片泪花，耷拉着一只膀子，扎着五个指头。我们院好事者围上去轮流握他那只手，再三地握，双手捧住，紧紧抖动，脸上也显示出巨大的亢进和陶醉。那是一只被毛主席握过的手，我也挤上去拉了拉那只手，很想叫自己激动，但没有，只是一手汗和几个老茧。

那人发誓这只手一辈子不洗了。

后来，方枪枪看过毛主席检阅红卫兵的彩色纪录片。毛主席很庄重，缓缓移动着身躯，在天安门城楼的白栏杆上走来走去。再看金水桥畔的那群红卫兵，满脸是泪，身体一上一下地抽动，喊、叫、大汗淋漓——干吗呢嘿！

红卫兵来来去去，过把瘾就走。后来就有点讨厌了。有一帮舒服了几遍还不走，泡在我们院免费吃住在北京逛公园。再后来他们居然贴大字报，说我们院给他们吃得太次，光馒头白开水没菜，而我们院的老爷少爷净吃大鱼大肉。废话我们是花钱吃。这帮白眼狼真是蹬鼻子上脸。他们在我们院食堂前声泪俱下地控诉自己遭受的迫害，说他们是毛主席请来的客人，在我们这儿都饿瘦了，动员我们起来打破这不平等的社会。讲的是慷慨激昂，上纲上线，骨子里还是要饭。自己的动机阴暗说成全世界人都有罪这帮红卫兵也让我见识了形而上是怎么为形而下服务的。

这就叫刁民食堂任师傅说。

一股黑烟在海军大院上升，直冲蓝天。消防车拉着惊心动魄的汽笛从远处驶来。方枪枪爬上院墙，看到海军食堂旁的一溜高大的平房着了大火。火苗穿透屋顶，在一排排白瓦上阴险妖娆地晃动，看上去相当无害，所到之处并无异样。戴头盔的消防队员把白练般的水柱浇上去，它们就低头缩回屋内。房子的门窗往外冒的只是滚滚浓烟，熏黑了框子和墙壁，一点火星也看不见，这使场面显得不那么危急，看到的只是一群群忙忙碌碌的人，地面到处淌着小溪般的水。很多海军的小孩也站在周围看热闹。看见我们院墙头站满人，就朝我们吆喝：看什么看，找打呢。

我们院孩子就挥舞着弹弓说：你过来。

他们就捡石子奋力向我们投来，我们院小孩就拉开弹弓射他们。他们一窝蜂向我们冲来，我们连忙跳回院内，满地找石头隔着院墙扔过去，那边的砖头瓦块也如雨点般飞过来。

等我们再次探头探脑爬上墙，那房子已成一个花架般的黑框子，遍地冒烟，火全灭了，一个消防队员刚从房顶摔下来，人都瘫了被同伴抬着往外跑，他捂着肋部表情极其痛苦，接着好像就昏迷了。我没看到血。

李作鹏家的“一面红旗”像一艘黑色游艇从我们楼前矫健驶过，长腰丰臀，体围宽及两边的马路牙子。

听到“嘟嘟乓乓”犹如巨人放嘟噜屁的声音，就知道李家的胖儿子和他胯下的那辆自动小板凳般的济南“轻骑”牌摩托车很拉风地来了。

海军院内的墙上刷着大字标语：坚决拥护李王张首长！

夜夜都能听到海军黄楼那个方向的一群大喇叭在吵架，有着唢呐般高腔的女声们天天对着喊话、讥讽、谩骂、朗诵毛主席语录和诗词。经常听到杜聿明的名字，不知此人与此有何相干，急忙去查毛主席语录，始知此人是国军干将，二十年前就被俘了。

一个月黑风高之夜，迷迷糊糊听到有女人呼救，其间伴有《国际歌》，这些声响之悲怆，情绪之绝望，使我一夜辗转反侧，噩梦不断。早晨起来，人人都在传说海军黄楼打了一场惨烈的攻坚战，坚守在里面的人失败了。在最后关头，我们熟知的那位能唱花旦的女播音员紧紧攥住一个攻进来的革命者的裤裆，捏碎了这名年轻军官的睾丸。

批斗大会那天海军大院沿途布满警卫连的岗哨。操场上人山人海，一片海灰。他们院小孩也都没空搭理我们，一帮帮站在外围，爬在树上，伸着脖子往舞台上瞅。舞台铺着白桌布的长桌后面上坐着几排首长，都是老头，一边望着台下一边端起茶杯吹开茶叶喝茶。一个跟他们年龄相仿的老头，穿着被摘了领章帽徽的棉军服棉帽子，十分沮丧地单独一把椅子靠前坐在台口。人很白，很富态，脸部轮廓像新疆人。那感觉很怪，很像一群朋友突然闹掰了，大伙都和一个人翻了脸，把他孤立、遗弃在一边，寒碜他。

台上台下的人都对他很凶，不断举起小树林子般的手臂向他吼，声若闷雷。这位看上去挺老实的老头被说得十分可怕，最引起公愤的是他下令战士吃西餐，一年到头牛奶面包，饿得战士们皮包骨头。

还有一次海军也戒了严，三步一岗，五步一哨，通我们院的小门都关了。我们院也加了岗，派出一些游动哨。听说那是林副主席来了，叫做"亲自视察海军"。隐隐听得他们院里敲锣打鼓，口号阵阵，一派热闹。

如果你有那样的坚定观念：革命是暴力，是一个阶级推翻一个阶级的暴烈的行动。那么这些场面就没有一丝一毫的悲剧色彩和恐怖气氛。相反你会觉得热烈、振奋、长长透出一口气，如同风筝断了线，越飘越高，似乎将要上升到一个纯粹的境界——那是个很大的无边无垠的水晶世界，你变成红桃尖儿，别人都是黑桃 4 方片 3 和梅花 2。我得说那是一种很良好的自我感觉，你会如大梦初觉，激灵一下以为自己明白了人生，接着觉得自己力大无穷，目光如炬，再发展下去，十有八九就像女人达到性高潮，一刹那一刹那，如痴如醉。这时若有医生切开你的大脑，一定可以发现有大片刚刚分泌的致幻物质。现代医学也许能命名这种现象。我叫它："天堂来潮"。

那种物质一旦分泌便很难再被吸收。很多病例证明，品尝过这种高潮的人难以再过平静的生活，就像吸毒者常说的：一朝吸毒，十年戒毒，终生想毒。病得比较重的人主要特征为：假装性格峻烈，浪迹天涯，倡导怪力乱神。等而下之的：自立门户，妖言惑众，装神弄鬼，开班授功。

作为小孩，我实在也看不出这是哪个阶级在推翻哪个阶级，一定要往那个革命理论上靠，我只能希望是小孩这个阶级推翻大人那个阶级。奴隶制废除了，妇女平等了，殖民地人民独立了，只剩小孩还老受压。谁在乎谁推翻谁呢？只要好看。毕竟没有断头台、毒气室、大规模枪杀、剥皮抽筋和五马分尸，只是戴戴高帽、剃剃阴阳头、游游街、姓氏打个叉、挂挂牌子、撅撅喷气式。说是革命，更像是演戏，卓别林也无非这一套噱头。所以，红卫兵也别觉得自己真怎么着了，大人呢也不要太悲壮，你们都是著名喜剧演员，寓教于乐，给我的童年带来了无穷欢乐。

方枪枪紧走两步双手握住方超的双手：你好啊，康斯坦丁·彼得洛维奇。

方超：你好你好。弗拉吉米尔·依里奇。然后他坐下很发愁地说：是不是有些不必要的残酷。

方枪枪两手插在小背心上向他弯下腰：谁残酷？我们，布尔什维克？几千年来工人们的鲜血流成了河……

方枪枪的手在桌面上曲里拐弯蛇行：尼古拉大门也要打开？

方超严肃地点点头：要打开。

方枪枪把手曲里拐弯原路撤回来，掏出妈妈的化学梳子吹了口气，一本正经在自己的短头发上梳了梳。

除了生活中的活剧，对我们影响最大的就是电影了。我们的文化生活并不像人们想象的那样一片空白。那时我们院操场天天放电影，集中放映苏联电影和批判电影，所谓批判电影就是“文化大革命”前十七年拍的所有电影。我们不知道这些电影有什么值得批判的内容，只是如饥似渴地吸收那里面的人物性格和只言片语，就像学习自己的神话传统和古老方言。那使我们看上去似乎变得是一个拥有自己独特文化的部落，从电影起源，长出自己的根。那几乎、差点发展为一门可用于交际流利表达思想的外语，你要不懂，就没法跟我们相处。

当你站在一个高处，心情很好，打算抒抒情，你要说日语：兔子给给妈耶。或者：人们万岁。

当你想往下跳时，在空中要喊“瓦西里”，落地之后不管是躺着还是站着都要说一句：布哈林是叛徒。

困了，想睡觉，上了床，要对自己说：就这样，在地上，盖着别人的斗篷，睡着无产阶级的导师。

别人问你刚才说了什么，你要回答：好像是世界革命万岁。

别人看你，你要告诉他：看着我的眼睛——叛徒的眼睛。

要是有人热情地搂住你，你一定要说：面包没有，牛奶也没有。

那人就会说：面包会有的，牛奶也会有的。

称赞别人你必须竖起一个大拇指，瞪圆眼睛：高，实在高。

想让别人信任，你只能说：皇军不抢粮食，不杀人，皇军是来建设王道乐土。

逼问一个人：在人民政府面前抵赖，没有用。

表示有路子：别说吃你几个烂西瓜，老子在城里吃馆子都不要钱。

叫谁滚开：黑不溜秋靠边站。

叫谁站住：二曼，开枪。

事情办砸了：这一下美国顾问团又要说我们无能了。

安慰朋友：不是我们无能，而是共军太狡猾了。

变本加厉：别说抢包袱，还要抢人呢。

姓高的就叫“高铁杆”，姓李的就叫“李狗顺”，姓王的就叫“胖翻译”。

还有一些日语、协和语：吃饭是“米西米西”；征求别人意见是“那你”；有人敲门是“什么的干活”；给别人添恶心是“卫生丸新交的给”。

还有大量的歌舞演出，每隔几天院里就会发票，一家一张，集体坐班车到京西宾馆礼堂、北展剧场或者人民大会堂剧场看节目。

海军大院操场也有频繁的露天晚会，我们经常到那儿免票观赏高水平的演出。

他们院操场的那座舞台十分专业，除了没有观众席，一个剧场舞台该有的配置一应俱全：全套灯光、音响设备，层层幕帷、化妆间和深阔的后台。每个星期海政文工团和其他外请的著名文艺团体就在此轮流上演不同的歌舞、话剧。后来就演样板戏京剧、芭蕾和钢琴伴唱。那等于是一次艺术普及，让人大开眼界。“文化大革命”在这段时间内倒是与她的字面含义颇为相符。最流行的是那种人数众多，布景堂皇，跟百老汇秀十分近似的华丽歌舞。这厢叫大型音乐舞蹈史诗的。始作俑者大概是“文化大革命”前的《东方红》。那也算是登峰造极，坦克都开上了舞台。后来的剧目也极力想要那个气魄，几个文工团纠集在一起，自我吹嘘“三军联合演出”，规模虽无一及《东方红》，内容却也是光怪陆离，五光十色。充分体现出中国导演固有的想象力：大型团体操加奢华服装发布会加各种新奇淫巧的道具机关加异国风情。印象比较深的有《椰林怒火》、《赤道战鼓》什么的。

我在夜色之下，万众之中，远远眺望那一张十元钞票大小明晃晃色彩缤纷的舞台上演绎的中外故事，吗也不懂又惊又喜，深以为那叫一美。

那些演员都是脸谱化的。好人衣着整洁，俊男美女，涂着一整张红脸蛋，动作也是刚劲为主，间或辅以优美的舒展。坏人一张青脸，怪模怪样，跳起来也是哆哆嗦嗦，一般匍匐在好人脚下。今天想来很夸张，当时却是自然主义的表现，社会上的好人坏人莫不如此。

《椰林怒火》中一对美军哨兵跳了段摇摆舞，是剪影，扭着屁股，两手幅度很小频率很快地向上、左右乱捅，引起观众阵阵笑声，也是我们小孩很长时间模仿的对象。

《赤道战鼓》中黑人妇女把鼓夹在两膝之间一通敲，也使我们学会了新的打击乐姿势，回到家里见什么都夹在腿中间乱敲一气，边敲边张着嘴鬼哭狼嚎。

《毛主席来到我们军舰上》是我最喜欢的一出剧。那里有个噱头，就是毛主席怎么来到我们舞台上。真毛主席肯定没工夫，演员激动半天，唱半天。总得给观众个交代，那又是戏核，情节所在，列宁斯大林在苏联都有人演了，还没听说中国有人演毛主席，我们都很习惯现实主义创作，情绪跟到那儿都以为会看到破天荒的一幕。结果，什么也没看到，到点儿他们打出了一束红光代替毛主席，挺实的戏到这儿就虚了，尽管不免失望，那也全场欢声雷动，阵阵狂呼毛主席万岁，演员唱什么也听不见了，要停顿半天，再重新起范儿。

剧里的歌都很好听，歌词也不见得高明，都是大白话，但曲调抒情，听起来也是情深意长。那时的一批作曲家很有办法，什么前言不搭后语的话都能成歌，唱起来却也比今天的二等流行歌曲上口。“老三篇”那么长的书都谱成了歌。至今还会唱一两句：“我们的队伍都是来自五湖四海，为了一个共同的革命目标走到一起来了……”“白求恩同志是加拿大共产党员，受美国共产党派遣，不远万里，来到中国……”云云。

那出剧里最著名的唱段也是一段絮絮叨叨。一水兵哥们儿，好像是老吕文科扮的，被毛主席握了手，举着大巴掌，瞪着受惊的大眼，一步三叹，一五一十告诉大家毛主席都跟他说了什么："他问我姓名叫什么，又问我今年有多大……”

下死眼盯着看的那些翩翩来去的女舞蹈演员。她们面容姣好，身段婀娜，穿的军装也和一般军人的军装不一样，不那么宽肥，剪裁可体，薄薄一层，加上扎皮带打绑腿，腾挪扯动，身体往往处于打开状态，可谓曲线毕露。她们极力要表现阳刚之气，还是流露了很多柔媚和一点点性感。革命时期最性感的表演要算芭蕾舞《红色娘子军》了，女战士们穿着紧身短裤，露着半截大腿，端着步枪从台一侧一个接一个大跳两腿几乎拉直窜到台的另一侧，怎么也不像在作战，就是一群美女美腿向我们展示人体。我得承认，我一直是把芭蕾当做色情表演观看的，直到改革开放，见过真正的色情表演，再看芭蕾才觉得这是艺术——高雅。怎么说呢？告诉你一个私人体会：小孩不学坏——那是不可能的。

这些虚张声势的大型歌舞加深了我对浮夸事物的爱好。以大为美，浓艳为美，一切皆达极致赶尽杀绝为美。一种火锅式的口味，贪它热乎、东西多、色儿重、味儿杂、一道靓汤里什么都煮了。

第十九章

方枪枪的爸爸要去“五七干校”了。从此知道一个地名：河南驻马店。想来那是个骏马成群的地方。第一反应是这下没人管了；第二反应他真走运，毛主席提倡的好事没拉下他，这一去前程远大。恍惚记得那些天院里很热闹，又贴标语又搞会餐。标语都是特别高抬特别吹捧去干校的人的肉麻话，更叫我觉得干校是个好地方，很羡慕那些能跟父母一起下去的孩子。他们也都喜洋洋好像要去旅游的样子。

我家只有一张会餐券，按照轮流出美差的规矩，上次去人民大会堂看戏是方超去的，这回就轮到方枪枪了。宴席摆在二食堂，大人都没来，来的都是各家的孩子。一张张大圆桌上已摆满了红烧的整鸡整鱼、黄焖肘子、四喜丸子，戳着一瓶啤酒和一瓶佐餐葡萄酒，周围坐满垂涎欲滴的孩子。院里的新部长们孤零零坐在主桌旁，跟孩子们济济一堂，就像六一儿童节几个大人来和小孩联欢。他们是近日刚获提拔的一批校官，看上去就像一群篡位者。我们对他们并无格外偏见，只是院里的将军都靠边站了，使我们有点担心我们院的级别也随之低下来。我们那儿其实存在着一种封建的人身依附关系，或叫风气，每个大院就像寨子，寨主的大小能直接影响到一个小孩在其他小孩眼中的身价。大家都比。有时那确实可以决定你的社会地位。

新部长们照旧发表了准备好的讲话，很正经地打官腔，好像他们真打算把这些小孩派下去。小孩们也很捧场，报以阵阵掌声，脸上当真出现重任在肩的自豪。大家还是很习惯种种庄严的场合的，你正经，我也正经，先不去管这里是否有我什么事。混了半天，突然让吃了，方枪枪出手晚了，手到鸡身上，两条腿已没了，掉脸去夹丸子，丸子也不见了；忙去找肘子，肘子也只剩一层油皮。那种会餐要想吃好，一点不能分神，反应要快，爆发力要强，一步赶不上，步步赶不上，像短跑，十几秒内大局已定，吃上的就算都有了，没吃上的只好拣一些残汤剩菜。

方枪枪双眼下垂，面无表情，单肘撑桌，一双筷子不分好歹暴风雨般地落到一切盘中物上，筷到嘴到，闪电般咽下，闪电般再来，有时是一口鱼渣有时是一口肉馅有时是一块鸡皮有时只咂到一口腥汁什么也没有。那也不停不分辨不观测不犹豫，一路吃下去，直到筷子敲得碟子哒哒响，一片空旷，这才抬起眼，松口气，放下全身紧绷的肌肉，觉得自己够了本儿。心情也有所开朗，有了闲情逸致，左右张望看看刚才都是谁跟自己胳膊打架。歇上一气，再霸住俩盘子，盛碗米饭泡肉汁，都下了肚，才饱，撑，涨，整个腔子沉甸甸的，抬头都有些困难。

那中间，部长们来敬过酒，很亲热地跟每桌小孩说一两句风趣的话。小孩都在埋头苦干，只哼哈敷衍了几声，头也没正经抬。此时酒还都在玻璃杯里，大家怕亏了，也都尝尝，抿上一小口。啤酒大家一致公认是马尿。葡萄酒既不是红糖水也不很像咳嗽糖浆，一口掘进去，跟着一个颇有凉意的寒噤，一会儿食道、肠子都热了。

方枪枪醉眼蒙眬，和另一个小孩勾肩搭背往42楼走，边走边唱着《突破乌江》里的兵油子小曲：我吸足了一口白面儿啊，我快乐得似神仙哦……

上楼时开始打饱嗝儿，进了门后饱嗝儿变成逆隔儿，一个接一个，打得方枪枪坐卧不安，心神不定。爸爸妈妈和哥哥正在吃饭，有熘肉片、炒茄丝和烧带鱼。一家人围着几盘子菜边吃边小声说话。爸爸和他说了些什么，他也没听清，只记得他那时人很和蔼，脸上浮着一丝微笑，左手拿着筷子，嘴唇在灯下泛着油光，声音里带着明显的东北腔。那之后他就走了，每个月写来一封信，很流畅很多连笔的天蓝色钢笔字。

大猫是一个美军准将站着和一个上校一个中校仨人聊天；小猫是一个美军少校和一个上尉一个少尉。

方片尖是航空母舰；方片克是核潜艇；方片圈是重型巡洋舰；方片丁是导弹驱逐舰；方片10是坦克登陆舰。

梅花2是眼镜蛇武装直升机；梅花3是夜间侦察机；梅花4是佩刀式战斗机；梅花5是F-5B鬼怪式战斗机；梅花10是大力神运输机；梅花老克是著名的B-52。

红桃2是M-16卡宾枪和机枪；红桃3是布雷得利装甲运兵车；红桃4是喷火坦克；红桃5是自行火炮；红桃6是M-1主战坦克；红桃圈是133毫米榴弹炮；红桃克是156毫米加农炮；红桃尖是原子炮。

黑桃2是红眼睛肩扛式地对空导弹；黑桃3是响尾蛇空对空

导弹；黑桃几是陶式反坦克黑桃几是潘兴地对地黑桃几是民兵洲际？全忘了。太多乌黑锃亮又顽又粗带着吓人的尖儿的会飞的美国鸡巴，很难分辨，当年我是门儿清。

我说的这是我们院出的一种美军识别扑克，大概本来是要发给部队战士玩的，因为被打倒的当权派爱打扑克，连带着扑克也成了封资修的工具，生活腐朽的象征，全国都不让玩了，商场也不卖了。结果是大家还要玩，就要想办法，到处寻摸，这批库存的军用扑克就慢慢流入到我们小孩手中了。

背面是美军各军兵种的领章臂章符号、军衔样式和花色，五花八门一大片。正面是一幅幅彩色的武器照片，很多上面还带着吊儿郎当的美国兵背影。底下印着每种武器的名称和一些技术参数：兵员数目、续航能力、吃水深浅、活动半径、飞行速度、最大载弹量、最大射程和最高射速。

除了可以用它玩一般的“四十”、“争上游”，还可以两个人玩，根据武器的性能互相赢牌。那很有趣，两张牌一亮，决定胜负的就是武器的好坏。航母统吃所有舰艇，唯有核潜艇是它的克星；一般飞机和地面武器它也都赢，但洲际导弹它不能打，梅花4梅花5这俩战斗机和梅花老克B-52它也不能打，算平。核潜艇输方片丁驱逐舰，因为方片丁配备深水炸弹，有反潜能力。梅花里好像还有一架反潜飞机，忘了是几了。

梅花里F-5E鬼怪式是难驳万，所有飞机都输它，只有黑桃小2红眼睛防空导弹能打下它。最没用是的红桃系列的陆军火力，除了自己人伙拼见了梅花黑桃有武器的都算输。当然准将和少校一出来，所有武器都归他们，那时就要用红桃2了，M-16是专打大猫和小猫的。

强大的美军装备加深了我们对那个国家的印象，觉得美国工人阶级实在了不起，可惜就是觉悟太低了，要是他们造好这些武器偷运到我们这边来，那我们真就谁也不怕了，可以立即着手解放世界。

那时，我们国家用同样的严厉态度谴责美帝和苏修，而且更倾向于丑化具体的美国人。出现在我们电影、戏剧中的美国军人都十分怕死、流里流气、胡作非为。典型的形象是开着吉普车一手拿着酒瓶一手搂着姑娘。从来不提他们打过什么漂亮仗，只是津津乐道他们强烈的性欲。二战来华的美军最大的战果就是在东单大街上强奸了北大女生沈崇；在上海一脚踢死了黄包车夫什么“大饺子”；据说还在武汉搞了一次黑灯舞会，把一批共舞的国民党空军眷属集体强奸了；他们的海军招兵广告写着：到中国去吧，你可以把女人用包裹寄回家。有一本风行一时的畅销书《南方来信》，里边历数美国人种种匪夷所思的性虐待方式：他们用匕首像削萝卜似的削掉越南女人的奶头；把猫放进女人的裤腿里，扎紧裤脚，再用棍子抽打那只猫。

听去过朝鲜的大人说，美国人居然允许士兵投降，每个兵上前线时都带着一纸中朝英三种文字的投降书，打不过了就掏出来顶在头上。这是什么国家呀！怎么可以这样……这样纵容自己的国民。

美国人——那就是自由主义，无法无天。

绝没有看见过丑化过苏联红军的一个镜头，一行字。那些还在上映的老苏联电影中，他们都是穿着笨重军大衣，手端转盘枪，饱经风霜的汉子。也许不太灵活，迎着漫天炮火踉踉跄跄地冲锋，每次战役都伤亡惨重，但绝对认真，一刀一枪，不开玩笑。

你有俩对头，一个是小流氓，到哪儿都带着自己鸡巴；一个是一根筋，认死理，急了就跟你干到底，非讨个说法。你比较喜欢哪个呢？

军用扑克是我们的至宝。拥有这样一副新牌是我最大的梦想，能与之比的也就是一盒弹球跳棋了。这两样东西有钱也没处买，都是些可望不可即的愿望。几年之后，方枪枪他爸从干校回来，又在院里上班了，有一次送了我们哥儿俩一副崭新的军用扑克，至今我还记得摸到它光滑花哨的表面时爱不释手的美劲儿。

弹球跳棋到了我也没得着。

好像我们天天坐在楼道门口地上铺张《人民日报》玩那些又脏又烂，摸起来黏手，洗牌也叉不开得用手一张张捻的旧军用扑克。打“四十”，也叫“百分”也叫“升级”，不叫牌，亮主，扣六张底，出牌跟桥牌大致相似的打法。我们的乐趣在于互相攀比，看谁爬得快，不讲究公平竞争，一门心思损人利己，打得好的就是那会偷牌的、目不斜视就把对方手牌看得一清二楚的，同伙人也带互相说话报告敌情。

高洋一见我们就说：拿破仑可真冲啊。

说这话时他满脸放光，眼睛越过我们望着远方，有时还伸着大大的懒腰，那是他看书看累了，出来找人们显派自己刚扩大的知识面。

我们就一边出牌一边说：你瞧你那操性。

他一来我们的话题就转到军事上去，比较喜欢争论的是全世界谁，小母牛坐酒缸——醉牛逼。一般常识水平的都认为是希特勒。高洋属于对世界军事史钻得比较深的，希特勒“醉牛逼”开始也是他提出来的，等我们都接受了，他又新推出了拿破仑。

我们不太了解拿破仑，只知道他也一度征服了整个欧洲，后来在莫斯科的风雪之中毁掉了自己的精锐大军，这种悲剧下场和希特勒很相近，都是先在俄国人手里伤了元气，之后被盎格鲁撒克逊民族一鼓荡平。不能在欧洲两面作战，这是我们得到的教训。我们的讨论是纯军事的，不关其他历史、政治、正义和非正义的因素。在这个问题上，我们一般不感情用事。因为我们都觉得自己是军事家，只管打仗这一摊儿，至于战争性质那让政治家去辩论吧。

经过分析，我们还是认为拿破仑打不过希特勒。在希特勒的装甲部队和俯冲轰炸机面前，拿破仑的大炮和龙骑兵火力太弱，机动性防护性都很不够。而且希特勒是闪电战，拿破仑根本没时间排兵布阵，坦克一冲，马群肯定惊了。德国陆军被我们这些小孩评为全世界最精神最有职业风范的陆军。他们的军容仪表大家一致折服。那种尿盆一样的钢盔，一头高翘的大檐帽，鹰徽，长筒马靴，耸肩平端自动枪笔直立正的站姿——被乱枪击中倒下时姿势依然不改，都使我们觉得帅极了。我们理想中的士兵就是这样，穿着一身漂亮的制服，高大傲慢地站着，永远一言不发，进攻时排成一条直线，将枪侧在腰间扫射，死就默默地跪下，安静地躺在原地。跟他们比，我们的战士死前话太多了，这个那个什么都放不下，都操着心，整个一话篓子；围观的人也太动感情，眼泪横飞，又哭又吼，也不拿周围当战场，就像在家办丧事。那效果并不好。我们这么煽情并不使人心疼那快死的战士，反而觉得他装蒜、多事；一头栽倒从不吭声的士兵却让人觉得真挚且伟大。

大鸭梨来了，都别抬头，一起喊。汪若海压着嗓门说。

大鸭梨，我们一起喊。

正带着一群保育院小班的孩子经过42楼的李阿姨闻声一震，手拽着一个小不点奔过来，质问我们：谁喊的？你们干什么？

没人喊呀，我们装傻，不知道。

别以为你们可以为所欲为，没人管了，还懂不懂礼貌。李阿姨气得脸色刷白，胳膊直抖，她拽着的那个小孩瘪着嘴一抽一抽要哭。

我们笑：出牌呀你，傻了？

大鸭梨——李阿姨转身刚走到马路上，我们又喊。

只见她原地转了两个半圈，眼泪迸出大眼，一跺脚走了。

给丫气哭了。

丫还会哭呢，我他妈没想到。

李白玲骑着一辆“26”涨闸女车飞一般地向我们冲来，一路破口大骂：操你妈刚才谁骂我妈了？

我们收了牌一溜烟往楼上跑，从二楼窗户探出头一起喊：二鸭梨！

李白玲追进楼道，噔噔噔爬楼：非抽你们几个孙子！

我们跑进方枪枪家，锁了门，进了里屋，挨个坐在床上喘气。方超从厕所冲了水出来：你们干吗呢？

嘘——我们叫他别出声：一会儿有人砸门千万别开。

咚——哐——叭，李白玲在外面踹门。我们在屋里偷偷乐。

她不会给我们家门踹坏了吧？方枪枪有点担心。

踹坏让她赔。大伙说。

我们上了阳台，连骑带坐都上了方际成那辆老旧的倒蹬闸德国钻石牌自行车，纷纷用山东口音央告：我们已经很困难了我们已经很困难了——直接向老头子发报，让他们派飞机来接我。

接着摇头晃脑唱歌，雄伟的大食堂就要开饭掱，今天吃的什么饭，猪屁眼子炒鸡蛋……

李白玲绕到楼后，叉腰指着我们嚷：有本事你们下来。

我们都攥足了一口浓痰，一齐朝她吐去。

好像二单元一楼外号“小钱广”那孩子家的老太太总坐着小板凳在凉台上杀鸡，一把把拔鸡毛。她家二楼的张宁生张燕生哥儿俩就扒着栏杆不怀好意地再三问她：钱老太太，你们家吃鸡吧？

是地。钱老太太每次承认。

我们直到四楼每座阳台上看风景的孩子就笑。

钱老太太晚饭时经常自己端着一大碗面条在凉台上吃，楼上的孩子就捏着花盆里的土末子瞄准了往她碗里撒，号称：加点胡椒面儿。老太太有时没感觉，洒了一头照吃不误，有时猛醒，跳着脚骂，一楼孩子都闪在阳台里不敢露头，吃吃笑。

每层孩子都在练习往下一层阳台上吐痰，根据风向，掌握角度，尽量把痰吊进下一家的栏杆上。住在下面的孩子每次探头都要先拧着脖子看看上边有没有人，一时大意，难免不被一口痰吐中。有一次方枪枪看见许子优趴在三楼阳台上，以为是他弟弟许子良，一口黏痰飘下去，正落在他脑瓜顶那个白生生的旋儿上。听见人家大怒，乱喊乱叫。后来还找了上来，方枪枪装了半天家里没人，才混过去。

不知从什么时候起，大家开始在阳台上打竹竿仗，每家伸出一支架蚊帐的竹竿上下乱捅，在空中劈来劈去。下面的结成同盟，上面的也串通一气，捅着人最好，捅不着人就捅晾着的衣裳，直接挑楼下去。早晨一起床，就能看见下面的几只竹竿在我家阳台上晃来晃去，费尽心机想把我家各位的裤衩背心挑走。我妈有一次刚晾上一件汗衫，手刚挪开，汗衫就腾空而起，像面旗帜飘向远方，她大惊连纳闷喊出的声音令我在梦中头皮都一炸。我还被人挑走过一床刚尿的棉褥子，那东西打湿了多沉啊，他们丫也真够下工夫的，二楼三楼都动员了，四五支竹竿一起干，把我作品挑在空中巡回展览，最后扔对面平房的瓦上了。我也没脸去捡，看了这张褥子好几年，上阳台眼神都不敢集中，什么时候瞟见它什么时候心里堵得慌。为了打击面宽，竹竿越接越长，两三根绑在一起，颤颤巍巍老去幻想一个撑竿跳直接下楼。有时没拿住一把脱手，眼睁睁看着竹竿长长横斜着坠落下去，被下面的孩子眼疾手快接住，就算被人家缴获了，想要回来必须得用弹球或烟盒去换。

平房的瓦上落满楼上各家孩子抛下的种种奇怪的东西：旧书包、破帽子、羽毛球、乒乓球拍子、药瓶、夜壶，最大的家什是一辆竹子童车也不知怎么飞过去的。

经常有孩子丢了钥匙或给大人反锁在家里想出来，爬阳台便成了楼上一景。天天看见各层的孩子像壁虎一样在连在一起的两家阳台上爬来爬去。后来就带表演性质了，站着，手不扶，从这边栏杆走到另一家栏杆上去。张宁生张燕生哥儿俩经常在他们二哥张明“张军长”的带领下从二楼阳台扒下来直接跳到钱老太太家，一溜烟颠儿了。偶尔，哥儿仨还搭人梯从一楼往二楼爬，手扒栏杆一通蹬哧呜啊。

最壮观的一次是我家对门邢然家把钥匙丢了，他家在一单元东侧，楼边上，没有并排的阳台，张明从中间门大秃二秃家窗户爬出去，手扒着邢然家窗户，一个窗台一个窗台走过去。全楼的孩子都在下面观看，靠着平房后墙根站了一拉溜，全体立正。张军长走得那叫一个稳，活像是高空走钢丝。那天也是黄昏，很强的夕照映在楼面上，如同被瞬间提亮的舞台，一身黄军装的张明大开四肢跨在两个窗台之间，像被钉在墙上一动不动，有一刹那，他的身体突然一晃，我们集体啊了一声，一齐伸出双手，像是虔诚的穆斯林朝天祈祷。他全凭一只手的力量，把整个身子荡了过去，我们以为他已经掉了下来，其实他已经站在了下一处，真是眼瞪得溜圆看见幻觉。大惊过后我们一片掌声。张军长转身一个美国军礼：食指中指并在额头向前一挥，下面的我们一起伸出右臂：嗨黑特勒！

那之后，走过42楼经常可以看到被困在高楼窗台上的孩子，蹲在红墙白瓦之间孤苦伶仃，面前是万丈深渊。方枪枪也偷偷练过几次，站在自家阳台上，两脚夹着栏杆，向大秃二秃家窗户伸出手，立刻觉得头晕，大地向自己扑来，赶紧跳下来，脚踏实地后兀自心头撞鹿太阳穴发胀，深感还是有地好。另有一次中午，他怀抱一把雨伞，鬼鬼祟祟从楼道窗户爬到单元门混凝土雨遮上，撑开伞跳了下来，一时不知自己身在何处，落地时严重蹾了一下脚，伞也呼一下倒竖成一束盛开的插瓶花——臊眉搭眼一瘸一拐爬楼回家，一辈子没跟人提过。

好像张军长还养了一条大狼狗，叫黑子还是贝利。有一次，我们一二单元和他们三四单元分成两拨在操场上玩攻城，那是很激烈的游戏，需要身体直接冲撞，一拨画一个四方城门，最里角画一个半圆叫堡垒，双方对攻，互相推搡，除了不许打脸拳击五脏一切手段均可，先踩着对方堡垒的算赢。有点像简易英式橄榄球，只是没球，打起来更是主要冲人下手。这游戏经常能把人玩急了。那天，张军长就和四单元的黄克明急了，两人先是兜拳，似乎都练过，打得蛮有章法，上来就互相封眼，几个回合下来，张军长鼻子被黄克明打流血了。张军长一边往家跑一边说：你等着。

黄克明先是不怕，继续张罗着玩，只三秒，他突然转身飞跑。我们连忙回头，看见张军长刚出二单元门，一条大狼狗已经过了马路闷头向这边跑来。黄克明绕场狂奔不止，边跑还回头看，也没过程，那狗就追到他身后，张着嘴啃他的脚后跟。我从来没见过人的步子能迈得那么大，那得有多长的筋啊，胯都扯裂了，黄克明跑得不亚于一名优秀黑人运动员——数出一共六条腿，舞得风车一般，那狗四脚离地全身凌空还有力量往前一扑……

再见黑子还是贝利，它被吊在一棵大柳树上，像电影里的妓女光着膀子裘皮大衣脱到胸前。张军长带着张宁生和高晋正用削铅笔刀给它剥皮，一人一胳膊血，一点点往下嗑诶哧。张军长他爸像只老虎拦路冲出来，把张军长和张宁生从张翼翔家（即原来的保育院隔离室）一路打到 42 楼前，路上又加上了个张燕生，仨孩子一起打，左右开弓：一拳把张军长打个前空翻，一脚又把张宁生踢个一溜滚，再一脚把张燕生踢个狗抢屎。张军长宁生燕生就这么一路走一路做着各种高难动作，摸爬滚打，大张着嘴都不是哭而是号——武松打虎时虎发出的声音。我们小孩都跟着看，远远随行，间或一起闷声齐喊：不许打人。

沿途一些家属也看不下去，站在单元门口喊：老张，不能再打了，再打把孩子打坏了。

张家爸爸的回答是：都他妈滚蛋！

高晋他爸闻讯赶来，看到场面这么壮烈，也揪住高晋赏了他俩大耳切子。好像因为出手慢还受到在场一些大人的舆论谴责：你看看你儿子都干了些什么。那种舆论压力使下班归来的所有大人都积极行动起来，一窝蜂冲过来，各抓各家孩子，形成一种近似人民战争也叫官兵捉贼的波澜壮阔场面：所有大人都在发怒，喝斥或者追击；所有小孩都在发抖，挨打或者抱头鼠窜。一时间，42 楼前鸡飞狗跳，一片混乱。

这时，就显出没爹的好处了。我们这班爸爸去了五七干校或去外地支左的孩子乐悠悠，不慌不忙，东转转，西看看，幸灾乐祸，站成两排夹道欢送那些倒霉的孩子一个个被拎小鸡似的捉回家去。

好像我们院没一家不打孩子的。尤其原籍山东的人家打得狠。当然四川东北的也好不到哪儿去。张宁生他爸比较著名；我们单元王兴春王兴凯他爸也比较著名；二单元夜猫子他爸也老打；还有三楼李铃他爸，比较含蓄，只在家里打从不上街，经常听见李铃在屋里狂热宣传毛主席语录：要文斗不要武斗。三单元出名的是江元江力他爸；四单元是华刚张云他爸。华刚他爸和王兴春他爸更著名的一点是：不但打自己孩子有时高兴还打别人家孩子。

另一个有时不拿自己当外人的是三单元汪若海他爸。汪若海家就他一个男孩，上面都是姐姐。张燕生跟汪若海是对头，见面就打。

打着打着这边张明张宁生就出来了，那边汪若海大姐二姐也跑下楼，新支一摊儿捉对厮杀。

张军长是练过块儿的，膀子上都是鼓出来的肌肉，那也不一定能占上风。经常被两个女将埋头撞个满怀，紧紧抱住，又叫又跳，任凭那四只手轮流上脸抓得满堂血道子。张宁生在一旁急得团团转，跳着脚抽大姐二姐嘴巴子，两位小姐脸都扇红了，根本不理他，依旧细细挠着张明，实在疼了，破口大骂。

这一般是在晚饭时间发生的事，楼前都是去食堂打饭的人，围观者甚多。汪若海他爸一出现就会冲进去帮女儿。有一次他面对张宁生巴掌都抡了起来，张宁生他爸出来了，汪叔叔顺势转了个一百八十度，就手把这记耳光给了身后的汪若海。

这一招我们小孩后来都学会了，迎面抡起巴掌拧着右脚跟原地向后转突袭身后那位正笑的，同时唱着《沙家浜》名句：打他咦咦个冷、不、防。

好像我们院孩子都一个冤家，天天打，人多在一起没事，就是不能俩人单独见面。我也莫名其妙和四单元一个五九年生的叫“大十庆”的孩子成了冤家，见面就打，好容易把人家摔倒骑上去就不敢下来，两手压着人家的手两腿压着胳膊屁股坐在人家胸口，使劲，再使劲，朝他脸上吐痰，抽空再打一拳——下来就不知道谁骑谁了。

问：服不服？服了就下来，不服就永远骑着。

记得有一次我从把“大十庆”中午一直骑到吃晚饭，他就是不说服，还歪头隔一会儿睡一阵，说在底下舒服。

去食堂过路的小孩都问我：还没服哪？

我也是累了，趴在“大十庆”身上歇息，觉出天下无敌的空虚，所谓“孤独求败”，再三劝他：你就服了吧，咱们都该吃饭了。

“大十庆”一点台阶不给，还被压出骨气来了：不服！就是不服——不吃了。

后来“大十庆”个儿蹿起来了，骨架子也贴了膘，再交手就改我被压在底下了——手按着手，胳膊撂着沉重的两条大腿，脸蛋子左一口右一口承什么甘露似的接人家嘴里拉着线儿掉下来的哈喇子，再顺着皮肤往耳朵里流——操他妈真不是滋味。我也不服，嘴一直硬着，四肢瘫软一脸精湿地躺在土地上，仰望蓝天，心想：这日子没法儿过了。

姓叶叫夜猫子，姓江叫江米条，姓蔡叫菜包子，姓杨叫杨刺子，姓支叫支屁股，姓甄叫小珍主，姓吴叫老吴八，这都是因姓得名；还有因体形长相得名的：棍儿糖，杆儿狼，猴子，猫，大猪，白脸儿，黑子，小锛儿，大腚；一些人是兄弟排行小名叫响了：老九，老七，三儿，大毛二毛三毛，大胖二胖三胖到四胖；个别人是性格：扯子，北驴；还有一些不知所为何来，顺嘴就给安上了，没什么道理：范三八，张老板，老保子，屁巍子，任啧儿，朱咂儿（这俩象声词都是指奶头）。

我的外号也属于这一类：小梅子。不知所云，任啧儿给起的。

剩下的就是自找。韩立克老爱学电影《青松岭》里钱广的一句话：去，给我烙两张糖饼。结果大家都管他叫“糖饼”，连累得他爸也被叫成“老糖饼”，他弟五克刚生下来就有了外号“小糖饼”。

院里男孩差不多都有外号。约定俗成的规矩是一个人的外号全家通用。兄弟以大小论再多就三四五六捋下来；姐妹在前边加一个“母”：母夜猫子、母江米条、母杨刺子；父亲冠以“老”：老棍儿糖、老白脸、老胖翻译，老老吴八；母亲就是二字并举，曰：“老母”云云。

粗鄙自然粗鄙，下流也相当下流，但基本不带侮辱性，喊的和被喊的都很坦然，没听说有为喊外号喊急的。倒是有些人家的姐妹无端领了这么一些乌七八糟的称呼，十分悲愤。家长一般都不知道小孩背后管他们叫什么，晃来晃去依然一副纵横天下的样子。

据说这是我们院有别于其他院的优良传统，据分析这是因为我们院小，只有几百个孩子，不比海军大大小小几千孩儿众，属于小国寡民，以色列那样的地理环境，列强环伺，所以精诚团结，大孩小孩一起玩。

特别特别大的孩儿，我是指高中生，也不带我们玩。人家看上去都有正事，也不像我们这些小孩那么喜欢招猫逗狗，无事生非。他们特别特别大的孩儿不分院，关系都很好，互有来往。我们和海军小孩一天到晚打，他们照常去海军找人，也常见海军特别特别大的孩儿来我们院走动，没人敢惹。大家都很尊敬这些特别特别大的他们。有时这院一群小孩遇上那院一群不认识的小孩，也各拿本院的特别特别大的孩子说事，互相提人，好像一方面军和四方面军各提朱毛和张国焘，都有人戳着，来路也正，也就没事了，握握手各走各的路。这种不一定知情，凭影响保护一大片孩子王的就叫：戳本儿。也是头羊的意思。

我们院的“戳本儿”是一个叫“锦杰”的老高一学生。据说一直到西单一提他谁都知道，不包括家庭妇女国家干部。我是从没提过，因为没必要，我一人出去，别提多老实了。一次看见锦杰在 38 楼小松林里哭，心中大骇，好像他在西单遇到菜市口菜刀队,“回力”叫人扒了。全院小孩都愤怒了。初中以上全体出动，传檄各院，聚集了几千辆自行车，比冲公安部那天人还多，一齐杀向西单。傍晚战果传了回来，缴回十多双“回力”。那天凡在西单街头穿这牌子球鞋的都被扒了。由此可见锦杰的号召力和动不得。

那时再看到成百上千辆自行车急急往城里骑去，已经不是去造反，搞什么革命行动了，大半是去打群架。城里兴起了很多地痞流氓组织，我们叫“土晃儿”、“顽主”，专门跟所谓“老兵儿”——干部子弟为主的过气红卫兵叫板。我们那一带是“老兵儿”们的根据地，老北京城圈儿像是敌占区，小有不忿，便大举出动，进城扫荡。

最广泛的一次出动，大概就是去平“小混蛋”的那次。说是一个叫王小点的人出的头，这人也是小孩皆知，口耳相传的大腕。小混蛋是城里的顽主头，后来我遇到过很多当年的“老炮儿”都号称跟他交过手或打过照面，也就是说是个打遍北京城的角色。各大院的大孩走得一空，街上像过兵一样过了一上午，一眼望不到头。听说他们在白石桥小树林里堵住了小混蛋，一共七个人。小混蛋还说：给我留口气儿。王小点说：我饶你，但我这刀不饶你。然后他们就排着队一人一刀，扎到天黑，小混蛋千疮百孔地咽了气。没听说有人因此被判刑，涉案的凶手太多，公安局也无从下手去抓。听说还有一种说法叫为民除害，可以置之不理。王小点不久就被他家送去当了兵。关于这件事已经成了北京的一个民间故事，小混蛋这个人也已成为民间传说中的英雄。从这点讲，他也算流芳百世了，谁还记得王小点呢？

我的说法只是诸多版本中的一个。

老跟我们泡在一起，什么事都带上我们的那些大孩也不过是初一或小学五六年级的学生，顶到天刚上初二。真正经的造反啊抄家啊串联啊破四旧啊也没他们，独当一面杀向社会也不够份儿，也愿意称王称霸，走到哪儿前呼后拥一帮喽啰，打起架也有个递砖的，就把我们这些一二年级的收编了。得空教一两手，发明个什么坏事，在外头都靠锦杰戳着，在院里一楼给一楼戳着。

那也很教人受宠若惊，加感激不尽，加任劳任怨，加鞍前马后，加心里有底，加狐假虎威。

好像从那时起我们开始玩烟盒，到处去捡空烟盒，拆开，展平，叠被子似的叠成小长方块儿，一摞摞码在手心里，一抛，翻手用手背接住，然后再抛，一把掌握，只许，也必须掉一张，名曰：掉一。这技术关键在翻腕那一下，有的大孩能把上百张烟盒一直码到小臂，翻手一条龙，抛在空中整摞烟盒立成一副骨架，夸的一声，五指缝中滋出无数只角，滴水不漏。有这一手的大孩就发了，经常赢得我们小孩一穷二白，两手空空。

大小孩们都揣着满满一裤兜的烟盒，见面就赢，可以倾囊而出也可以只出一张，玩前先算加法，谁大谁先。烟盒有币值，比意大利里拉还虚，出手就上六位数。“红双喜”是头子。金卡，全无敌；等而下之是一批名烟：中华、上海牡丹、云烟、熊猫，当时卖五毛儿都称为“三十万”；大前门、恒大三毛儿的“十万”；飞马、海河两毛儿的三万两万不等；有一品烟叫“战斗”，暗绿的包装，烟钱一毛九，我们定它“九千九百九”。后来三十万一挡又添了“凤凰”，上海出的，闻上去有一股巧克力味儿；十万里加了一个“香山”，北京烟；次烟里多了一个九分钱的“丰收”，烟纸之差还不如小学生作业本纸光滑，不带它玩。还见到一些稀奇古怪的老牌子烟和外国烟“哈德门”、“三炮台”、“骆驼”什么的，已经失传，不知其价，烟纸都很精美，一律归入三十万行列——都是大孩规定的。

还装了一裤兜子，坠得裤子往下掉，一跑起来滴里呱啦乱响的是玻璃弹球。最好、最禁叮的是三星的，还有二星、一星，没星白不呲咧叫水晶泡子的，一叮就两瓣。一星眼珠子那么大；二星大一圈；三星再大一圈，得说是牛眼珠子了。进洞用一星球，叮别人球用比较硬的三星球，跟球一般要用更大更沉势如牛卵子的五花球。这是一项地面运动，跟高尔夫不同的是少十五个洞，也不许用杆，只能用手指弹，可以两个人玩也可以多一些人参加分成两队，地上一撒就是一片球，哪方的球全部进完三个洞最先回到第一个洞哪方赢。输家地上的所有球就全归赢家了。那也很讲战术协同的，发球线和洞和洞之间都很远，一球进洞可能性很小，不但自己走还要带着同伙走，一路带球，遇到对方球还要尽可能将其远远击飞，就像斯诺克，击球之后回球位置也要好，只要你每一击都触球你就可以一直打下去。每进一个洞，大部队前进，后方还要留下伏兵，这样对方就不能直接进洞，必须先将你的球击出。对付这种球比较理想的是轻擦一下己方的架子球，滚到洞边上，然后就近叮飞对方伏兵。有时球的线路不好或者已经先被人叮到十步之外，周围没有友军，那就要看本事了。那就只好站起来（原来都趴着），从空中吊人家洞里的球。高洋是干这个的神手，掏出三星球，擦干净，哈哈气，单眼吊线，弹出优美的抛物线，他进去人家出来。这也属于空中打击，挨上就没轻的，不是鸟一样飞上天就是西瓜一样四分五裂。最怕他吊球了。一到这会儿就得把洞里的好球拿出来，换一个麻壳，碎了也不是太心疼。那时我天天做梦就是练出了这么一手，甭管谁的球在洞里，我一吊就砸出来。可惜我总掌握不好弹球要领，不会架球，裹着球弹，大拇指使不上劲儿，被人叫做“挤屁扭子”的。我这人遗传里是没多少运动天赋，沾体育边儿的就不灵，没一样姿势是正确的，我也死了十全十美的心了。

还有“官兵捉贼”，这是大型捉迷藏，怎么也得有三四十人才能玩起来。官兵一队站在大操场西边，一手扶着一棵大柳树；贼一队站在操场东边，也一棵树下站一个。官兵喊：你们好了吗？贼这边稍微布置一下，你往办公区跑，你往张翼翔家后边跑，半小时后煤堆集合，然后高喊：好了。官兵兜着整个操场追过来，贼们作鸟兽散，各自逃命。这个过程可就把我们院所有旮旯都搞清楚了。房也上了，烟囱也爬了，仓库、煤堆、锅炉房、果园、菜窖、筒子楼公用水房、男厕所都藏遍了也搜遍了。有一次两个大孩居然爬上42楼楼顶，大模大样坐在坡下来的瓦边上聊天，我们小孩官兵看见了也没法上去抓，就在底下喊他们赖皮。

还有一次我跟着一群大孩钻进菜窖，发现里边都是大白菜，进来取菜的食堂战士在黑中突然看到一双双眼睛，吓得一屁股坐在地上，我们从他身边夺路而走之时，他狂乱地抓我们，我一件灯芯绒褂子的两个扣子眼都被他扯撕了。

又有一次跟着大孩钻进了锅炉房，满墙的铸铁炉门像一尊尊大炮的后膛，天黑以后大家出来，一个个都成了煤黑子。“官兵”们都吃完了饭，看见我们也不逮，我跑到食堂只剩刷锅水和凉馒头了。

后来开始进行武装。大孩手拿钳子到处去剪人家晾衣服的铁丝，给自己也给我们小孩造出一把把弹弓枪，状似杨子荣和少剑波使的那种“大肚匣子”，铁丝上缠着玻璃丝，去商场文具柜台买来皮筋一股股穿起来，作业本都撕了叠成三角子弹，一次打一发，号称德国“二十响”。都是双枪老太婆，埋伏在楼拐角、单元门内，遇小孩经过便跃出双枪齐射，打一枪换一个地方，不许放空枪。我们在大孩的率领、组合下天天进行大规模实战演习，日夜争夺每一栋楼门、每一条马路、每一棵树。一个夏季过去，操场、马路牙子、楼梯上遍地遗下一片片白花花的纸子弹。大孩们容颜依旧，小孩们却都像遭了蚊群叮，一脸大红包，不知道的还以为是发育过快起了青春痘。

后来大孩们还给自己装备了铁丝冲锋枪，外形模仿“56”式，设计三四个弹夹，一发打出去，以为他没子弹了，冲过去又挨了一枪。

后来开始玩弹弓，窝一个铁树叉，一边一个耳朵，不知从哪儿铰的皮子做弹兜，发射石子儿，正经搞起破坏和伤人。马路边随处可拣的石子儿都是我们充足的弹药，只要高兴随时可以射路灯射窗户玻璃树上的麻雀和海军小孩。

小孩的还是皮筋儿，大孩的一水自行车内胎，这种弹弓拉力大射程很远，能从我们院保育院楼梯上一崩子击到海军礼堂路口大圆转弯反光镜上。

我们小孩不辞辛劳沿围墙我们院一侧码了一摞摞砖头，够大孩探出头的，还煞费苦心凿墙抠出几块砖做了一些零星的枪眼，供大孩隐蔽射击。闲来无事大孩就带我们埋伏在围墙下，派我们放哨，看见海军小孩路过就向他们报告。一次过来一个剃秃瓢的少年，块儿挺壮，走道横着。张军长夹了个土坷垃，拉满弓，瞄准他从枪眼射去。我在另一个枪眼观察，只见那孩子秃脑勺上突然冒起一股土烟儿，立刻用手捂住了，转过脸来正龇着牙倒吸着凉气——疼。可气的是周围看不见人，哪儿哪都一片太平，秃子东张西望，还研究了半天这排隐在柏树丛后的围墙，怒、发狠、莫名其妙地走了——我们这边一排小孩都捂着肚子无声地笑倒在地上。

还有一次看见一个大女孩，黄毛，戴口罩，捂大红拉毛围巾，一身女式灰军装，骑一辆26红女车，十分飘，一路按着转铃，在路口拐弯，被几弹连续击中，一声没吭又骑了两圈一头栽进柏树丛。再起来口罩上沾着一粒青柏籽，推着歪了把的车一溜小跑，在远处停下来夹着车轮正把。

有一次我还差点打中一海军的大人，一个胖子，大灰鹅一样迈着外八字走过来，嗖的一粒石子儿飞过眼前，一愣，定睛再看，什么也没有，想了想又往前走，歪着胖脸琢磨，走了几步猛然一回头。

后来海军小孩知道是我们院孩子打的，再过那个路口也警惕了，好好走着突然一猫腰跑步冲过，也不管我们这边有没有埋伏。

一天中午天气很热，我不想午睡，也找不着人玩，自己去保育院墙边。刚靠近枪眼听到墙外面有人说话，小心翼翼踩着砖扒墙头探眼一瞧，靠墙根儿坐了一排海军孩子，地上撂着砖头和弹弓，这是要打我们埋伏呀。我连忙轻手轻脚下来，跑回去叫人，一路上还猫着腰左拐右拐，突然变向，跑着之字形，自以为很机警。看见张军长一个人正在42楼前打鸟，就向他汇报。他也真够生的，听我一说，自己就去了，远远绕了一个大圈，避开枪眼的观察范围，找了个死角悄悄贴着墙根儿溜过去，拣起一块板砖，两臂发力撑上墙头，倾着身子高高举起砖头，朝外自上而下一拍，蹦下来就跑。我也转身就跑，好像是站在38楼前，一口气上了四楼进家阳台才气喘吁吁忙不迭接着往下看。接下来的事情很怪，没有越界追击，没有血迹斑斑，也没有叫嚷吵骂，那儿空无一人，树涛依旧，远处一个海军大人仍在不紧不慢地走路边走边看报纸。

我一直觉得那天我目睹了一桩命案，亲眼看见那排海军孩子被砸死了一个，那景象当真产生过：一块砖垂直拍在一个长癖烂了一圈的天灵盖上，那孩子挺白，左脸颊上有颗黑痣，一只眼单一只眼双——脖子一歪，身体往下一出溜，就翻白眼死了。后来跟海军小孩熟了还问过他们，他们都说没这回事，我还形容了这孩子，他们想了半天，说没这人。照他们院的传说，我们院孩子一见他们就跑，哪还敢还手啊。

那我就是见了鬼了。

当时我很兴奋，也很恐慌，心跳得像怀揣了个打字机，在阳台上一个劲想公安局找我应该怎么编谎话，假装没看见。我认真上床躺下，用被子蒙住头，对自己说：我就说我一直在睡觉，现在还没起床呢。

很长时间认为自己有亲身经历：“文化大革命”期间打死人白打。

后来大孩还发明了链子枪。把自行车链条拆下几节联成一支枪管，打火柴头，一扣扳机啪的一响，一股硝烟味儿，给人感觉更像真枪。再后来演进到打铁丝，五步开外，枪响见血，打群架兴起之初，还见有大孩使过，地点在八一湖山坡上。

好像我们经常在中午溜出去跟大孩去八一湖游泳。

方枪枪和方超挎着救生圈轻手轻脚打开家门，轻轻关上，轻轻下楼，做贼似的。

好像中间门大秃二秃他妈小梁受了方枪枪他妈的托付，盯着他们哥儿俩不许跟别的孩子一起去游泳，听见动静就会出来张望，知道他们下了楼，就会趴在四楼楼道窗前，等他们哥儿俩人一出现就往回喊。

好像我们经常躲在单元门雨遮下，耐心地等小梁回屋，或者下楼梯叫，那时我们就可以撒丫子一颠儿——光在楼梯里喊，我们就当自己是聋子。

有时听见小梁很响地关门进屋了，一露头，她还在那儿，逮个正着。

有时已经一个箭步蹿到第一株桃树叶下，再往四楼上看，小梁又出来了，拿个毛衣在那儿织，不时眼观六路，看似在炮楼上放哨。

我和方超就成了穿越封锁线的武工队，沿着树荫一株树一株树地潜行，直到很远还看见她在窗口。这时声音听不见了，就出来在马路上走，也回头看她比比画画扬手的动作，当她压根什么也没喊。

去八一湖要经过很多片菜田和一个村庄。路边的茄子扁豆没人偷，但看到半熟的西红柿不免手痒、嘴馋。大孩就带我们锻炼勇敢，率先垂范表演怎么去偷西红柿。

看青的农民发现，举着铁锹追，放狗咬，逮住照死了打，还罚跪。一次看见张宁生张燕生高晋高洋一溜四个跪在田埂上，高声背诵毛主席语录：凡是反动的东西，你不打，他就不倒……

村子里那条土街也有很多农民的孩子带着狗蹲在路边，专截游泳小孩，什么都抢，用树棍挑着抢来的军帽晃悠着念叨：纪念章，纪念章……

跟着大孩也难以幸免，经常他们一冲锋过去了，我们小孩在后面全被截住。只能兜里什么也不带，让他们搜，狗跟着闻、舔，然后吃他一个绊儿放行。感觉那时候中国真是虎踞龙盘，每个孩子都在自家门前占山为王，想去任何地方都要一帮人，见人先上去截，争个主动，否则他也要截你，你先动手没准儿他还怕你。千万不能老实，不能让人看着斯文、知书达理，最好让人以为你是土匪、流氓、亡命徒，那你就安全了。

八一湖是活水，也不知跟哪儿连着，有很长一段河道，两边是石砌的堤岸，一座座白石阶梯直通到水边。我们一般就在这段河道游泳。两岸山丘上有苇席围的棚子做更衣室，用墨笔写着大大的“男”和“女”字，无人看管，也不能存衣，在里边换了泳装就要把衣服抱出来，搁在堤岸上自己同伙一堆看着。

女更衣室的棚子上被人挖出一个个洞，经常发生有人偷看女更衣室的故事。青天白日，山上突然一阵喧哗，一个男子披荆斩棘冲下来，后面紧紧跟着一群穿林渡柳的半裸女子，老娘们儿打头怒目喷张声嘶力竭，小姑娘跟着委委屈屈逢人诉说，最后一幕是沿岸军民群起拦截，把那偷香窃玉的小子就地按倒一通暴打。

也有翻山越岭逃之夭夭的。这便宜他就算落下了，不定回家怎么偷乐呢。

还有不留神没看清字走错门吃了冤枉的。那也只好活该，谁让你走路不长眼的。

比较高明的我们院一个外号“老肥”的孩子，一日低头进了女更衣室，迎面一声臭骂：流氓。原地还嘴：谁流氓——你流氓你流氓你流氓！对流半天，女性吃不起这亏，只好说：好好好你不流氓你出去你先出去行吗？老肥得以全身而退，名声大振。

我们都准备一旦误入宝地，照此办理。

那水不是清水，含有丰富的有机物，很稠，颜色、质地都像菠菜汤。中国式的称道：金水河。河也不深，夏天的太阳一上午就能给加热到浴池的温度，进去像泡澡堂子，游着游着能游出一身汗。

水底有淤泥、水草和贝类。大概还有小鱼，河边常见有人钓鱼，或穿着橡胶裤子在河里张网，摸来摸去。这样的河每年夏天也要淹死几个孩子，有些孩子在水闸上跳水，一头扎进淤泥拔不出来，就种在那儿了。附近还有一座白桥，也偶有不知死的孩子从那上跳水。

我不会游泳，吊死鬼儿似的扒着救生圈，脚丫子打水，随波逐流。遇过一次险。很享受地正漂着，救生圈撒气了。那是三截式的军用救生圈，一截漏气，其实没事，但我还是慌了神儿，又不好意思高喊，就小声喊给自己听：救命救命。还有个观念，喊了别人救命，自己就不必动了，于是沿河漂流，一路招手，越漂越远，看上去还挺会玩。

这时我爸爸发现了我，游过来拉着救生圈把我带到岸边，算是救我一命。

好像还有一次傍晚他也在，还有他处里的一些年轻干部。游完泳上岸天色已经昏黑，一个叫小毕的叔叔，发现地上有个二分钱钢镚儿，弯腰去捡，摸了一口痰。

大约我们还集体组织去过海军和通信兵游泳池游泳。通信兵游泳池是水泥的，水是绿的；海军游泳池水是蓝的，也许砌了白瓷砖。张军长和张宁生被海军小孩认出来了。张宁生被几个海军大孩在光溜溜的地上光溜溜地连摔了几个大马趴，一条腿和后背都红了。有一个气势汹汹的秃子还端着把小刀要叉了张军长，被带队的毕叔叔喝开了。他们倒没找我们这些坐在泳池边腿搭在水里很无辜很弱小的小小孩的麻烦。他们中有几个人泳游得很棒，还会自由泳，乘风破浪，鱼翔浅底，闭眼咧着大嘴回头换气。

也许我们还跟着大孩去苏振华家偷过柿子，也不知怎么经过的辽阔、充满敌意、危机四伏到处闪动着警惕的眼睛的海军大院。那栋小楼已经没人住了，一地落叶，像香山上的一处房舍，高高的围墙上密布尖利的玻璃片，像一片钻石闪烁不休。我们刚靠近，楼上就响起一个似乎扩了音的不真实声音：干什么的？我们拔腿就跑。

似乎我们全院大小孩都在海军操场上看演出，这时就听到一个海军小孩在人群外边走边嚷：总参的来了，总参的来了。

我们院大孩就挨个扒拉我们院小孩，叫那些在树上的，压着嗓门说：撤，快撤。

我们跟着大孩狂跑到我们院围墙一带停住脚，那一片很黑，没有路灯。收容齐人，点了点数，大孩就对我们小孩说：咱们在这儿打他们一下，都去拣砖头。于是我们不分大孩小孩都钻进路边树丛一人拣了两手石头，然后隐身在墙和树丛的暗影中。

过了一会儿，路口灯底下出现海军小孩密集的队形，一排排灰军装露了出来，弯腰小心地前进，嘴里集体哼着电影《平原游击队》“松井进村”的主题音乐：噔—滴答滴答，噔滴答滴答……

打——有大孩高喊一声。只见砖头瓦块犹如陨石雨纷纷落在路口灯下，在马路上迸溅。海军大小孩四散逃避：一个滑了个劈叉；一个踉踉跄跄张着手拱形按在地上；一个弯腰捂着头；一个躺在地上纹丝不动；一个光有颗头直接长在两条奔走的长腿上。再一眨眼，一个都不见了，只剩一地石头。

冲啊，一班向左，二班向右，三班跟我来。我边投掷边喊，以为自己是在夜袭马家河子。一个大劲儿，咔嚓一声，肩、肘、腕三处关节一起响，感觉脱了环儿，英勇负伤。

喊什么喊——我后腿弯挨了张军长一脚，直挺挺跪下——暴露目标。

那边的石头也砍了过来，一群群，黑老鸹似的，在黑暗中呼呼作响。也很可怕，需要人不停地左躲右闪，一群人像是在摸黑勤奋练习打网球。

我扶着胳膊往后跑，心里怨恨：打仗还欺负人。

回院的小门口大小孩挤成一疙瘩，挤得很热乎，肩并肩手挽手前胸贴后背，鞋跟统统踩掉，刚下床似的趿着。有一两秒的工夫，一个人也没能从那门出去，十个人像一摞书紧紧卡在狭小的门框上，都只露出一小部分身体：一只乱抓的手，一条踢腾的腿、半张挤扁的脸。这一秒钟可真长啊。

好像家家都买了柿子，红艳艳的一个挨一个两三层码在厨房和厕所的窗户上像是窗下点着一支红蜡烛。我们拿了长铁丝沿着一个个窗户走，每过一窗，就隔着纱窗捅进铁丝在一只只柿子上扎眼儿，柿子皮很坚韧，相持一下，扑哧钻了进去。没到冬天，这些柿子就全烂了。家家人赶着吃，嘴上、两手烂兮兮湿渍渍的，摸哪儿都黏。

有时还用手轻轻拍纱窗，摞在上层的柿子站不住，骨碌碌滚下去，听到夸嚓一声就急忙跑开。

夜深人静之时，经过一楼人家的凉台，花盆在宽石栏上摆了一圈，也闻到幽幽的香气，顺手把花盆逐一扒拉到地上摔得粉碎。屋里正睡的大人就开灯，在寂静之夜破口大骂，直到躺进被窝骂声依然不绝，觉得有成就感，安心入睡了。

再翻窗户跳进澡堂洗凉水澡已经有点冷了。水柱一浇下来，浑身一激灵，一层鸡皮疙瘩。一凉，尿就多，看澡堂老头的专用暖壶搁在凳子上，拔了塞儿，把冻得萎缩的小鸡巴对准口，帮他灌一壶。暖瓶上水有一股低低的啸声，好像里边有只哨子，呜呜呜吹着爬上来，满了就哽咽着停下来。想到一脸忠厚的大爷，一边和洗澡的人聊天一边沏茶，端起茶缸子一口喝下肚，眨着眼：这是什么味儿？就忍不住笑。什么时候一想都可乐，吃着吃着饭喝着喝着水都能自个笑起来。

一天傍晚，去食堂吃饭还看见张宁生他大哥“张老板”和黄保宁黄秋宁一伙大孩在 23 楼前用石头砍一个躺在地上的氧气瓶，石头砸在钢上砰砰作响。

吃完饭回家，刚在床上坐下喘气，就听见一声巨大的爆炸，窗户玻璃嗡嗡颤动，忙跑上阳台张望，看见天边的晚霞以为是冲天的火光。楼下很多家属往 23 楼方向跑，边跑边喊：炸死人了。

跑过去晚霞已经落了，天立刻黑了，好像是半夜，不知从哪儿射来的一束探照灯打亮了一片废墟，“张老板”躺在瓦砾上，脸很干净，脖子血肉模糊，破了一个大洞，范围之大好像远超出一个人脖子的所能承载的界限。

全院的大人孩子都围在那儿看，密密麻麻的腿和身躯，没有人声，也没人抢救，这孩子孤孤单单地躺在地上，身下硌着一堆碎砖，想来很不舒服。忘了他的真名实姓了。好几年他家人都瞒着他奶奶，说这个孙子去外地了。院里小孩遇到张奶奶跟自己搭话，都持一种谨慎的态度。

一天早晨起来，天空阴沉沉的，像有什么东西在动，无数小东西，仔细一看，是雪花在飞舞。

第二十章

漫天大雪夜里也在下，映得屋里一片寒光，昨晚擦过的水泥地迟迟不干，刚找出来的棉袄棉裤支棱着压在被子上，像玩累了的小孩横七竖八趴在人身上，一翻身就往下出溜。暗中拉响的火车汽笛声比平常夜里要近许多，似乎向床开来，梦里那机车是一颗巨大的虎头，拖着长身子撞倒海军围墙，犁开一排排平房，一头趴在 42 楼下。方枪枪梦中惊醒，不敢做声，爸爸不在家后他已习惯做了噩梦不声张，克服恐惧的唯一办法是不要再睡，生怕一合眼那塌天大祸继续发生。

方枪枪再醒过来已是早晨，满墙大白，处处反光，以为已是中午，梦里那奇怪的刷刷之声贯穿到现实世界使他想了一下自己是否真的醒了。披着被子站在床上往窗外看，海军那边的几条路上都有大人挥舞着大竹扫帚扫雪，扫过之后的路口堆起一些雪人，有人还在用铁锹拍拍打打。

他穿着棉毛裤下地去厕所站在马桶边撒尿，尿是黄的一圈泡沫。全家人合用的牙膏已经卷到顶，想挤出牙膏必须用俩大拇哥发狠地猛按一气。总是学不会按医生建议顺纹路竖着走刷子保护珐琅质，总是横拉硬拽一番，沫子还没起，就漱嘴了。一口牙膏水不留神咽进喉咙又凉又腻甜得极不正经真切体会了一把什么叫恶心。窗外大喇叭和屋里半导体同一个人在说话音速不同像是结巴而且住在盆地周围充满回声。

妈妈的嗓门也是早晨的热闹之一，像很多鸟在屋里飞来飞去：脖子脖子……耳朵耳朵……左眼。方枪枪觉得她很神奇，是那种能隔着墙看到你的爱克斯光眼无处不在想偷懒根本不可能。他一遍一遍擦着自己，摇头摆尾照着镜子觉得里边这孩子长得挺白净。

方枪枪穿上棉袄，蹬上棉裤，人立刻变得敦敦实实很憨厚的样子。试着走路感到裤裆有一厚托儿，夹着，捂着，老想骑马蹲裆。同样笨重的方超抓住他脚下猛使绊儿。

领扣领扣……钩儿钩。妈锁了自己卧室门出来那嗓门突然拔高感觉这整齐的女人一下急了。

太勒。方枪枪翻着白眼作窒息状。

别装！妈痛斥，手一下伸过来，带着蛤喇油味儿，不许解开像小流氓。

每天她一定要嚷嚷得自己大怒怒发冲冠，这才踏实、圆满、罢休。方枪枪和方超做过小测验，每个细节都照顾到了不给她可乘之机，没用。她还是嚷好像早操京剧唱家儿起床必吊的嗓子。有一次她实在挑不出毛病哥儿俩太完美了急不成竟愣在那儿，如同对手不搭戏下不了台的演员，结果大家都迟到了。没辙。可见一个人要是一贯正确惯了旁人只好经常卖些破绽否则谁也收不了场。

急过了，等于吃好了，妈开了门一个箭步冲了出去。这妈有点风风火火，也许小时候叫狼追过，一走就不会回头，不停脚像拧了发条一门心思向前你在她脚下点一炸弹她也不看一眼。小哥儿俩很响地摔门，下了一截楼梯就在楼梯窗前原地踏步制造一种奔跑的动效，一边解领钩领扣散着露着脖子小翻领的意思他们在等妈那最后一响。

快点——妈在四楼之下仰脖暴喊一声。

这才算完，母子都尽完义务今儿一天谁跟谁也没关系了。

方枪枪方超正正经经下楼，楼道里邻居家大人小孩川流不息上上下下开门关门，有人打饭回来，饭盒堆满食物，喷红着脸，嘴里吐着哈气，一路发布消息：有炸糕，快去。

哥儿俩同时发力三步并作两步，跳着楼梯往下跑一出楼门被天空中的大凉手摸了一把脸蛋。很多人在马路上来来往往，站着说话，路上雪扫到两旁像是挖了一条很宽的战壕，路面结着一层冰，小孩都滑着走，像是站在自动输送带上。

方超蹲在冰上，方枪枪拉着他跑像马拉雪橇。高晋拉着高洋超了过去，高洋扭过脸来得意地唱着歌：冰河上跑着三套车……

像一口吃猛了冰棍新鲜的冷空气吸进腔子镇得胸管一阵阵生疼。大院里到处一派寒素白雪是一种华丽的装饰人跑在其中也觉得冰清玉洁以为自己很美好。

方枪枪眼巴巴看着笸箩里剩下的炸糕又挨个数了一遍排在方超前面的人头，感到希望渺茫。29 号食堂的糖炸糕用香港国语讲：很好味。那和北京清真饭馆卖的油炸糕区别在于不是豆沙馅而是红糖馅，还要舍得油炸得焦脆一点，挂着一大块一大块扑簌簌掉渣的酥痂，皮一般是破的，滚烫的红糖浆流出一点，吃的时候粘在手心手背可以反复来舔。每当食堂炸这糕的日子全院小孩就要轰动一次，不离不弃排着长队等候心情如赴美国使馆签证。

小丫挺的双手端起一碗玉米面粥回身战战兢兢往餐桌那头走，与同样端着一碗粥的陈北燕走了个对脸，相视一笑，互相绕了过去。高洋脚蹬着凳子一边吃炸糕一边对刚在旁边放下粥碗的方枪枪乜着眼说：你冲女的笑了。

没！方枪枪斩钉截铁地说，孙子笑了。接着央求：尝一口，就一口。

没了。高洋一口把炸糕塞进嘴里耸着鼻子和全部咬轮匝肌说。

你丫真他妈操性——行。方枪枪回头继续向卖饭柜台张望。

食堂里挤来挤去吵吵嚷嚷的都是自己来吃早饭的小孩像儿童餐厅。平时院里已经很少见到大人，除了去干校的，还有更多的人去支左，去——不知道瞎忙什么，办公区也没人办公，几栋楼里空空荡荡，岗都撤了，大部分人家都是小孩独立支撑门户。

一帮帮小孩自己去食堂吃饭，鱼找鱼虾找虾凑成一桌一桌的边吃边聊倒也欢乐，也有点小人国里过日子的郑重其事。院里食堂吃饭是赊账制，一家发一个本，一页是一顿饭的明细栏，要吃什么看小黑板出的菜谱预先写在本上叫订饭，炊事员每餐收本根据上面所写夹饭菜条在本里，再吃饭凭条去柜台领，月底从各家大人工资里扣除。这样就不用给小孩钱了，大人不在家小孩也不会吃不上饭。挺科学。

爸妈给方枪枪方超规定了每人每月十二块钱伙食标准，不算大方也不太苛刻差不多是一个士兵的伙食标准。有的人家只许孩子吃六块钱八块钱。能有十二块钱的经济实力自由支配已使方枪枪觉得自己像一个有钱人。重要的是可以自己决定吃什么不吃什么这自我感觉很不一样。当时只是一种得意，现在说得清楚那不就是人权嘛，吃饭权官称生存权。

相形之下，那些还必须跟着父母一起吃饭的孩子十分可怜，一看就吃人家嘴短只有一个听话权。

卖饭柜台那儿“呕”的一声响几十个孩子一齐失望地叹气，方枪枪这边知道彻底没戏了如丧考妣。

方超端着一盘子油盐花卷走过来，往桌上一撂：就这个了。

怎么麻酱糖花卷也没了？方枪枪看着陈南燕端着一盘麻酱糖花卷走过去到一桌女孩那儿坐下。

最后两个也被她买走了。方超也是一脸丧气。

你把酱油倒在粥里，和一和，鸡蛋味儿。高洋乐呵呵地说。

下次，啊，你也别求我。方枪枪气呼呼地拿桌上的酱油壶，一倒，多了，成屁味了。

一桌小孩都在传明年复课闹革命的消息，都十分扫兴，觉得正常的生活受到了干扰。

小孩中新添了一风气聚众聊天当时没个准名，也叫“哨”也叫“抡”也叫牛逼蛋砍。毛主席说你们要关心国家大事，于是小孩起来响应，真的假的国际国内听风就是雨都要装很有思想很有见地，发展到后来蔚然成风极大提高了中国人民胡搅蛮缠的能力。

“大山”是那时的某种象征，“三座大山”什么的，和“康庄大道”相映成趣。后来出了个老英雄，每日挖山不止，有他那种精神的人，由“蛋砍”引申出来，被称为砍山不止，再经文人加工，变成今天半野半驯的生猛词组：侃大山。

那在学校停课舆论一律的年代也起了普及教育传布谣言的积极作用，差不多可说是生活这无耻老师给一个孩子上的最好的语文课，那词汇量那不破不立的决心那望山跑死马的曲里拐弯这才是汉语的正经表达方式。方枪枪没成为认字的机器懂事的傻子真要好好感谢那些年盛极一时的全民砍山运动。

当他再次坐在小学低年级的课堂里才发现受过砍山熏陶的自

己中文程度已有多深，什么老师的胡说的课本的欺人之谈都是小偷进了街坊院熟门熟路飞行员碰见玩鹰的不是一档次吃月饼掉了一地渣儿都是我剩的。

应该说那是继白话运动之后中文的第二次革命。任何词句都可能被赋予新的意义，甚至直接改变词性可说《新华字典》什么的都废了。说话，只是一种态度，说的是什么不再有人听得懂，需要不断丰富、穷尽其义方可定案像一场不设终点的追逐。

哪有规矩哪有语法都是活词儿只要你高兴没一个同义词不可以作为反义词捋顺了就是最高级别的反义词。

把一句话一个词当做一道菜不断地添油加醋越说越没谱越说越没边儿只为耸动视听再夹杂点徒乱人心的意思我想这就是所谓文学了。

有了文学观念好啊，就不简单满足于弄明白一件事的来龙去脉，愚昧地分个是非穷凶极恶死心眼地去挖掘主题。

就懂得编排，学会穿凿，酒不醉人人自醉大面儿上找一感觉望文生义欲得我心必先同了我这流合了我这污。

有时人的大脑就像一间间黑屋子非得用力撞一下才会透出一丝亮多少看清里边有什么。

好的砍山就像好的文学作品都是往人脑袋上钻眼儿的工作哪是领了钱只会误人子弟的老八板语文老师们教得了的。

小孩们聊得热闹，吃完的也不走几桌孩子拉成一个大圈子旁边桌的女孩子也竖着耳朵听。从杨成武会不会打仗飞夺泸定桥时他是团长还是政委，到江青是男的还是女的叶群五五年授的是上校还是中校，到 23 楼杨力文偷了他家七百块钱买了十个獭帽七八件黄呢子大氅二十多双将靴要是公家钱都够枪毙了。

中午吃什么？方超翻着饭本一页页浏览。研究了半天黑板上的菜谱，一共四个“才”：一才熘肉片；二才肉炒蒜苗；三才炒红根；四才白菜冻豆腐。

什么叫红根哪？方枪枪问。

胡萝贝。高洋告诉他。

除了熘肉片都不爱吃。方枪枪说。

那就一个一菜一个四菜吧。方超一笔一画写在本上。

关门了，吃完没有，都走别这儿瞎混。那边炊事班的战士一路挪桌子踢板凳扫着地过来，朝这边的小孩嚷嚷。

小孩们都不动，装没听见。一个战士举着扫帚冲过来也不知哪根筋搭错突然暴怒地狂吼一声：都滚！

像是用手指在冬天雾蒙蒙的玻璃上抹出一小块干净的地方，看到了窗外很多东西：肉不太够吃，棉鞋不太暖脚，阶级兄弟不那么可靠，当兵的和人民一对一的时候也不是很客气，也撒性子，跟小孩恶起来特别不像有纪律和高度政治自觉性的。

特别意外十分惊疑的是大人的表情不像小时候想象的那么和善，多数人其实长着一副凶相，永远只有两种状态：郁郁寡欢和勃然大怒。

不知道为什么院里孩子都在雪地上追打陈南燕的表哥。那男孩住在学院路，家里好像是钢铁学院的，每年暑假寒假都来陈南燕家住，有时星期天也来，跟院里孩子都认识也常一起玩。这孩子他个子瘦高，有点驼背，戴个白塑料框眼镜，说话细声细气，玩得一手好弹球，尤其擅长弹球吊坑。现在他手端着一把水果刀，庄严地往陈南燕家走，几十个大小孩子包围着他跟着他移动，个个弯腰攥起雪球奋力往他头上砸，他的头部雪雾纷飞，头发脸颊湿漉漉的棉猴后领堆着一层雪，眼镜蒙着白气像个盲人一意孤行。陈南燕跟在他身后又哭又闹，来回阻挡想靠近他的孩子。张宁生举着个坛子般的大雪球迎面向他冲去，陈南燕扑上去，被人推了一把自己跌倒在雪地上。大雪球在她表哥的头上粉碎四上飞溅像董存瑞的炸药包无声地爆炸，那男孩跪倒在地一时被蜂拥而上的人群遮住，再站起来满脸通红眼镜已经没了，一只耳朵流着血。他手里仍攥着那把水果刀盲目挥舞着，在自己面前划开一小块空间，一声不吭继续前进。

男孩和攻击他的人群走远了，雪地上只剩哭哭啼啼往起爬的陈南燕和站在一边瞅着她的方枪枪。陈南燕的花棉袄和小辫子上都粘着雪粉像个小白毛女。她哽咽着仔细拍打着自己上上下下看见方枪枪眼露凶光：你看什么。她大声抽泣着向方枪枪走了几步把手里无意抓起的一把雪攥成球向他投去。方枪枪抬臂挡了一下，雪球轻飘飘地在他棉袖子上碎成了一片雪。

二食堂门前人山人海，一排排猪捆绑着手脚躺在松林中的雪地上黑白分明。一只条凳摆在地当间，几名炊事班战士往身上系皮围裙，说说笑笑都叼着烟卷。一个老兵蹲着磨刀抬手举起带鱼般细长的尖刀一道苍白光芒掠过黑压压的人群。

杀猪了杀猪了。一些小孩在院里奔走相告。

猪们翻着小眼睛看人，人和气地向它们走去，一只大猪被拎着耳朵拽出列迤逦歪斜拖过来，七八只手托住它稳稳当当将它架上条凳还拍拍肚子捏捏膀子像人之间见到胖子常干的那样。这时猪开始叫情绪激动嗓子眼很窄，扭动躯干，想翻身下来。人立刻跟它翻脸，一拥而上，压腿按头有一位干脆迈开大腿骑上去掰着猪头，接下来的行为很有人情味端来一盆水仔细给它洗脖子围观的小孩都笑了，一齐扭头看磨刀的老兵。

老兵慢慢站起来原地晃着腰胯，全院小孩热烈鼓掌，他也洋洋得意，矜持地走到条凳旁一转身刀背在身后。他像大夫看病伸出空手在猪肉滚滚的脖上摸来摸去像是找淋巴，猪也不闹了信赖地瞧着他哼了一声似乎还被他摸舒服了。下面的动作谁也没看清猪也一副没料到的样子，只见老兵身体突然打开，四肢舒展，像猴拳一种，给了猪一下，只剩手在脖子外面，这一撒手，猪血跟着喷枪似的滋出来拿出的那把刀十分鲜艳连那只手也顷刻像戴了只红手套。这时远处得知真相的猪群一齐尖叫。

条凳上那位断了动脉的也叫，声声悲愤，叫着叫着改了哼哼一刻不停直到流尽最后一滴血脸也白了原来它是失血而死。战士们松了手，烈士一动不动，遭一脚踢下条凳，趴在雪中还睁着眼迟迟咽不下最后一口气。

太阳一点点露出来，像是上帝开了灯天地间陡然亮了许多似乎这个白天刚刚开始。

一只只猪被拖出来，托举上案，当众捅死。猪的嗥叫声势壮大回荡在正在放晴的天空之下那是上百小孩一起学着它们同叫。方枪枪发现自己也在叫，尖着嗓子一声接一声那种原始的有音无字的畜生般的嘶吼使他亢奋，什么东西在蠢蠢欲动，很快乐，那是……

高洋也像疯了一样，拿着小棍把还活着的猪们打得死去活来，痛斥加谩骂：叫！叫就能躲过这一刀吗？人还有事业，你们，吃饱了混天黑有什么舍不得的？都给我住嘴！去，面对死亡放声大笑——这帮傻 × 他气喘吁吁对方枪枪说都他妈活该。

那是一种什么表情呢方枪枪看着高洋一时没说出话来——龇着牙咬着腮帮子鼻孔喷张眼睛散瞳整个人都在哆嗦，可是很满足——很多年后才反应过来，那是一种明显的返祖现象：杀生时激起的野蛮欢乐。

猪一直杀到下午。最后一头猪活着但也不叫了。猪死了一地，玷污了皑皑白雪，到处是泥泞和污血。一个战士用自行车打气筒挨个给流光了血的猪打气，气嘴插进伤口的皮下，一下接一下，打得每只猪浑身发胀，饱满夸张，再被铁钩高高吊起时，煺光了毛，锃明瓦亮，泥雕蜡塑一般，保持着临死的愕然。接着它被开膛破肚，大卸八块，肠子里的屎被一截儿截儿挤出来……

方枪枪终于看恶心了，像是晕车胃肠蠕动突然加剧浑身发胀自己盛不下自己了。

那一夜二食堂一食堂通宵灯火通明，只听远远传来很多油锅在刺啦作响，夜空中飘浮着熟肉制品的香气，吐得很虚弱的方枪枪也情不自禁三更半夜起来披着棉袄上阳台倚着栏杆用鼻子向空中闻去，那味道压过了花香和积雪的气息空气都显得油滑肥腻，如果你那时问他什么是幸福，他就会指着食堂的方向。

猪已被加工成各种芳香美味的酱肉。一盆盆耳朵口条心肝大肠蹄子肘子排骨臀尖尾巴血豆腐肉皮冻单摆浮搁，碎渣赘肉也炸成一锅锅金黄小丸子一点没糟践，间或可见几十张猪脸满面油红笑眯眯的俊样。

食堂门口水泥地上已经摆了弯弯曲曲很长一溜形状各异的饭盆，行列里还有几只小板凳，那是诡计多端的老太太们拿来的。最积极的人据说天还没亮就把家伙摆在那儿了。

不知道为什么方枪枪和高洋闹翻了。好像是为了一个词的发明权。大家聊天，提到一般外国人，高洋一口一个“老外”，大家觉得这个简称贴切、形象，也鹦鹉学舌这么叫，立刻在孩子中间流行。

方枪枪在一边提醒大家：这是我先叫的。

他记得很清楚，那是一个星期前，名曰来串联其实是来玩的老姨和老姨夫带他和方超去天坛玩。他们在回音壁看见一个白种人，相当粗壮，金头发，蓝眼睛，穿着一条今天说的牛仔裤，转着圈拍照。没人知道该怎么形容这样一个人。我们形容外国人的词汇很有限，苏联人——老毛子；其他白人、跟我们不好的，都叫鬼子；黑人、衣不蔽体还挺亲切，可称黑哥儿们。这家伙明摆着是个外国老百姓，看上去很友好，见到中国人就笑，还朝小孩挤眼睛，一定跟我们国家挺瓷，否则不会让他一个人这么瞎溜达。既不是鬼子，又不是黑人，没名没姓，还实打实是个外国人，比所有中国人都大一圈，这可难为住了方枪枪，他会的中国话里找不着一个现成的词。

创作，就是这么产生的——现实很恐怖，知识不够用，方枪枪盯贼似的下死劲儿盯了人家半天，头一晕脱口而出：老外。

说完，豁然开朗，困扰全无，四川话：安逸。

回来他就急着公共汽车上抢座儿似的跟高洋说了：今儿我见着一老外。

高洋还一惊：谁？你见着谁了？

方枪枪这才把话说全：外国人。

没得意几秒就开始后悔，因为高洋没再往下细问，低着头若有所思眼睛骨碌碌乱转瞅着就是记词儿呢。

转天，掉脸，方枪枪就从不同渠道纷纷听说高洋新发明了一个词“老外”，登时心中大怒。这小子太不地道了，欺世盗名，靠耳朵长嘴快冒充人杰，跟捡粪的老农一样永远背着个筐手里拿个铲子见一句话一个词儿热乎的就铲自己筐里。忍吧，方枪枪对自己说，你还不能跟他计较，一计较好像就跟他一个操性了。

第一天方枪枪觉得自己很有风度，第二天觉得自己很有肚量，第三天觉得自己很高尚，第四天窃喜自己将来能成大事第五天觉得还是亏了第六天一觉醒来觉得委屈高洋太对不住自个第七天实在忍不住了又是勃然大怒，那和闻了一个臭屁不好意思声张差不多，无论看上去多么安详，事实上还是老想着这个屁，谁放的，吃了什么出的这味，是不是溅了一裤兜子？

……上次我先听说的江青是女的。那厮头发老装在帽子里，混在姚文元陈伯达中间，看着跟哥儿仨似的，都以为是上海新起那拨小男人之一。方枪枪在旁听大人聊天时得着真相，告了高洋，他立即动身到处广播，当做自己的一大发现，拽了一圈回来都忘了谁是先驱，见了方枪枪还卖关子：你知道江青是男的还是女的？方枪枪当然很不耐烦地说：女的女的。

那你知道她和谁是两口子吗他还追着方枪枪问。不知道也不想知道方枪枪捂着耳朵撒腿就跑我太生气了也知道此刻高洋的倾诉欲超过自己的好奇心准备憋死他。

方枪枪将要上到四楼时高洋在楼下大声喊：毛主席！

那天三顿饭方枪枪都没吃好，苦苦折磨着自己：问，还是不问？高洋端着饭碗坐在他旁边或对面，边吃边朝他咂嘴点头，找机会就和他对眼神儿，吃完饭也一直跟到方枪枪家闲坐，方枪枪上厕所他也靠在门口哼小曲一眼一眼看我。

方枪枪实在钉不住了，屎也没冲提上裤子出来对他说：你告我吧。

那一刻我既恨自己也恨高洋。

是我先叫的——老外！这一次我决不让步，一定要分个是非，被人掠去了版权精神实在痛苦。

什么你先叫的，我们大伙早这么叫了——对不对？高洋转向大伙打着哈哈，嘲弄地看着我。他太卑鄙了。

方枪枪和高洋大吵一场，什么溲泔零碎都扯了出来，某年某月谁给了谁一块糖，某年某月谁给了谁俩弹球，中心论点就是谁不仗义谁其实是谁的精神导师。旁边听着的大孩都觉得无聊，对他们说：你们俩干脆打一架得了这么吵跟女的似的。

好像有一种需要，一定要在人群中寻找一个对立面一个打击方向。没有，便难受、失落，觉得活着的意义不积极。发现了，制造了，便满足、踏实有了奔头像尿急了的人找见厕所心中大安。这么说吧，我有敌视贬低他人的生理需要。这也属于一生下来就长在身体内的本能，一经发育便要宣泄比什么还要早熟、来得快、凶猛、持久、不可或缺和补人。不瞒各位，很多时候我是靠这东西充实情感和维持心理卫生的。我得说它很可靠、忠诚有时也大有乐趣。情人眼里出西施，老虎眼里全是口粮，这种事开了头就扳不回来。

全院小孩和家属老人都在食堂门口排队等着买年货。方枪枪和方超戴着棉帽各拖着一条枣木棍子经过他们身旁。男孩们站着打扑克，往地上反扣着的饭盆上甩牌不但下腰还跷起后腿。汪若海端着一奶锅玻璃似的藕粉在人前走来走去地吃，每一口都拉得很长弹力十足。女孩们在跳皮筋，陈北燕加助跑凌空一飞双腿弯过头顶——没够着，落地蹾了脚久久垂头蹲在地下起来后一翻一翻都是白眼。

风一吹，没化的雪都冻得梆脆马路上的冰已被人来车往轧得很瓷实，色泽晦暗冰下冻着很多脏东西烟盒弹弓饼干纸抹布一把钥匙像是走在结了冰的湖面上。

高洋高晋出现在路的另一头远处，也都严严实实捂着棉帽子打狼一样拖着棍子。

老太太们围坐一堆儿一小堆儿鬼鬼祟祟窃窃私语，看到两大群孩子聚拢过来眼中立刻闪出警惕的神情。

看什么看一群吃闲饭的那么老假的一样。什么慈眉善目那堆褶子中分明露出几分奸诈。何来饱经风霜一律使人觉得来路不明灰头土脸不知掩盖了多少可疑的经历和荒唐岁月。越是鹤发童颜心闲气定越是透出老丫的年轻时作恶多端折腾累了踏踏实实歇菜了。特别听不得活得不耐烦的老头老太太胡说一些毁人不倦的话，一听那过来多少年大仙般的口气就想呵斥：装？又装！

一脑瓜翻腾的凶恶念头就为克制越来越大越来越清醒意识到的恐惧。走着走着方枪枪的勇气像池子里的水一点点流光，开始哆嗦，上牙磕下牙嘚嘚作响。高洋高晋都很冷静在冰上慢慢走着仿佛仅仅是过路越走越近。不知道如果是不认识的人，不这么面对面鼻子眼睛嘴都看得很清楚，不要这么近！而是用枪，远远地模模糊糊地瞄，会不会好一点胆儿壮一点不这么哆嗦这么……怕。

塑料底的棉鞋一走一滑，很想此时有人出来主持讲和，可围观的小孩都不吭声都不是真哥儿们。我想振作一点,既然来了,跑,又丢不起这人——就表现好一点。

为什么血还不热脑子还不空白？听说这是杀人时应有的状态就像噩耗传来人一下昏倒——这才扛得过去这才什么手都敢下挨了枪子也不觉得疼。

非但血不热脑子不翻篇儿，反而手脚冰凉更激烈的念头丛生像冰块一样清醒，高洋高晋迎面跑过来，自己也加快脚步一下冲到高洋身后，抡起棍子打向他脑袋仍一刻不停地想：不能打后脑勺那太薄不能打天灵盖那会把人打傻不能打脸那会破相……

食堂门前的人全不见了，地上只剩下稀稀拉拉几只盆。

方枪枪用足力气抡将一棍起来，落在高洋头上软绵绵的或可说降落在他棉帽子上，高洋漠然回头，我先惊了想的是冲人却连连后退一屁股跌坐冰上。我坐在低处眼看着高晋一棍子噗地打在方超胳膊上方超立刻丢了棍子手捂疼处嘶嘶倒吸凉气做忍痛不禁状。

战斗就这么结束了比我盼望得还要快。食堂开始卖熟肉了，大家都急急忙拣起盆冲进食堂回到队中。里面已是人声鼎沸队形大乱人人伸手指着柜台内一盆盆酱油色的肉。方超捂着胳膊一边吸气一边招呼高晋高洋还排在我们前面。

黑亮的肉皮一刀划开里面一片粉嫩砧板上喀嚓喀嚓一片刀响战士十指油汪汪一手拿肉一手抓秤盘子。

十分羞愧，自知那一跌主观上是故意，看似不留神一滑，实际是想跑又觉得丢人干脆坐地上。这时血热了，心跳上太阳穴脑子也空白了，情绪上是无地自容，感觉上是一阵阵劫后无恙的狂喜。

一边走一边挑着瘦猪肉吃，冰凉且其香无比。张宁生张燕生哥儿俩横在马路上，见朋友过来就狗熊一样拱手相求：就一口。真心舍不得又不好显得小气于是停住不动一脸受了伤害的表情。你怎么这么抠啊爪子伸进别人盆还理直气壮批评别人。午后下楼，哥儿俩还在路上，吃饱之后懒洋洋的样子，嘴上一层油一人把着一棵树往树干上抹手，不停放屁，熏了一片雪地，麻雀都不往他们旁边落。

这一天发现自己不是自己的主人，这比知道自己是脆弱的动物还要伤心。不管自己想要多么坚强，身体根本不买账，怕疼、怕遭罪、自动回避冲突。那也是一种古老的本能，当皮肉之苦将要降临时，它立刻机灵、主动、无比执拗地提醒我：没有比这再不值的了。这，说来有些神奇，它是有意志的，恪守自己隐秘的原则，日后，屡屡发现当身在一些两难关头一时糊涂准备豁出去时，身体都会不顾面子当即制止我咔嗒掉了链子，用刁德一的话说：这个队伍是你当家可是皇军要当你的家。我也不想称其为心灵，我不能十分肯定心灵是完全独立操作的，没在后天受过影响，而它——身体，百分之百是先天的，特立独行，甚至连我本人也无法左右它，它只对自己负责，珍重自己的皮、肉、血管、神经和细胞，狂热追求舒适安然。一遇侵犯，哪怕是我施加的，它也抵制、不服从爱谁谁谁。

很多时候，不知道何去何从，它终结了我的犹豫。有时感到绝望，它也无动于衷挟持着我继续庸常生活能感到它带着我走。这个东西永远坚定，旗帜鲜明，轻易粉碎种种热烈不着边际的想法。

不晓得它算不算那个世人老说的人性，似乎也不是很准，没那么可塑，具有明确的善恶取向，往往一般它处于和一切自外道德的对立状态。

一向也不太接受神性的存在，总认为几近天方夜谭，雪泥鸿爪，无处可寻。有说法曾令我心疑，虽然那听上去像是诡辩：上帝在你的心里。想来想去仍不能往那边想当然那个有自由意志、我行我素的强大能力是神。它只是存在、行动、从不见诸思想，也不曾跳出来单独生成一张脸，使我可以明白指认它。

和高洋很久不说话，戳在脸前也一眼不看他当世上没这么个人。后来有一天，在路上碰见高洋和他妈刚从外面商场回来。高洋他妈叫住方枪枪，问：你是不和高洋一起玩了吗？你们不是好朋友吗？说的方枪枪也不好意思了，说：没有，一直挺好的。那你们握握手他妈把高洋的手放在方枪枪的手上。

尽管手拉着手，第一句话也真难开口，不知说什么，脑子真空白了。还是高洋先开了口，问方枪枪：你知道非洲为什么比别的洲都落后吗？

……是因为他们比别人都晚变成人吗？

不是，他们也挺早的。

那是那是那是因为他们那儿热，什么都有，不用怎么干活也能吃得挺好所以就什么也不动脑子什么也不发明了。

对了。高洋夸新朋友，你真聪明，什么道理都能自己琢磨出来的。

我也是瞎猜。方枪枪听了心里美滋滋的，一下又很悲痛，觉得对不起高洋，好好的打了人家一棍，还是人家先和我说话的，我真小气。

你看书吗？高洋问方枪枪，我有一本写非洲的书，看了你就了解非洲了。

看。方枪枪羞答答地小声说。

高洋回家拿了一本是法国人还是美国人写的《非洲概况》借给方枪枪看，很厚的一本书，里边有很多耸人听闻的事情：一个非洲酋长娶了五百多个老婆，生了一千多个儿子，还有几百个女儿。

张着双臂东倒西歪踩平衡木一样走马路牙子，抬头看见陈南燕陈北燕姐儿俩跟着她们爸妈走过来，眼睛对眼睛相视片刻，都没有笑，像在大街上遇见的陌生人，看见了，过去了。

站在单元门口伸直脖子一口接一口往马路牙子上吐痰。积雪在太阳底下融化，痰落在雪上颜色偏青有时发绿，齐齐塌了一圈边儿，自己冻成冰圆圆的像块翡翠。怎么也学不会从鼻腔内猛抽一口黏液到嘴里，羡慕能这么做的人，觉得自己没本事。后来会了，一次能吐一大摊，以为掌握了技巧，再后来知道自己染上鼻炎。

除夕之夜，在阳台上放鞭炮。戴着毛线手套拿着“二踢脚”向四下发射想象那是对和平居民的大规模炮击。远远近近的楼房上都闪动着一串串火光和连成片的闷响。好像还看到了礼花，在漆黑的夜空中突然遥远绚丽地开放了，五彩分明无声无息接二连三像是神话中的情景。在我们之上真的有什么大东西存在吗方枪枪对这一突兀其来的神秘景象感到敬畏。

一支“二踢脚”在我手中两响一齐炸了，看着那捻儿滋滋叫着缩进弹筒，一声大响手里像捧着团火光变魔术一般。手套破了，手心熏黑了，捏着鞭炮的两个手指头一夜都是麻的，接触热水也没什么感觉。那团炽亮的火光迟迟不肯消逝看什么都罩在眼前，一个清晰的红桃，闭眼沉入黑暗中越发醒目。

我突然醒了，周围是一片安静之极的黑暗视线只能到达自己的眼眶。只知道刚从一个噩梦中逃出来全忘了噩梦的情节。只是害怕感到危险还潜藏在四周说不出那是什么样的凶险和吞噬越发显得比比皆是：阳台上晾在衣架上的衣服竹竿的影子小钟表走动的滴答声和厚厚的四堵墙的墙壁之内……都像是鬼魅确曾来过的蛛丝马迹和将要再次出现的先兆。

方超醒了，听到耳边很近有人抽泣全身汗毛一下竖了起来。他发现那是同睡一床的弟弟在哭，便用膀子撞他小声问：你怎么啦?

半天，方枪枪才说：我觉得……我觉得咱们都活不长了。

王朔主要作品年表

【1978年】

《等待》（短篇小说）发表于《解放军文艺》第11期。

【1982年】

《海鸥的故事》（短篇小说）发表于《解放军文艺》第8期。

【1984年】

《空中小姐》（中篇小说）发表于《当代》第2期；

《长长的鱼线》（短篇小说）发表于《胶东文学》第8期。

【1985年】

《浮出海面》（中篇小说）发表于《当代》第6期。

【1986年】

《一半是火焰　一半是海水》（中篇小说）发表于《啄木鸟》第2期；

《橡皮人》（中篇小说）连载于《青年文学》第11、12期。

【1987年】

《枉然不供》（中篇小说）发表于《啄木鸟》第1期；

《人莫予毒》（中篇小说）发表于《啄木鸟》第4期；

《顽主》（中篇小说）发表于《收获》第6期。

【1988年】

《痴人》（中篇小说）发表于《芒种》第4期；

《人命危浅》（中篇小说）发表于《蓝盾》；

《毒手》（短篇小说）发表于《警坛风云》；

《我是狼》（短篇小说）发表于《热点文学》；

《各执一词》（短篇小说）发表于《文学故事报》；

中篇小说集《空中小姐》由中国青年出版社出版。

【1989年】

《一点正经没有》（中篇小说）发表于《中国作家》第4期；

《千万别把我当人》（长篇小说）连载于《钟山》第4、5、6期；

《永失我爱》（中篇小说）发表于《当代》第6期；

长篇小说《玩的就是心跳》由作家出版社出版。

【1990年】

《给我顶住》发表于《花城》第6期；

《王朔谐趣小说选》由作家出版社出版。

【1991年】

《我是你爸爸》（长篇小说）发表于《收获》第2期；

《修改后发表》（中篇小说）发表于《小说家》第4期；

《无人喝彩》（中篇小说）发表于《当代》第4期；

《谁比谁傻多少》（中篇小说）发表于《花城》第5期；

《动物凶猛》（中篇小说）发表于《收获》第5期。

【1992年】

《你不是一个俗人》（中篇小说）发表于《收获》第2期；

《懵然无知》（中篇小说）发表于《都市文学》；

《许爷》（中篇小说）发表于《上海文学》第4期；

《过把瘾就死》（中篇小说）发表于《小说界》第4期；

《刘慧芳》（中篇小说）发表于《钟山》第4期；

《千万别把我当人：王朔精彩对白欣赏》（王朔、魏人合著）由人民中国出版社出版；

《过把瘾就死》（著名作家新作大系）、《王朔文集》（纯情卷、矫情卷、谐谑卷、挚情卷）由华艺出版社出版；

《我是王朔》由国际文化出版公司出版。

【1993年】

《海马歌舞厅：四十集电视系列剧》（电视剧本选集）、《青春无悔：王朔影视作品集》由中国社会科学出版社出版。

【1995年】

《王朔文集》（1—4卷）由华艺出版社出版。

【1998年】

《王朔自选集》由华艺出版社出版。

【1999年】

长篇小说《看上去很美》由华艺出版社出版。

【2000年】

《美人赠我蒙汗药》（对话集）由长江文艺出版社出版；

《王朔最新作品集》由漓江出版社出版；

《无知者无畏》（随笔集）由春风文艺出版社出版。

【2001年】

《文学阳台——文学在中国》、《美术后窗——美术在中国》、《电影厨房——电影在中国》、《音乐盒子——音乐在中国》等“文化在中国”网站系列丛书由上海文艺出版社出版。

【2003年】

王朔文集（包括《顽主》、《过把瘾就死》、《我是你爸爸》、《玩的就是心跳》、《篇外篇》、《橡皮人》、《千万别把我当人》及《随笔集》）由云南人民出版社出版。

【2007年】

小说集《我的千岁寒》由作家出版社出版；

长篇小说《致女儿书》由人民文学出版社出版；

小说随笔集《新狂人日记》由长江文艺出版社出版。

【2008年】

长篇小说《和我们的女儿谈话》第一部发表于《收获》第1期，并由人民文学出版社出版。

图书在版编目 (CIP) 数据

看上去很美 / 王朔著. — 北京 : 北京十月文艺出版社，2016.6
（王朔文集）
ISBN 978-7-5302-1572-2

Ⅰ. ①看… Ⅱ. ①王… Ⅲ. ①长篇小说—中国—当代 Ⅳ. ① I247.5

中国版本图书馆 CIP 数据核字（2016）第 057336 号

看上去很美
KANSHANGQU HENMEI
王　朔　著

出　　版　北京出版集团公司
　　　　　北京十月文艺出版社
地　　址　北京北三环中路 6 号
邮　　编　100120
网　　址　www.bph.com.cn
发　　行　新经典发行有限公司
　　　　　电话（010）68423599
经　　销　新华书店
印　　刷　北京盛通印刷股份有限公司
版　　次　2016 年 6 月第 1 版
　　　　　2022 年 10 月第 11 次印刷
开　　本　850 毫米 ×1168 毫米　1/32
印　　张　10
字　　数　200 千字
书　　号　ISBN 978-7-5302-1572-2
定　　价　46.00 元
质量监督电话　010-58572393